# 白滝遺跡群の活用―白滝ジオパークの取組みと課題―

白滝ジオパーク（北海道遠軽町）では「自然と□□□へ」をテーマに，およそ220万年前に□□□岩溶岩の噴火や形成過程□□曜石露頭などのジオサイ□□重要文化財「北海道白滝□□年国宝答申）を活用した教□□ズムを展開している。

構成／松村愉文

北海道白滝遺跡群出土品　石器および接合資料（佐藤雅彦撮影）

遠軽町埋蔵文化財センターでの石器づくり体験

3 黒曜石ジオツアーによる八号沢露頭の見学

# 世界遺産に登録された縄文遺跡
## ─北海道の構成資産─

北海道の構成資産は石狩低地帯から西○○6資産である。北方ブナ帯の範囲で本○○北部と同じ環境の下で共通の文化圏を○○成した地域である。ステージⅠb（集○○の形成）からⅢb（祭祀場と墓地の分離○○までの遺跡がある。

構成／阿部千春
出典／https://jomon-japan.jp/archives

*1* 垣ノ島遺跡（函館市）ステージⅠb

*2* 北黄金塚（伊達市）ステージⅡa

*3* 大船遺跡（函館市）ステージⅡb

*4* 入江貝塚（洞爺湖町）ステージⅢa

*5* 高砂貝塚（洞爺湖町）ステージⅢb

*6* キウス周堤墓群（千歳市）ステージⅢb

1 ドローン撮影による目梨泊遺跡　2本の道路に挟まれた部分が遺跡の主体部。

2 流氷が押し寄せる冬の神威岬

# 目梨泊遺跡出土 刀剣の意義

北海道の北部，宗谷地方のオホーツク海を望む目梨泊遺跡は，オホーツク文化を代表する交易拠点として知られている。2018年夏，地元の高校生と一緒に行った試掘調査によって，北日本では初めてとなる蒔絵を施した「金銅装直刀」が見つかった。

構成／高畠孝宗
協力／枝幸町教育委員会社会教育課，
オホーツクミュージアムえさし

3 金銅装直刀

4 金銅装直刀の鐔　宝相華文が彫金される。

5 金銅装直刀の足金具①
漆塗膜は蒔絵となっている。

6 金銅装直刀の足金具②

# 根室・北千島の
# オホーツク文化資料

北海道北部からオホーツク海沿岸を
下したオホーツク文化は，根室地方
至り，さらに千島列島沿いに広がり
千島に到達する。根室市は千島列島
面への折り返し地点にあたり，この
化を特徴づける遺構，遺物が出土す
遺跡がみられる。

構成／猪熊樹人
写真／佐藤雅彦

### 1 根室市弁天島貝塚竪穴群
オホーツク文化の竪穴住居跡が14軒見つかっている。

### 2 捕鯨彫刻図針入（弁天島貝塚竪穴群）
北構保男が13歳の頃発見した資料。オホーツク人
の捕鯨技術を今に伝える。

### 3 指揮棒（弁天島貝塚竪穴群）
シャチなどの海獣やキツネが浮き彫りされている。

### 4 青銅製小鐸（弁天島貝塚竪穴群）
大陸に由来するものとされており，
オホーツク人の交易を示す。

### 5 牙製婦人像（温根元竪穴群）
マッコウクジラの歯で作られた女性像。

### 6 北千島・幌筵島出土の骨角・歯牙製品

# 季刊 考古学

（年4回発行） 本体2,400円

第164号（7月刊行）　　　　　　　　　　　　　　　本体2,400円

（特集） **キリシタン墓研究と考古学**

小林義孝・大石一久・田中裕介 編

季刊考古学・別冊 42

# 北海道考古学の最前線
## —今世紀における進展—

目次

**表紙写真**
北海道白滝遺跡群出土石器（遠軽町教育委員会所蔵，佐藤雅彦撮影），北海道著保内野遺跡出土中空土偶（函館市教育委員会提供）

歴史・考古・世界遺産の情報誌

# 文化財 発掘出土情報

- ●全国の新聞（103紙307版）に報道される発掘情報を収集し収録
- ●最新の発掘調査の成果を巻頭グラビアで紹介
- ●歴史や考古に関連する博物館等の特別展案内やシンポジウム、研究会開催情報も満載
- ●遺跡の活用に向けた史跡整備や、世界遺産情報も掲載。

◆1983年1月 創刊 ◆毎月1日発行 ◆B5判
◆定価 2,200円+税 （※年間購読の場合送料無料）

## 2022年10月号（通巻497号）

◆収録遺跡・記事
上野国分寺
淀津
藤原宮跡
宮ノ浦遺跡 他
◆巻頭グラビア
和歌山県和歌山市
岩橋千塚古墳群

## 2023年1月号（通巻500号）

◆収録遺跡・記事
目梨泊遺跡
造山古墳
吉野ヶ里遺跡
馬毛島 他
◆巻頭グラビア
青森県つるが市
田小屋野貝塚

## 2022年11月号（通巻498号）

◆収録遺跡・記事
山内丸山遺跡
赤掘茶臼山古墳
上野遺跡
大中遺跡 他
◆巻頭グラビア
神奈川県相模原市
当麻遺跡

## 2023年2月号（通巻501号）

◆収録遺跡・記事
胆沢城跡
富士山1号墳
峰ヶ塚古墳
ナスカ 他
◆巻頭グラビア
京都府亀岡市
法貴北古墳群

## 2022年12月号（通巻499号）

◆収録遺跡・記事
香坂山遺跡
穴太遺跡
由義寺遺跡
鷹島沖 他
◆巻頭グラビア
徳島県徳島市
南蔵本遺跡

## 2023年3月号（通巻502号）

◆収録遺跡・記事
塩崎遺跡群
香山遺跡
富雄丸山古墳
熊本城内 他
◆巻頭グラビア
新潟県柏崎市
丘江遺跡

---

歴史と考古の書籍・グッズ ☆☆ **オンラインショップ** ☆☆ https://j-tsushin.co.jp/

- ・約1kg 1,800円+税
  （2～3片に分かれていることもあります）
- ・約400g 1,000円+税
  （中片・ケース入り）
- ・約150g 500円+税
  （小片・ケース入り）

**黒曜石の原石**（北海道・白滝産）

- ・ヒモギリ式 1,500円+税
- ・キリモミ式 1,800円+税
- ・ユミギリ式 2,500円+税
- ・マイギリ式 3,800円+税

**火おこしセット**（写真はヒモギリ式セット）

株式会社 ジャパン通信情報センター 〒150-0066 東京都渋谷区西原3-1-8 Tel. 03-5452-3243 Fax. 03-5452-3242

# 北海道考古学の最前線

## 今世紀における進展

# Ⅰ 序　章

# 北海道考古学の現在

■ 高瀬克範
TAKASE Katsunori

　北海道の考古学は今世紀にはいってから急速な進展をみせており，縄文遺跡の世界遺産登録や2件の国宝指定など大きなニュースもあった。しかし，この20年ほどの動向を俯瞰できる書籍はまだないため，それをめざして編んだのが本書である。研究の到達点や課題は各章にゆずることとし，ここでは北海道考古学をとりまくこの間の状況変化を4点に絞ってまとめておく。

　第一は，国際化の進行である。北海道が国際的な共同研究の舞台となることは20世紀にもあったが，全体からみればそれは稀なケースであった。しかし現在は，国際的な研究グループによる広い視野のもとでの研究実践，トップジャーナルでの英語による成果発表はめずらしいものではなくなってきている。第二に，理化学的な研究の増加・定着があげられ，前世紀までとは研究内容が大きく様変わりしていることは本書からも読みとっていただけると思う。

　第三に，先住民であるアイヌ民族への敬意と貢献を欠いた研究は，もはやありえなくなっている点である。大学などに保管されていたアイヌの遺骨のうち直ちに返還が困難な遺骨は，尊厳ある慰霊のため民族共生象徴空間の慰霊施設に2019年から集約されてきている。しかし，これで学界・研究者の反省が必要ではなくなったわけではもちろんない。最低限の礼節をも欠いた，倫理にもとる遺骨の収集やとりあつかいがあった事実を直視し，その結果を行動に反映させたうえで将来にむけてのルールを整備することが必要である。

　関連して，擦文文化のつぎに考古学的アイヌ文化を設定している文化（時代）区分にも何らかの対処が求められる。アイヌとその祖先の人々があゆんだ歴史の継続性について，誤解をあたえかね

ない枠組みとなっているからである。考古学的文化をもとに年表をつくらざるをえないという方法論的な事情があるとはいえ，研究成果が正しく伝わらないのは考古学や関連学問にとっても本意ではなく，先住権の議論がいっこうに進まないことにも現行の枠組みが何らかの影響をおよぼしているのではないかという懸念もある。今後，対応と工夫が必要となることは記しておきたい。

　第四は，発掘調査の急速な減少である。文化庁「埋蔵文化財関係統計資料」によると，北海道の緊急発掘調査費用は2000年が4,083,997千円，2010年が2,201,274千円，2020年が1,229,627千円と，20年間で1/3以下にまで減少した。面積あたりの単価に大きな変化がないとすれば，この減少幅は調査面積の傾向にもほぼあてはまると考えられる。調査規模が小さい傾向はまだ続くと考えられ，過去に発掘されながらも整理や研究が十分に行きとどいていない資料の利活用は今後ますます重要になってくる。

　そこで懸念されるのが，人材である。2000年に発覚した旧石器捏造以後，大学で考古学を学ぶ学生が少ない状況はつづいており，団塊の世代の退職後は人手不足やノウハウの継承に深刻な問題をかかえている機関も多い。つぎの20年の研究は本書に収録された各領域の到達点を足場として進められるにちがいないが，高度経済成長期から今世紀はじめにかけて蓄積された膨大な資料を適切に管理・活用するための世代交代が直近の課題としてのしかかってきている。

　最後になるが，多忙のなか本書に寄稿いただいた方々と情報を提供していただいた北海道教育委員会にお礼申し上げるとともに，北海道の自然と遺跡をまもってきたアイヌ民族に深い敬意と感謝を表したい。

# 北海道中央部石狩低地帯南部周辺の細石刃石器群における石材運用の変遷

■ 赤井文人
■ AKAI Fumito

## はじめに

北海道の細石刃石器群の研究は，2000年代にはいると石器群の分節や編年の大枠が構築され[1]，また行動論について積極的に言及する研究が見られるようになった。編年について，まだ部分的に議論が継続しているが[2]，LGM（最終氷期最寒冷期）から晩氷期まで継続する細石刃石器群は，おもに細石刃核型式に基づく石器群の分節により，前期前葉（25.5～22ka）の蘭越型・峠下型・美利河型，前期後葉（18.5～16ka）の札滑型・峠下型，および後期（16～11.5ka）の白滝型・広郷型・忍路子型・幌加型・紅葉山型・小形舟底形石器群として捉えられている[3・4]。これらの石器群を残した人間集団の居住・移動システムについては，山田哲による細石刃石器群を対象とした包括的ともいえる研究のなかで重要な考察が示された[3]。そのなかで，道具としての石器と狩猟採集民の移動性との関係についての分析の結果，前期では高い居住地移動性および低い兵站的移動性によって各石器群の道具の多様性は小さく，その多用途性・融通性が大きくなる一方，後期では低い居住地移動性および高い兵站的移動性によって，道具の多様性は大きく，その多用途・融通性は小さくなることが明らかにされた。本稿では，当時の人間行動を明らかにするうえで，居住・移動システムとともに重要な焦点となる石材運用について，北海道中央部の石狩低地帯南部周辺を対象に概観し，その変遷について比較検討を行ない，現時点での理解を整理する。

## 1 石狩低地帯南部周辺における細石刃石器群の石材運用

石狩低地帯南部周辺は，北海道の旧石器遺跡の地質編年[5] を行なう上で重要な地域で，1990年代後半以降，開発行為に伴う緊急発掘によって複数の遺跡が調査され，細石刃石器群に関わる資料がおもに千歳市において蓄積されている。この地域は石器石材が乏しい環境でありながら，食糧資源の生産性の高さにより旧石器遺跡の分布が認められる地域と想定されている[6]。以下では時期および石器群ごとに，石材構成，石器製作過程（素材製作過程・トゥール製作過程），および遺跡における石材消費のパターンの観点から石材運用を概観する。

### (1) 前期前葉細石刃石器群

石狩低地帯南部周辺において，該期では蘭越型細石刃核を伴なう石器群および美利河型細石刃核を伴なう石器群が検出されている。

蘭越型細石刃核を伴なう石器群は，柏台1遺跡B地区で6ヶ所の石器集中が検出されている。これらの石器石材は，硬質頁岩，黒曜石，安山岩，チャートで，硬質頁岩が一次石材で，ほかの石材は少量である。石器製作過程は，石刃剝離から蘭越型細石刃核による細石刃剝離へと，連続的に移行する過程を経ている[7]。掻器・彫器などのトゥールは石刃を素材に製作されている。遺跡内では整形された石刃核から上記の一連の過程を経る個体が複数確認される。搬入されたトゥールは石狩低地帯南部周辺以外で得られたやや大形の石刃が素材となっている。

美利河型細石刃核を伴なう石器群は，柏台1遺跡A地区で1ヶ所の石器集中が検出されている。石器石材は硬質頁岩および黒曜石で構成され，前者が一次石材である。素材製作過程は美利河型細石刃核による細石刃剝離過程および石刃剝離過程が認められる。トゥールは石刃を素材に製作され

ている。遺跡内では細石刃核の削片剥離から細石刃剥離へ至る過程が確認されるが，石材消費は限定的である。

### (2) 前期後葉細石刃石器群

札滑型細石刃核を伴なう石器群および峠下型細石刃核を伴なう石器群が検出されている。

札滑型細石刃核を伴なう石器群は，オルイカ2遺跡，祝梅川上田遺跡，また千歳市の南東，厚真町に所在する上幌内モイ遺跡で石器集中が検出されている。石器石材は，黒曜石，硬質頁岩，泥岩，瑪瑙で構成され，一次石材は黒曜石で，二次石材が硬質頁岩である。黒曜石の産地は，各発掘調査報告書によると，オルイカ2遺跡では白滝産が多数を占め（十勝三股産および置戸産が混じる），祝梅川上田遺跡ではほとんどが白滝産と推定されている。上幌内モイ遺跡では分析対象試料すべてが十勝三股産黒曜石と判定されている[8]。石器製作過程は，黒曜石では両面加工石器が剥片剥離によって器体縮小される過程に，トゥール素材となる剥片の供給が組み込まれ，最終的に札滑型細石刃核による細石刃剥離へと至る一体的な剥離過程を経ている。硬質頁岩においても両面加工石器が器体縮小される過程で素材剥片が得られ，トゥールが製作されている。遺跡内における石材消費について見ると，域外で整形が完了した両面加工石器，細石刃核，トゥールの複数個体が搬入され，個体ごとに上記の石器製作過程が進行して消費されている[9]。

峠下型細石刃核を伴なう石器群は，オサツ16遺跡A地区，キウス7遺跡，ユカンボシE10遺跡，祝梅川上田遺跡などで検出されている。石器石材は黒曜石が一次石材，硬質頁岩が二次石材で，玉髄，チャートが少量含まれる。各遺跡で黒曜石産地分析の対象となった試料は，オサツ16遺跡A地区では白滝産・十勝三股産・赤井川産，キウス7遺跡はほとんどが十勝三股産，ユカンボシE10遺跡はほぼ赤井川産で構成されている。石器製作過程については，石刃剥離および峠下型細石刃核による細石刃剥離の過程が素材製作の主体となっているようで，トゥールは石刃および剥片から製作されている。遺跡内における石材消費は顕著でなく，細石刃に関わる少量の剥離およびトゥール製作・刃部再生に限定されている[9]。

### (3) 後期細石刃石器群

当該期は道内で多様な細石刃石器群が見られる時期であるが，石狩低地帯南部周辺ではおもに広郷型細石刃核を伴なう石器群および忍路子型細石刃核を伴なう石器群が検出されており，後者は遺跡数が相対的に多い。

広郷型細石刃核を伴なう石器群は，アンカリトー7遺跡のSB-1で石器集中が検出されている。石器石材は黒曜石，硬質頁岩，珪化岩，凝灰岩，泥岩，砂岩，粘板岩で構成され，石器点数では黒曜石が約4割，硬質頁岩が約3割，珪化岩が約2割である。黒曜石産地分析の対象となった試料は赤井川産と推定されている。石器製作過程のうち，素材製作過程は，広郷型細石刃核による細石刃剥離過程，石刃剥離過程および両面加工石器製作過程が見られる。これらのうち石刃剥離過程は，硬質頁岩では大形（長さ10cm以上）および中形（長さ約7cm～4cm），黒曜石では中形から小形（長さ約10cm～3cm）の石刃が剥離されており，サイズの変異は採取可能な原石の大きさに起因していると想定される。トゥール製作過程では，掻器および刃部形態の多様な彫器がおもに石刃を素材として製作され，両面加工による撥形の局部磨製石斧，砂岩製剥片を素材とした楕円形の扁平な斧形石器が製作されている。遺跡内における石材消費については，細石刃剥離，トゥール製作・刃部再生，そして中・小形石刃の限定的な剥離が行なわれている。硬質頁岩製の広郷型細石刃核および彫器の一部の素材となっている大形石刃は域外で剥離されたもので，これらは単体の状態で搬入されている。

忍路子型細石刃核を伴なう石器群は，祝梅上層遺跡，メボシ川2遺跡，丸子山遺跡，オサツ16遺跡B地区，祝梅川上田遺跡，キウス5遺跡で石器集中が検出されている。石器石材は，黒曜石，硬質頁岩，瑪瑙，珪化岩，泥岩で，黒曜石が一次石材，硬質頁岩が二次石材である。黒曜石産

地は，報告書の個別分析によると，赤井川産が多数を占めている。石器製作過程について，素材製作過程は忍路子型細石刃核による細石刃剥離過程，中形から小形石刃（長さ約10cm〜2cm）の剥離過程，両面加工石器製作過程，不定形剥片剥離過程である。黒曜石では上記の過程がすべて認められるが，その他の石材ではこれらの過程が選択的に現れている。トゥール製作過程は中形石刃を素材として掻器，彫器，削器などが製作され，また両面加工の尖頭器および局部磨製石斧が製作されている。石材消費の様相は石器集中間で変異があり，搬入される石器の種類および量，そして遺跡内における石材消費の度合いは様々である[10]。例えば，祝梅川上田遺跡では素材製作過程が限定的であるのに対し，キウス5遺跡では拳大から幼児頭大サイズの原石に近い黒曜石が複数搬入されて石刃剥離および不定形剥片剥離による素材製作過程が見られる。各石器集中でおおむね共通しているのは，石刃および掻器・彫器などのトゥールがそれぞれ複数個体搬入され，トゥール製作および刃部再生が行なわれて，石材が消費されている点である。

## 2 石材運用の変遷

当該域の細石刃石器群について，石器石材，石器製作過程，石材消費の各様相の概観を踏まえ，一覧にしたものが表1である。以下ではこの表により石材運用の変遷をそれぞれの観点から比較検討する。

利用される石器石材は，各期で傾向が異なっている。ひとつの画期は前期前葉と前期後葉の間で，前者は硬質頁岩を一次石材としているが，後者以降は黒曜石としており，主要石材が大きく異なる。前期後葉以降は黒曜石が一次石材となるが，石器群および遺跡ごとにその産地構成が異なっている。先行研究[11]によってすでに指摘されているように，前期後葉の札滑型細石刃核を伴なう石器群では北海道東部の黒曜石（白滝産および十勝三又産）と結びつきが強くなる一方，峠下型細石刃核を伴なう石器群は遺跡によって黒曜石産地の構成が異なる。後期になると黒曜石は赤井川産で占められ，多様な石材が利用されるようになる。

石器製作過程を比較すると，各石器群は個別的な特徴を有しているが，大局的には前期と後期で傾向が異なっていることを指摘できる。前期前葉・後葉細石刃石器群では，素材剥離からトゥール製作に至る一連の過程が比較的単純な流れを経ている。一方，後期細石刃石器群では，素材製

表1 細石刃石器群（石狩低地帯南部周辺）の石材運用比較

| 細石刃核型式に基づく石器群の分節 | | 石器石材 | | | | | | | | | 石器製作過程 | | 各石器集中における石材消費 | |
| --- | --- | --- | --- | --- | --- | --- | --- | --- | --- | --- | --- | --- | --- | --- |
| | | 黒曜石 | 白滝産 | 十勝三股産 | 置戸産 | 赤井川産 | 硬質頁岩 | 瑪瑙・チャート | 泥岩 | 砂岩 | 素材製作過程 | トゥール製作過程 | | |
| 前期前葉細石刃石器群 | 蘭越型 | △ | | | | | ◎ | △ | | | 石刃剥離 ↓ 細石刃剥離 | 掻器・彫器製作 | 石刃剥離・細石刃剥離 トゥールの刃部再生 | 石器集中間の変異は大きくない |
| | 美利河型 | △ | | | | | ◎ | | | | 細石刃剥離 石刃剥離 | 掻器・彫器製作 | 細石刃剥離 トゥールの刃部再生 | ？ |
| 前期後葉細石刃石器群 | 札滑型 | ◎ | ◎ オルイカ2 祝梅川上田 | ◎ 上幌内モイ | △？ | | ○ | △ | △ | | 両面加工石器製作 ↓ 細石刃剥離 | 掻器・彫器・削器製作 小形両面加工石器製作 | 両面加工石器製作・細石刃剥離 トゥール製作・刃部再生 | 石器集中間の変異は大きくない |
| | 峠下型 | ◎ | ○ | ◎ キウス7 | | ◎ ユカンボシE10 | ○ | △ | | | 細石刃剥離 石刃剥離 | 掻器・彫器・削器製作 | 細石刃剥離 トゥールの刃部再生 | 石器集中間の変異は小さい |
| 後期細石刃石器群 | 広郷型 | ◎ | | | | ◎ | ◎ | ○ | △ | △ | 細石刃剥離 大形石刃剥離 中・小形石刃剥離 両面加工石器製作 | 掻器・彫器・削器等 製作 局部磨製石斧製作 斧形石器製作 | トゥール製作・刃部再生 中・小形石刃剥離 局部磨製石斧縮小 斧形石器製作 | ？ |
| | 忍路子型 | ◎ | | | | ◎ | | △ | | | 細石刃剥離 中・小形石刃剥離 両面加工石器製作 不定形剥片剥離 | 掻器・彫器・削器等 製作 尖頭器製作 局部磨製石斧製作 | 細石刃剥離 トゥール製作・刃部再生 中・小形石刃剥離 局部磨製石斧縮小 ※黒曜石原石の搬入 | 石器集中間の変異は大きい |

※1 ◎は一次石材、○は二次石材、△は少数石材。　※2 黒曜石の産地表示は、単純化した。

作過程が複数の過程で構成されるようになり、さらにトゥール製作過程においては、掻器の切断形刃部再生手法[12]の新出、彫器刃部形態の多様化、特定の少数石材と結びついた個別のトゥール製作（泥岩と局部磨製石斧、砂岩と斧形石器）など、その製作および維持管理のあり方は前期に顕在化しておらず、後期において石器製作体系がより複雑化したと見られる。

石材消費パターンは、前期および後期（とくに忍路子型細石刃核を伴なう石器群）の間で大きく異なっている。前期ではそれぞれの石器群でおおむね同じようなパターン（石器集中間で多少の変異はあるが）をしているのに対し、忍路子型細石刃核を伴なう石器群では遺跡間・石器集中間で変異が著しい。これらは、冒頭で触れた居住地・移動システムの変化[3]、すなわち前期に比べ後期は相対的に低い居住地移動性と高い兵站的移動性によるものと考えられる。

## おわりに

石狩低地帯南部周辺の細石刃石器群にみられる石材運用の変遷を概観することにより、前期前葉および前期後葉の間に主要石材の転換（硬質頁岩から黒曜石へ）が見られ、そして前期後葉および後期の間に黒曜石の産地構成、石器製作過程および石材消費パターンの変化の画期があることを確認した。石器石材に乏しい当該域において、どのような石材運用がなされ、それらはどのような要因により変化していったのか、という人間の行動パターンおよびそれらの背景について具体的に説明することは、本稿で果たせていない。今後、北海道全体を視野に入れて当該域の事例研究を少しずつ積み重ね、他地域との比較検討を行ないながら、議論を深化させていくことを課題としたい。

### 註

1)　山原敏朗・寺崎康史「北海道」『日本の考古学講座1旧石器時代 上』青木書店、2010、pp.265 - 308

2)　直江康雄「北海道における旧石器時代から縄文時代草創期に相当する石器群の年代と編年」『旧石器研究』10、日本旧石器学会、2014、pp.23 - 39

3)　山田　哲『北海道における細石刃石器群の研究』六一書房、2006

4)　山田　哲「日本列島域における細石刃石器群の成立―特に稜柱系細石刃石器群の生成と特性について―」『日本旧石器』18、日本旧石器学会、2022、pp.11 - 27

5)　出穂雅実・赤井文人「北海道の旧石器編年―遺跡形成過程論とジオアーケオロジーの適用―」『旧石器研究』1、日本旧石器学会、2005、pp.39 - 55

6)　中沢祐一「北海道中央部の旧石器について」『晩氷期の人類社会』六一書房、2016、pp.169 - 187

7)　Yuichi Nakazawa, Fumito Akai The Last Glacial Maximum Microblades from Kashiwadai 1 in Hokkaido, Japan. *Lithic Technology* 2020, pp.127 - 139

8)　ジェフリー R. ファーガソン・マイケル D. グラスコック・出穂雅実・尾田識好・赤井文人・中沢祐一・佐藤宏之「北海道勇払郡厚真町上幌内モイ遺跡旧石器地点出土黒曜石遺物の蛍光 X 線分析および放射化分析」『黒曜石の流通と消費からみた環日本海北部地域における更新世人類社会の形成と変容（II）』東京大学常呂実習施設研究報告 12、2014、pp.75 - 83

9)　赤井文人「後期旧石器時代北海道西部における黒曜石の利用」『黒曜石が開く人類社会の交流』日本学術振興会科学研究費補助金（基盤 A）「黒曜石の流通と消費からみた環日本海北部地域における更新世人類社会の形成と変容」グループ、2009、pp.32 - 41

10)　赤井文人「晩氷期における北海道中央部の石材消費形態―忍路子型細石刃核を伴なう石器群の分析―」『晩氷期の人類社会』六一書房、2016、pp.189 - 208

11)　佐藤宏之・役重みゆき「北海道の後期旧石器時代における黒曜石産地の開発と黒曜石の流通」『旧石器研究』9、日本旧石器学会、2013、pp.1 - 25

12)　髙倉　純「掻器の形態的変異とその形成過程―帯広市稲田 1 遺跡出土掻器の属性分析とその遺跡間比較―」『旧石器考古学』65、旧石器文化談話会、2004、pp.1 - 16

　＊紙幅の都合で個別の発掘調査報告書の引用を省略させていただいた。

# 細石刃技術と押圧剥離法

■ 髙倉　純
■ TAKAKURA Jun

## はじめに

　北海道の細石刃石器群研究においては，長らく型式・技法の認定とそれにもとづいた石器群の時空間編成に多くの注目が向けられてきた[1]。千歳市柏台1遺跡での発掘調査の結果，蘭越型や峠下型1類，美利河型にかかわる細石刃石器群は，恵庭a降下火山灰の層準の下位から確認できることが明らかとなった。また，放射性炭素年代測定で25.5 - 22.4 cal ka という較正年代が得られたことで，それらの石器群に関しては，最終氷期最寒冷期（LGM：26.5 - 19.0 cal ka）との関連でその出現過程を考える必要性も認識されることとなった。2000年代以降の研究状況においては，LGMの時期に起こっていた寒冷化という自然環境の変動が，人類の技術や行動体系にどのような影響を与えていたのか，また北東アジアのなかでのLGM開始前・後の人類集団の動態との関係で，北海道における細石刃技術の出現・展開過程はどのように理解できるのか，が問われるようになったのである。

　こうした過程を経て，細石刃技術の理解においては，剥離物の規格性・量産性・効率性の観点から，多岐にわたる行動体系の変化との相関が予測される押圧剥離法との結びつきが重要視されるようになってきている。北東アジアにおける細石刃技術と押圧剥離法との関係は，M.‐L. イニザンによって着目されてきた問題であるが[2]，筆者もまた，型式・技法に応じどのような剥離方法が適用されていたのかを明らかにするための同定分析を進めてきた[3]。

## 1　北海道の初期細石刃石器群

　紅葉山（置戸）型・札滑型・蘭越型・広郷型・忍路子型・峠下型・美利河型による接合資料や一括資料，そして技法や型式設定はなされていないが，川西C遺跡出土資料における細石刃関連資料を対象として，筆者は，細石刃剥離方法の同定分析を実施してきた。剥離方法の同定分析は，黒曜石製資料の剥離面において観察されたフラクチャー・ウィングの測定に依拠している。それにより以下のような結果が得られた。

①紅葉山（置戸）型・札滑型・蘭越型・広郷型・忍路子型・峠下型2類が伴なう石器群においては，おもに押圧剥離法が適用されて細石刃剥離がなされていた。

②峠下型1・3類や美利河型が伴なう石器群においては，押圧剥離法だけでなく，直接打撃法もしくは間接打撃法が，選択的・互換的に適用されることにより細石刃剥離がなされていた。

③川西C遺跡出土資料では，黒曜石製の舟底形石器や彫器において，直接打撃法の適用により細石刃状の剥離物が剥離されていた[4]。

　蘭越型や峠下型1類・美利河型は，前述の通り，柏台1遺跡での調査成果により，北海道に展開した細石刃石器群のなかでも初期の段階に位置づけられる諸型式である。一方で広郷型や忍路子型は終末の段階に位置づけられる。分析結果から，押圧剥離法による細石刃剥離は，北海道では初期の段階から終末の段階まで細石刃技術に組み込まれていたことがわかる。規格性の高い細石刃の量産を可能とする押圧剥離法によっておもに細石刃剥離がなされていた蘭越型細石刃核の出現は，石器製作技術における大きな転換が起こっていたことを意味していよう。骨角器製作にかかわる定型的な彫器も蘭越型細石刃核と軌を一にして出現しており[5]，道具装備の組み合わせやその製

作・使用・メンテナンスにかかわる一連の行動の体系が多岐にわたって変化していたとみられる。

しかし，注意を要するのは，蘭越型と編年的には同段階に位置するとみられる峠下型1類や美利河型において，押圧剝離法のみならず直接打撃法もしくは間接打撃法が，互換的に選択されて細石刃剝離に適用されていたことが判明した点である。また，川西C遺跡における細石刃状の剝離物に関しては，押圧剝離法は適用されておらず，直接打撃法の適用によって剝離がなされていた。川西C遺跡では26.1-25.3 cal ka という較正年代が得られていることからも，グローバルなLGMが開始した直後の段階においては，押圧剝離法だけに限らず直接打撃法もしくは間接打撃法によっても細石刃の剝離がなされていたことがかわる。こうした細石刃剝離にみられる技術的変異は，単純に時系列に沿って配置できるものではない点に注意が必要である。それぞれの石器群において，複数の剝離方法が互換的に選択されて細石刃が剝離されている段階の細石刃石器群を「初期細石刃石器群」と呼ぶならば，この初期細石刃石器群の段階においては，細石刃を製作し，使用していくのにあたって，異なる技術体系の並存が適応的に許容されていたとみることができる。

北海道での初期細石刃石器群の出現に関しては，細石刃・石刃技術や装飾品・顔料利用などでの関連性を考慮するならば，北アジア（シベリア南部・モンゴル）で39-28 cal ka に展開していた Early Upper Palaeolithic（EUP）石器群や28-22 cal ka に展開していた Middle Upper Palaeolithic（MUP）石器群との関係が焦点となろう[6]。シベリア南部あるいはモンゴルから，ロシア極東地方，中国東北地方を経た古サハリン・北海道（PSH）半島への集団移住や文化伝播を考えねばならない。初期細石刃石器群における細石刃剝離の技術的変異は，移住集団と先住集団との間での複雑な相互関係，もしくは文化情報の受容過程における相違を反映している可能性もあり，今後，石器群間相互の異同とその背景となるコンテクストについて，さらに検討を積み重ねていく必要性がある。

## 2　北東アジアの初期細石刃石器群

中国北部（東北・華北）から韓半島にかけての諸地域においては，北アジアの人類集団との接触によるEUP石器群の伝播が短期的・部分的に及んでいた可能性はあるものの，石器群間で技術型式学的に共通性の高い細石刃石器群が出現するのは，複数の年代測定で整合的な結果が得られている事例を鑑みれば，海洋酸素同位体比ステージ（MIS）2が始まって以降のことである（図1）。中国北部の細石刃石器群で，約22 cal ka 以前の較正年代（まとまりから外れた測定値は除く）が得られている遺跡としては，西山頭遺跡3層（28.1-27.5 cal ka），大洞遺跡4層（25.9-25.4 cal ka），西沙河遺跡3A層（27.4-26.6 cal ka），龍王迪遺跡6-5層（29.3-25.4 cal ka），柿子灘29遺跡7層（26.1-23.4 cal ka），下川遺跡小白樺圪梁地点2層（28.4-24.6 cal ka）がある。韓半島では，長興里遺跡や好坪洞遺跡，月坪遺跡でこの段階に対比されるべき事例が確認されているが，年代の評価には今後さらに新たなデータによる検証が必要である[7]。

このなかでもっとも北部に位置し，なおかつ複数の放射性炭素年代測定によってもっとも古い年代が把握されている黒龍江省の西山頭遺跡3層の石器群では，剝片を素材とした小口面型の細石刃核が確認されており，シベリアやモンゴルのMIS3後半で確認されている細石刃石器群との間でのより明確な類似が指摘できる[8]。北東アジア諸地域における細石刃石器群の出現は，中国フールー洞窟の石筍の酸素同位体比変動に記録されている28 cal ka 以降の寒冷化を背景とする北アジア（シベリア南部やモンゴル）からの集団移住や文化伝播，もしくはその両者の組み合わせによってもたらされた可能性が考慮されねばならない。そこで着目を要するのは，北アジアにおけるMIS3からMIS2にかけての遺跡数の増減と遺跡分布の変化，そして北東アジアの諸地域におけるMIS2が開始して以降の石材利用や石器技術・型式の変化である[9]。西山頭遺跡3層石器群は，このシナリオの蓋然性を支持する重要な資料になり得る。

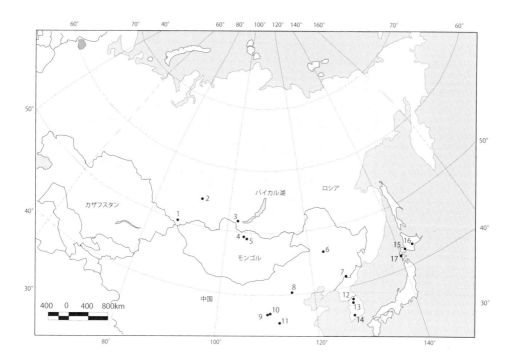

**図1　北アジアから北東アジアにかけての MIS3 および MIS2 前半における細石刃石器群の主要遺跡の位置**
北アジア MIS3 の遺跡（1：ウスチ・カラコル，2：デリュビーナV，3：トゥヤナ，4：トルボル 15，5：ドロルジ 1），中国北部と北海道の初期細石刃石器群（6：西山頭，7：大洞，8：西沙河，9：龍王迴，10：柿子灘，11：下川遺跡小白樺圪梁地点，12：長興里，13：好坪洞，14：月坪，15：柏台1，16：川西 C，17：ピリカ A）

年代的に近接する細石刃石器群は，河北省西沙河遺跡 3A 層でも確認されていることから，短期間のうちに細石刃石器群は広域に分布するに至ったのであろう。

　上述した中国北部や韓半島の初期細石刃石器群における細石刃剥離方法の同定作業は，今後着手していくべき検討課題であるが，該当する各遺跡での細石刃核の細石刃剥離作業面や打圧面の状態をみる限り，すでに指摘されているように，画一的に押圧剥離法のみではなく，直接打撃法もしくは間接打撃法もまた細石刃剥離に互換的に適用されていた可能性は高いと言える[10]。すなわち，北海道の初期細石刃石器群で認められたのと同様の細石刃剥離方法における変異のあり方が，当該地域においても見出されるであろうという見通しを指摘しておきたい。こうした技術的変異は，初期細石刃石器群における北海道との連動性として注目しておくべき現象である。

## おわりに

　北海道では，初期細石刃石器群で認められた直接打撃法もしくは間接打撃法による細石刃剥離がその後淘汰され，細石刃製作は押圧剥離法に一元化されていくこととなった。この過程においては，細石刃剥離と石刃剥離工程との分化，細石刃と彫器製作技術との分化，細石刃剥離のための原材選択や原形（ブランク）製作の明確化という事態が一体となって進行していたと考えられる。残念ながら，年代的におよそ 23 cal ka から 19 cal ka までの間に帰属する石器群が北海道では明確ではないため，こうした過程の実態把握が困難となっている[11]。しかし，中国北部・韓半島や PSH 半島に隣接するシベリア南部・モンゴルや古本州島において，押圧剥離法による細石刃技術が出現した可能性が高いのがこうした年代に相当することを考慮にいれると[12]，23 cal ka 以降の細石刃剥離技術における淘汰の進行と周辺地域への拡散との関連性

についても注意がむけていく必要がある。

註

1)　鶴丸俊明「北海道地方の細石刃文化」『駿台史学』47，1979，pp.23-50

2)　Inizan, M.-L. *et al.* A technological maker of the penetration into North America: Pressure microblade debitage, its origin in the Paleolithic of North Asia and its diffusion. In: *Materials Issues in Art and Archaeology III*, Materials Research Society Symposium Proceedings 267, edited by P.B. Vandiver *et al.*, Materials Research Society: Pittsburgh, 1992, pp.661-681.

3)　筆者による細石刃および細石刃技術の定義については，下記の文献ですでに明示している。細石刃の定義の目的を，第一義的には資料を記載し，比較検討のための資料操作の手段とするならば，個体遺物の形質から認識可能でなければならず，一定の同定分析の結果明らかになる認識やそこから導かれる解釈をそこに含めること，すなわちこの場合では，押圧剥離法の適用や植刃器への装着・使用，行動の体系や適応の様相などを定義に含めることは，資料の記載や操作に困難をもたらす。資料の記載や操作のための用語と，同定分析の結果導かれる解釈の枠組みは，用語として区別を要するはずである。「石刃」の定義に関する以下での山中一郎の議論も参照されたい。高倉　純「細石刃と細石刃技術―用語概念をめぐる問題点―」安蒜政雄先生古希記念論文集刊行委員会編『旧石器時代の知恵と技術の考古学』雄山閣，2017。山中一郎「石刃―先土器時代研究における用語概念の二・三の問題―」『文化財学報』1，1982，pp.86-96

4)　高倉　純「北海道紋別郡遠軽町奥白滝1遺跡出土石器群における剥離方法の同定―石刃・細石刃剥離方法の同定とその意義に関する一考察―」『古代文化』58（Ⅳ），2007，pp.98-109。同「北海道勇払郡厚真町上幌内モイ遺跡旧石器地点出土の旧石器時代石器群における剥離方法の同定」『論集忍路子』Ⅱ，2008，pp.41-48。同「フラクチャー・ウィングの分析による剥離方法の同定」直江康雄編『白滝遺跡群 XII』財団法人北海道埋蔵文化財センター，2012。同「広郷型細石刃核における細石刃剥離および彫器への転用過程―北海道上白滝2遺跡・元町2遺跡における細石刃核と彫器の剥離方法同定分析から―」『論集忍路子』Ⅳ，2015，pp.103-118。同「忍路子型細石刃核における細石刃

剥離方法の同定―北海道帯広市大空遺跡および更別村昭和遺跡出土資料の分析から―」『論集忍路子』Ⅴ，2018，pp.79-90。高倉　純「峠下型細石刃核再考」『日本考古学』50，2020，pp.1-26。Takakura, J. Towards improved identification of obsidian microblade and microblade-like debitage knapping techniques: a case study from the Last Glacial Maximum assemblage of Kawanishi-C in Hokkaido, Northern Japan. *Quaternary International*, 596, 2021, pp.65-78.

5)　Iwase, A. A functional analysis of the LGM microblade assemblage in Hokkaido, northern Japan: a case study of Kashiwadai 1. *Quaternary International*, 425, 2016, 140-157.

6)　高倉　純「北アジアにおける細石刃技術の出現過程をめぐって」『東北日本の旧石器時代』六一書房，2018

7)　Seong, C. Evaluating radiocarbon dates and Late Paleolithic chronology in Korea. *Arctic Anthropology*, 48, 2011, 93-112.

8)　加藤真二「東アジアにおける細石刃石器群の出現と拡散：西山頭と西沙河の衝撃」『第21回北アジア調査研究報告会発表要旨』北アジア調査研究報告会実行委員会，2020

9)　Yue, J.P. *et al.* Human adaptations during MIS 2: evidence from microblade industries of Northeast China. *Palaeogeography, Palaeoclimatology, Palaeoecology*, 567, 2021, 110286.

10)　劉偉ほか「黒龍江龍江県西山頭旧石器時代遺跡試掘簡報」『考古』2019（11），2019，pp.3-13。Guan Y. *et al.* Microblade remains from the Xishahe site, North China and their implications for the origin of microblade technology in Northeast Asia. *Quaternary International*, 535, 2020, 38-47.

11)　Takakura, J., Naganuma, M. Les relations entre l'Extrême-Orient eurasien et le nord de l'archipel du Japon au temps Paléolithique. *L'anthropologie*, 125（5），2021, 102964.

12)　Graf, K., Buvit, I. Human dispersal from Siberia to Beringia: assessing a Beringian standstill in light of the archaeological evidence. *Current Anthropology*, 58（S17），2017, 583-603. 山田　哲「日本列島域における細石刃石器群の成立―とくに稜柱系細石刃石器群の生成と特性について―」『旧石器研究』18，2022，pp.11-27

# 黒曜石水和層法：現状と課題

中沢祐一
NAKAZAWA Yuichi

## 1 黒曜石水和層法の研究動向

黒曜石水和層法は温度依存型の年代測定法である。黒曜石に剝離面が形成されるとそこから水が黒曜石ガラスへ拡散し，剝離面直下に水和層が形成される。水和層が形成される時間は，水和層厚の二乗に比例するという法則が 1960 年に示され，革新的な考古年代測定法となった[1]。年代算出には，$X^2 = kt$ という単純な式が用いられ，この簡便さも黒曜石水和層法（以下，標準法と呼ぶ）を考古学者が広く採用したことへつながった。X（水和層の厚さ），t（時間），k（水和速度）である。単位は，X は $\mu$（ミクロン），t は年，k は $\mu^2/1000$ 年（1000 年あたりで発達する水和層厚の二乗）で一定となる。温度依存型のため，水がガラスへ拡散する速度（水和速度）は，黒曜石がおかれていた周辺の温度環境の影響を受ける。

広く定着した黒曜石水和層法であったが，90 年代後半に見直しを迫られる。標準法がとらえている水和層の厚さは偏光顕微鏡下で観察される光学的な現象であるのに対し，本来の水和とはガラスへの水の拡散という物理化学反応であることを認識し，温度や水の濃度を考慮した拡散係数（拡散方程式におけるフィックの第二法則）を用いた水和モデルの利用が推奨された[2]。水和層内の水の濃度から拡散係数を導くことを課題としており，水素イオンの飽和層（水和層の中でもとくに水が十分に飽和した状態にあるとみなせる深さ）における濃度勾配と，水が拡散してゆく先の黒曜石ガラスの含水量（マグマから由来する水で黒曜石が冷えて固結した段階で数％弱含まれる）が重要なパラメータとなる[3]。拡散方程式による新たな黒曜石水和層年代は，微分を含む複雑な公式によって

説明されるが，実際には二次イオン質量分析法（SIMS）を用いることで黒曜石表面からの深さ方向への水素イオンの濃度勾配といった分子レベルのプロファイルの取得とその分析に基づく（以下，SIMS 法と呼ぶ）。プロファイルに示される水素イオンの濃度勾配パターンを多項式回帰によって近似し，飽和層内部の水素イオンの濃度と厚さを計測し，公式を用いて拡散係数を決定する。得られる拡散係数は，標準法における k に相当する。

こうした物理化学理論による修正を受けて，標準法を用いる北米の研究者を中心に，標準法においても水和速度に影響する効果水和温度（アレニウス式によって水和速度を算出する際に用いる温度で，対象とする黒曜石が残された遺跡固有の温度）の推定や，黒曜石含水量も重要視されるようになった。標準法を捨てられない理由は，現実的に SIMS 法を導入するには計測のために相当の設備投資がいること，人口に膾炙した標準法の法則（$X^2 = kt$）でもフィックの第二法則と矛盾しないという理解からである。筆者らは圡本尚義が開発した同位体顕微鏡を用い，標準法による水和層の計測値とまったく同じ計測ヶ所の水素イオン濃度を SIMS で計測し，水素イオンのイメージング像に基づく厚さと標準法による計測値を比較した。両者に相関関係があることから，標準法による計測値の有用性を指摘した[4]。

現在のところ，効果水和温度と黒曜石含水量の推定が精緻化されている。効果水和温度については，温帯や亜寒帯などの同一気候環境であっても考古学が対象とするような地域スケールでは温度は様々であり，日較差（日単位の最高気温 − 最低気温）や年較差（月別にみた最高平均気温 − 最低平均気温）を考慮した効果水和温度の推定モデル

が提示されている[5]。黒曜石の含水量は，その変異が黒曜石産地によってまとまる傾向から，年代を算出する前に黒曜石の産地を区別することが推奨される[6]。こうした方法の精緻化は，黒曜石水和層法が考古年代測定法として定着した地域（主として北米西部）で活発になされている。

促進水和実験（圧力と温度をコントロールしながら人工的に水和層を形成させ，厚さの変化などから水和速度kを求める方法）と呼ばれる，高温において水和を人工的に進めることで水和速度を推定する研究も進められている[7]。$X^2 = kt$ の公式におけるk（水和速度）は効果水和温度の影響を受ける。kと効果水和温度はアレニウス式（温度による分子の反応速度を表す公式）によって関係づけられる。黒曜石の活性化エネルギー（J/mol）も効果水和温度とともにkへ影響する。渡辺・鈴木[8]は促進水和実験を実施し，アレニウス式を利用して，産出地ごとの活性化エネルギーを計算している。しかし，高温高圧下という実験条件は，通常の遺物が埋没している過去の地球環境では地熱や火山災害下にある遺跡を除いては少ない。また，水和メカニズムは高温と低温で異なることも指摘されている[9]。

## 2　北海道先史遺跡の調査と黒曜石水和層法

黒曜石水和層法は標準法が日本へもすみやかに導入された。鈴木正男は，関東ローム層から出土した伊豆箱根と信州由来の黒曜石の水和層年代測定を実施した[10]。同じ頃に勝井義雄・近堂祐弘も標準法を導入し，北海道の先史遺跡の年代推定に利用し始めた[11]。きっかけは，白滝団体研究会[12]による湧別川上流の調査であり，異なる段丘面に位置する旧石器遺跡の相対的新旧を明らかにした。その後，旧石器時代のみならず縄文時代や擦文文化期についても適用され，放射性炭素年代測定法とともに実用的な方法として定着した[13]。とくに，黒曜石産地を擁する十勝平野および湧別川上流の白滝地域において黒曜石石器の水和層計測と年代測定が実施されてきた背景がある。

### (1)　十勝地域

黒曜石水和層法による年代測定例がもっとも多い地域は十勝地域である。指標テフラ（とくに恵庭a降下軽石）を挟んだ上下のローム層に遺跡が残されることから，後期旧石器の石器群のおおまかな区分（前半期や後半期）が可能である。当該地域では，近堂が実施した黒曜石水和層法による遺跡出土黒曜石石器の年代測定の成果が蓄積されている。近堂による実践は応用面が強い。黒曜石の産地ごとに導かれた水和速度と効果水和温度の関係を利用した測定ルーティンである。すなわち，分析する黒曜石石器の産地ごとに，遺跡における効果水和温度に応じた水和速度の関係が検量線グラフで与えられ，年代を推定する際の基準となる。この方法は，フリードマンらが実施した70年代の先導的な研究例[14]を参照しており，黒曜石の産地ごとに異なる化学組成と黒曜石石器がおかれた温度のふたつの変数が，水和の発達速度に影響するという理解に基づく。プレパラートを作成するためサンプルの破壊を伴なう標準法は，偏光顕微鏡による透過光の屈折が黒曜石ガラスと水和ガラスでは異なるという光学的性質を利用する。やがて90年代になると，水和層と水和されていない黒曜石ガラスから反射される干渉波の差を顕微分光光度計でとらえ，その差から水和層厚の計測値を得るようになった[15]。この非破壊による年代測定は年代の算出面では標準法と同じであり，90年代後半には藁科哲男へ引き継がれた。しかし，十勝地域で大規模な緊急発掘調査が激減したことや，黒曜石水和層法が先史遺跡の年代測定法として利用されない傾向も拍車をかけ，新たな計測法としても定着せずに今日に至っている。

### (2)　白滝地域

湧別川上流域にある白滝地域は，黒曜石の産出地（赤石山）をひかえ，湧別川流域の段丘上に旧石器時代の遺跡群が確認されている。当該地域における調査の黎明期から，黒曜石水和層法は利用されてきた。勝井・近堂らが段丘の新旧面ごとに残された遺跡およびそれより高所にある露頭から得たサンプルに基づき，水和層計測値の体系的比

較を実施した[16]。推定された黒曜石水和層年代は
吉崎昌一による旧石器編年の根拠ともなった[17]。
時を経て，木村英明によって幌加沢遺跡遠間地点
の発掘調査が組織され，60万点近くの黒曜石石
器が密集する堆積状況が確認された[18]。膨大な量
の石器から抽出された一連の製作過程は，相当な
期間に及ぶ石器製作行動の累積記録であることが
想像されるが，その累積の程度を示す時間的深度
は論点とならなかった。黒曜石水和層法が適用さ
れなかったことは必然だったと思われる。

　1990年代〜2000年代に，高規格道路建設に伴
なう緊急発掘調査によって，さらに膨大な石器製
作址が発掘され，同じ黒曜石を利用しながらも技
術的・形態的に多様な石器が検出された。トータ
ルステーションによる出土遺物の三次元座標の記
録と集約的な接合作業の成果によって，技術的な
特徴に基づく石器群の把握に成功した。一方，十
勝地域と異なり大雪御鉢平テフラを除くと編年に
有意味なテフラが不在であり，石器群の編年は
課題であった。調査当初から，近堂が開発した
非破壊計測法を採用した藁科が一連の遺跡（報告
書I〜IX巻）について計193点の石器を標準法に
よって年代測定した。このうち，8万点以上もの
石器が出土した上白滝5遺跡では，7つの石器群
（12のブロック）から得た43点の石器について年
代測定値が出された。石刃鏃石器群など従来の年
代観と整合する測定値もあるが，石器群内やブ
ロック内に数千年以上の差がみられることなどか
ら，上白滝5遺跡では石器群の年代としては採用
できないと結論づけられた[19]。

　こうしてみると，白滝地域では回収された石器
の数量に比して黒曜石水和層法が適用された件数
はかなり限定されている。近年，筆者らは旧白滝
3遺跡から出土した石器群について，母岩別資料
の中で接合していない剥片を抽出し，黒曜石水和
層の計測を実施した。当該遺跡では上下になって
石器群が出土する状況が確認されたため，水和層
の厚さの違いが石器群の上下関係と対応するなら
ば，石器群編年の見通しが得られるという目的が
あった。有茎尖頭器石器群，小型舟底形石器群，

広郷型細石刃核を伴なう細石刃石器群，広郷型細
石刃核に伴なう尖頭器石器群から6つの母岩を選
び，母岩ごとに10点の剥片を選択した。加えて，
白滝I群と呼ばれる剥片石器群から母岩が異なる
3点の剥片（グループX）を抽出した。これらの
剥片の水和層厚を標準法によって計測すると，水
和層厚は3〜6μとなるが，母岩ごとではタイト
にまとまる傾向がある（図1）。母岩間・石器群間
の水和層厚のばらつきは母岩内・石器群内の水和
層厚のばらつきよりも有意に大きい（一元配置の
分散分析：F=35.3177，df=4，p<0.001）。母岩お
よび石器群ごとに水和層の発達が異なる結果であ
り，年代差があることが示唆された。ただし，水
和層の厚さからは石器群に定まった序列はみられ
ず，小型舟底・広郷関連の石器群→有茎尖頭器石
器群という新旧関係のみが示唆された。さらに，
層序との関連は複雑である。旧白滝3遺跡では斜
面地に広く石器群が分布し，斜面上方と斜面下方
では石器群の上下関係が異なる。すなわち，斜面
上方では広郷の上に小型舟底関連の石器が堆積す
るのに対し，斜面下方ではその反対となる。遺物
分布パターンにみられる斜面方向にそった埋没後
移動は明らかで，石器群の埋没過程を理解するこ

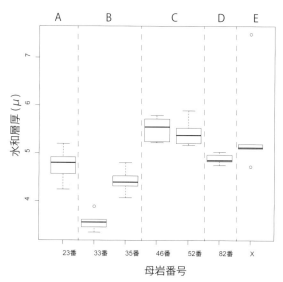

図1　旧白滝3遺跡における
母岩・石器群別の水和層厚

石器群分類　A：広郷型細石刃核，B：有茎尖頭器，C：
小型舟底形，D：広郷型細石刃核の尖頭器，E：白滝I群

とが大きな課題だが，少なくとも母岩別に水和層厚の計測値を検討することは有効である[20]。

## まとめ

　長らく採用されてきた標準法だが，その原理と運用に対してラディカルな批判が加えられた。水和層を用いて正確な年代測定値を得るには，温度や黒曜石含水量などの複数のパラメータを考慮した拡散係数を推定する必要があり，SIMS法の導入の検討が待たれる段階にある。先行する欧米と日本の間には研究履歴の違いがあるとはいえ，黒曜石水和層法に関する理論・応用に隔たりがあり，その溝を埋めるような基礎研究が急務である。また北海道では，二転三転する石器群の編年案（仮説）を検証するという課題が残されており，標準法であれSIMS法であれ，黒曜石水和層法が有力な方法となるのは疑いない。検証を可能とする黒曜石資料も充実している。しかし，上でみたように黒曜石が潤沢にある白滝地域でも検討例は限られている。石材産出地に残された石器製作址は長期の反復居住によって形成されたと仮説するのが適切であり，大規模な黒曜石産出地をもつ北海道には典型例が多い。年代値についても数点ではなく多数の測定値の分布によって遺跡・石器群の形成期間を評価する必要がある。計測値の分布を統計的にあつかうだけのサンプルを十分に確保する取り組みももとめられる。

## 註

1)　Friedman, I., and Smith, R.L. A new dating method using obsidian: part I, the development of the method. *Am. Antiq.* 25, 1960, pp. 476–493.

2)　Anovitz, L.M. *et al*. The failure of obsidian hydration dating: sources, implications, and new directions. *J. Archaeol. Sci.* 26, 1999, pp. 735 - 752.

3)　Liritzis, I. SIMS - SS, a new obsidian hydration dating method: analysis and theoretical principles. *Archaeometry*, 48, 2006, pp. 533 - 547.

4)　Nakazawa *et al*. A systematic comparison of obsidian hydration measurements: the first application of micro - image with secondary ion mass spectrometry to the prehistoric obsidian. *Quat. Int.* 535, 2020, pp.3 - 12.

5)　Rogers, A.K. Effective hydration temperature of obsidian: a diffusion theory analysis of time - dependent hydration rates. *J. Archaeol. Sci.* 34, 2007, pp.656 - 665.

6)　Rogers, A.K. 2008 Obsidian hydration dating: accuracy and resolution limitations imposed by intrinsic water variability. *J. Archaeol. Sci.* 35, pp.2009 - 2016.

7)　Stevenson, C.M., Mazer, J.J., and Scheetz, B.E. Laboratory obsidian hydration rates: theory, method, and application. In: Shackley, M.S. (Ed.), *Archaeological Obsidian Studies*. Plenum Press, 1998, pp.181 - 204.

8)　渡辺圭太・鈴木正男「黒曜石の水和速度と化学組成の関係について」『考古学と自然科学』54, 2006, pp.1 - 12

9)　Yokoyama, T., Okumura, S., and Nakashima, S. Hydration of rhyolitic glass during weathering as characterized by IR microspectroscopy. *Geochim. Cosmochim. Acta*. 72, 2008, pp.117 - 125.

10)　Suzuki, M. Chronology of prehistoric human activity in Kanto, Japan, Part I: framework for reconstructing prehistoric human activity in obsidian. *J. Fac. Sci. Univ. Tokyo Sect*. V Anthropology, IV - 1, 1971, pp.241–317

11)　勝井義雄・近堂祐弘「黒曜石の水和層による年代測定法」『第四紀研究』6 - 4, 1967, pp.168 - 171

12)　白滝団体研究会『白滝遺跡の研究』地学団体研究会, 1963

13)　大場利夫「北海道先史文化の実年代測定値とその信頼性」『北海道大學文學部紀要』18 (2), 1970, pp.103 - 128

14)　Friedman, I., and Long, W.D. Hydration rate of obsidian. *Science*, 191, 1976, pp.347 - 352.

15)　近堂祐弘「⑧黒曜石水和層法」松浦秀治・上杉陽・藁科哲男編『考古学と年代測定学・地球科学』同成社, 1999, pp.110 - 120

16)　前掲註11に同じ

17)　前掲註12に同じ

18)　木村英明『北の黒曜石の道 白滝遺跡群 改訂版』新泉社, 2020.

19)　長沼　孝「自然科学的分析と石器群についての若干のコメント」『白滝遺跡群 III 第1分冊（本文編）』北海道埋蔵文化財センター, 2002, pp.375 - 390

20)　Nakazawa *et al*. Role of minimum analytical nodules in obsidian hydration measurement: insight from Kyu - Shirataki 3 in Hokkaido, Japan. *IAOS Bulletin*, 62, 2019, pp.8 - 15.

# 黒曜石製石器の原産地判別法の現状と課題
## ―北海道内の黒曜石原産地を例に―

■ 隅田祥光・和田恵治・向井正幸
　SUDA Yoshimitsu・WADA Keiji・MUKAI Masayuki

　日本列島の最北部に位置する北海道の黒曜石は，それらの原産地から 400km 以上離れたサハリン南部に及ぶ遠隔地で利用が認められるなど[1]，後期旧石器時代に遡る先史時代の石器石材をめぐる広域的な流通ネットワークや当時の人類集団や社会変化を考古学的に明らかにするための重要な研究対象である。日本列島を越えた黒曜石の石材利用は例えば西北九州の腰岳産黒曜石の朝鮮半島での利用の事例はあるが，英文誌上での研究論文の公表数は北海道の黒曜石に関するものの方がはるかに多い。このような国際発信や国際共同研究を日本列島全体を通して進めていくには，国内の黒曜石原産地の様相をどのように取りまとめ，どのような国際的な共通認識に基づいた黒曜石製石器の原産地判別を行なうかが大きな課題である。

　2011 年 11 月に長野県長和町の明治大学黒耀石研究センター（COLS）で黒曜石製石器の原産地判別法に関する国際ワークショップが開催された。そこで各国で行なわれている判別法が紹介されるとともに統一的な判別法のプロコトルの整備に向けた取り組みが必要であることが提言された。また北海道の黒曜石原産地で採取した 4 点の原石試料を 6 ヶ国 8 名の研究者で分け合い，それぞれの研究機関にて全岩化学組成分析を行いそれらの分析値が集約された[2]。これにより研究者間で同じ原石を原産地の基準標本としながら，黒曜石製石器の原産地判別分析の結果を相互に担保しあうことが可能となり統一的な判別法のプロコトルの整備に向けた大きな第一歩となった。

## 1　黒曜石原産地の原石の集約

　2011 年に COLS で開催された国際ワークショップでの講演内容は，2014 年に『BAR International Series』[3] で公表され，その中で和田恵治らやジェフェリー・ファーガソンらにより北海道の黒曜石原産地の分布と各原産地の原石の全岩化学組成の定量分析値[4] がまとめられた。これらで公表された原産地の分布や石器利用を図 1 と表 1 にまとめる。さらに 2023 年 7 月の北海道遠軽町での国際黒曜石会議（IOC Engaru 2023）の開催に向け，全岩化学組成の分析値が公表された原石を集約し各原産地の基準標本として定めることを試みた。

　結果，和田恵治と向井正幸が保管していた原石に加え，いくつかの原産地で現地調査と試料採取を行なうとともに COLS 保管の原石試料[5] を追加することで，紋別－上藻別と釧路－阿寒を除く原石が集約された。さらに COLS に設置の波長分散型蛍光 X 線分析装置（WDXRF）による全岩化学組成分析（定量分析）が実施された[6]。これらの原石は北海道の黒曜石原産地の基準標本として隅田祥光により保管管理されている（図 2）。なお奥尻－勝潤山と雄武のものは明らかに石器石材として適さない品質であったため除外されている。言うまでもなく北海道内には原石の全岩化学組成分析値が公表されていない黒曜石原産地も幾

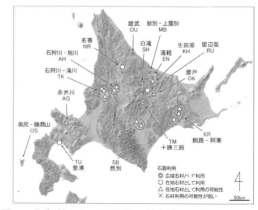

図1　北海道における黒曜石原産地の分布と石器利用

表1　北海道における黒曜石原産地の区分

| 黒曜石原産地（地理的区分） | | | | 黒曜石の種類（化学的区分） | | | 石器利用（図1参照） |
|---|---|---|---|---|---|---|---|
| 原産地名 | ひらがな | 英語表記 | 略記号 | 区分名 | 略記号 | 基準標本 個体数 | |
| 奥尻-勝洞山 | おくしり-かつまやま | Okushiri-Katsumayama | OS | 奥尻-勝洞山 | OS-1 | 0 | × |
| 豊浦 | とようら | Toyoura | TU | 豊浦 | TU-1 | 3 | ○ |
| 赤井川 | あかいがわ | Akaigawa | AG | 赤井川 | AG-1 | 3 | ◎ |
| 石狩川-滝川 | いしかりがわ-たきかわ | Ishikarigawa-Takikawa | TK | 石狩川-滝川 | TK-1 | 2 | △ |
| 石狩川-旭川 | いしかりがわ-あさひかわ | Ishikarigawa-Asahikawa | AH | 石狩川-旭川1 | AH-1 | 2 | ○ |
| | | | | 石狩川-旭川2 | AH-2 | 5 | △ |
| 雄武 | おうむ | Oumu | OU | 雄武 | *OU-1 | 0 | × |
| 名寄 | なよろ | Nayoro | NR | 名寄 | NR-1 | 4 | ○ |
| 紋別-上藻別 | もんべつ-かみもべつ | Monbetsu-Kamimobetsu | MB | 紋別 | MB-1 | 0 | × |
| 白滝 | しらたき | Shirataki | SH | 白滝-赤石山 | SH-1 | 2 | ◎ |
| | | | | 白滝-十勝石沢 | SH-2 | 3 | ◎ |
| 遠軽 | えんがる | Engaru | EN | 遠軽 | EN-1 | 2 | × |
| | | | | **未区分 | **未区分 | 1 | 不明 |
| 生田原 | いくたはら | Ikutahara | KH | 生田原 | KH-1 | 2 | △ |
| 留辺蘂 | るべしべ | Rubeshibe | RU | 留辺蘂-岩山ノ沢 | RU-1 | 4 | ○ |
| | | | | 留辺蘂-通子沢 | RU-2 | 3 | ○ |
| 置戸 | おけと | Oketo | OK | 置戸-所山 | OK-1 | 3 | ◎ |
| | | | | 置戸-置戸山 | OK-2 | 2 | ◎ |
| 十勝三股 | とかちみつまた | Tokachi-Mitsumata | TM | 十勝三股 | TM-1 | 2 | ◎ |
| 然別 | しかりべつ | Shikaribetsu | SB | 然別1 | SB-1 | 3 | △ |
| | | | | 然別2 | SB-2 | 1 | 不明 |
| | | | | 然別3 | SB-3 | 1 | 不明 |
| 釧路-阿寒 | くしろ-あかん | Kushiro-Akan | KR | 釧路-阿寒1 | KR-1 | 0 | 不明 |
| | | | | ***釧路-阿寒2 | ***KR-2 | 0 | △ |

*WDXRFによる全岩化学組成の定量分析値なし。
**全岩化学組成はSH-2と同じ。***全岩化学組成はTM-1と同じであるがガラスのCaO/Al₂O₃比がやや異なる。

図2　北海道の黒曜石原産地の基準標本

つか存在する[7]。これらの原石も丹念に収集しつつ定量分析を行ないながら基準標本を取り揃えていくことは今後の大きな課題である。

## 2 定量分析値の集約と区分

黒曜石原産地に産する黒曜石は，その地域にしか存在しない固有種なのか。それともほかの地域にも存在するものなのか。さらにそれぞれの黒曜石の原石がどこでどのように生成されたものなのか。これらの情報の整理は考古学的な黒曜石製石器の原産地の最終判別を行なう上での基礎となる。そのために黒曜石原産地の地理的な区分に加えて精密な定量分析値に基づいた黒曜石の化学的な区分を行なう作業は必要不可欠である。

北海道の黒曜石原産地の化学的な区分一覧を表1に示す。先行研究における区分に加えて新たに全岩化学組成分析を行なうことで然別1〜3が追加されている。また遠軽にはそこの固有種としてのEN-1に加え未区分とした白滝−十勝石沢（SH-2）と同じ全岩化学組成を有するものがある。さらに釧路−阿寒2（KR-2）と十勝三股（TM-1）の全岩化学組成の公表値は酷似しているが，ガラスの主成分元素（$CaO/Al_2O_3$）に違いがあるとされている[8]。これらの原石の生成地点の特定やガラスの化学組成のより詳細な検証作業は今後の大きな課題である。

## 3 定量分析値を用いた原産地判別法

現在，国内では黒曜石製石器の原産地判別分析といえば望月・池谷方式[9]と呼ばれるエネルギー分散型蛍光X線分析装置（EDXRF）を用いた手法を指す場合が多い。この方式では標準物質を用いた定量分析を行なうことなく各元素の特性X線（$K\alpha$線）の測定強度比を指標とする判別法である。具体的な判別指標としてMn/Fe比に対するRb分率とFe/K比に対するSr分率[10]が用いられ，この方式の信頼性は中性子放射化分析やWDXRFを用いた定量分析からも確認されている[11]。一方で，近年は携帯型蛍光X線分析装置（pXRF）による黒曜石の標準物質を用いた定量分析

による判別法が国内外で普及しつつあり定量分析値を用いてどのように効率的な原産地判別を行なうか，その手法を探る取り組みが必要になっている。

望月・池谷方式で判別指標とする各元素の強度比を濃度比にそのまま置き換え作成した散布図を図3に示す。なお濃度比のデータはWDXRFによる定量分析値が用いられている。これらの散布図を見ると，例えばRb分率を用いた左図において置戸−置戸山（OK-2）と石狩川−旭川2（AH-2）が重なっているが，Sr分率を用いた右図において両者の領域は明らかに異なっている。すなわち2つの散布図を相互的に組み合わせることで，各原産地の原石の化学的な区分と判別を行なうことができる。このように望月・池谷方式における判別指標を踏襲しながら定量分析値に基づいた判別分析が可能であるが，pXRFを用いて石器の非破壊分析を行なう場合の精度でもこの手法を適用することが可能かの検証が今後の課題である。とくに，例えば散布図上において共に広域石材として利用される赤井川（AG-1）と十勝三股（TM-1）の領域は近接している。一方でYの濃度を比較するとAG-1が25.0〜25.7ppmでTM-1が32.1〜32.4ppmであり両者に10ppm程度の違いが認められる。さらにThの濃度はTM-1（8.8〜9.1ppm）はAG-1（15.1〜17.3ppm）の半分程度しかない。すなわちpXRFを用いた分析法の精度であってもこれらの元素を指標とすることでAG-1とTM-1を明瞭に区別できる可能性がある。また原産地判別を行なうための効率的な指標を探るためにもWDXRFなどによる高精度な定量分析値を取り揃える取り組みは必要不可欠である。

## 4 黒曜石の基準標本

アメリカのイエール大学とミシガン大学ではEDXRFやpXRFを用いて黒曜石を定量分析する際の校正用試料とそれらの認証値が定められている[12]。これらのうちイエール大学のものはオープンソースとして外部の研究者も借用可能で，新たにEDXRFやpXRFを導入した際の定量分析を行なうための校正用試料として利用することができる。

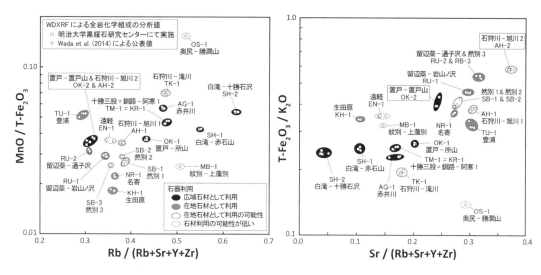

図3　北海道の黒曜石原産地の定量分析に基づく判別図

一方で国内では黒曜石原産地の基準標本の集約を目的に『Japanese Obsidian Online Database』[13]が2021年3月にウェッブサイト上に公開された。現在，約350点の原石の位置情報とWDXRFや誘導結合プラズマ質量分析装置（ICP‑MS）による定量分析値が集約され，それらの原石は基準標本としてパッケージ化され保管されている（図2）。今後これらの中から各原産地の代表的な全岩化学組成を持つものを40～50点抽出し，より精密に定量分析を行なうとともにEDXRFやpXRFによる黒曜石製石器の非破壊定量分析を行なうための校正用試料として定めていくことが計画されている。

### 註

1） 木村英明『北の黒曜石の道，白滝遺跡群』新泉社，2007

2） Suda, Y. *et al.* "Inter‑laboratory validation of the WDXRF, EDXRF, ICP–MS, NAA and PGAA analytical techniques and geochemical characterisation of obsidian sources in northeast Hokkaido Island, Japan" *Journal of Archaeological Science*：Reports 17, 2018, pp.379‑392.

3） A. Ono, M.D. Glascock, Y.V. Kuzmin, and Y. Suda（eds.）"Methodological Issues for Characterization and Provenance Studies of Obsidian in Northeast Asia" *BAR International Series* 2620, 2014, p.67‑84.

4） 本稿での定量分析とは元素濃度を分析値とする分析法のことを指す。

5） 杉原重夫編「日本における黒曜石の産状と理化学的分析」『明治大学文化財研究施設における黒曜石研究 第2冊』明治大学文学部，2014

6） 分析値の公表は準備中である。

7） 例えば北海道中川町でも黒曜石の原石が採取されることが，向井正幸「北海道地方から産出する黒曜石ガラスの主成分化学組成について」『旭川市博物館研究報告』23, 2016, pp.1‑24にて報告されている。

8） 前掲註3に同じ

9） 望月明彦・池谷信之・小林克次・武藤由里「遺跡内における黒曜石製石器の原産地別分布について―沼津市土手上遺跡BBV層の原産地推定から―」『静岡県考古学研究』26，2014，pp.1‑24

10） Rb分率とはRb／（Rb+Sr+Y+Zr），Sr分率とはSr／（Rb+Sr+Y+Zr）のことを指す。

11） NAAによる検証作業は，池谷信之「東の海―伊豆諸島」『海洋進出の初源史』季刊考古学 161，2022，pp.25‑28，WDXRFによる検証作業は，土屋美穂・隅田祥光「広原遺跡群第I遺跡・第II遺跡から出土の黒曜石製石器の原産地解析：判別プログラムの修正と判別結果」『資源環境と人類』8，2018，pp.31‑42がある。

12） Frahm, E. "Introducing the Peabody‑Yale Reference Obsidians（PYRO）sets：Open‑source calibration and evaluation standards for quantitative X‑ray fluorescence analysis" *Journal of Archaeological Science*：Reports 27, 2019, 101957.

13） https://sites.google.com/view/obsidian

# 白滝遺跡群の活用
## ―白滝ジオパークの取組と課題―

■ 松村愉文
■ MATSUMURA Yoshifumi

## はじめに

近年，文化財保護行政は変革期を迎えている。文化財保存活用大綱や地域計画の作成にみられるように，地域の文化財の総合的・一体的な保存・活用による地域振興，文化財の継承が求められている。本稿では白滝ジオパークにおける白滝遺跡群の活用について事例を紹介したい。

## 1 白滝遺跡群について

遠軽町白滝地域（旧白滝村）は，日本最大の埋蔵量といわれる黒曜石産地の赤石山と湧別川の河成段丘に立地する後期旧石器時代の石器製作遺跡である白滝遺跡群が所在する。その発見は，昭和初期の遠間栄治や松平義人による大形石器の収集に端を発する。しかし，当時は共伴資料や出土層位が不明瞭であったため，旧石器時代の存否を議論するまでには至らなかった[1]。

その後，1949 年の群馬県岩宿遺跡の発掘調査，1954 年の 15 号（洞爺丸）台風被害による幌加沢遺跡遠間地点の発見を契機に 1955～1961 年には北海道大学[2] や明治大学[3]，白滝団体研究会[4]，1987～2006 年には木村英明による学術調査が実施された[5]。また，1980 年代以降は緊急発掘調査も増加し，1995～2008 年に（財）北海道埋蔵文化財センター[6] と白滝村教育委員会[7] が実施した一般国道 450 号（旭川紋別自動車道）の建設に伴う発掘調査は調査面積 141,161 ㎡，出土遺物は約 760 万点，総重量は 13t にも及ぶ。これまでの調査成果から約 30,000～10,000 年前に相当する複数の石器群と接合資料は，当時の石器製作技術のみならず，黒曜石産地における原石の搬入から素材

図 1 白滝遺跡群と黒曜石産地（カシミール 3D により作成）

や製品の搬出のあり方を具体的に物語る。

このような学術的価値や学史的意義からも1989年には白滝遺跡（白滝第13地点遺跡）が国史跡の指定を受け，1997年には上白滝8，奥白滝1・11・12，服部台，服部台2遺跡の追加指定に伴い名称を「白滝遺跡群」に変更している（総面積：226,250.33㎡）。また，2011年に6遺跡（服部台2，奥白滝1，上白滝2・5・7・8遺跡）の石器が，重要文化財「北海道白滝遺跡群出土品」に指定された（石器1,423点，接合資料435組，合計1,858点）。さらに2022年には上記に旧白滝15遺跡出土の石器を追加し，旧石器時代の資料では初めての国宝指定の答申を受ける（石器1,514点，接合資料451組，合計1,965点）。

## 2　白滝ジオパークについて

ジオパークは2004年にユネスコの支援によって始まり，2015年には「ユネスコ世界ジオパーク（UNESCO Global Geopark）」として正式事業に認定された。地形・地質遺産を保全し，そこに育まれた生態系，歴史や文化との相互の関わりを学び，ジオツーリズムや産業振興，防災といった分野に活用することで持続可能な開発を推進することが目的である。同様にユネスコの世界的な活動である生物圏保存地域（ユネスコエコパーク）や世界遺産などの相互の活動によって世界の文化，生物，地質の多様性を保全し，持続可能な開発を促進するという全体像が構築されている。

国内においては2007年に日本ジオパーク連絡協議会が発足し，2008年には日本ジオパークの認定と世界ジオパークへの推薦を行う機関として日本ジオパーク委員会（JGC）が設立，7地域が日本ジオパークに認定される。さらに2009年には日本ジオパーク連絡協議会が組織改編により日本ジオパークネットワーク（JGN）へ発展し，3地域が世界ジオパークに認定された。2022年10月現在，日本ジオパークは46地域，その内9地域はユネスコ世界ジオパークにも認定されている。

白滝ジオパークは，遠軽町全域を対象地域として2010年に日本ジオパークの認定を受けた。本地域は泥岩を主体とする白亜紀〜古第三紀の付加体を基盤とし，鮮新世以降の大規模な火砕流堆積物が広範囲に分布する[8]。さらに，国内最大規模の黒曜石産地である赤石山（白滝地域）をはじめ，丸瀬布，遠軽，生田原地域に黒曜石密集地帯を構成する。地質学や火山岩石学に基づく調査研究の結果，およそ220万年前の黒曜石を形成した流紋岩マグマの噴火過程や黒曜石ガラスの形成過程が観察できる良好な黒曜石露頭などのジオサイトが多数所在することが明らかとなっている[9]。

## 3　教育活動

拠点施設は遠軽町役場白滝総合支所に併設の白滝ジオパークジオパーク交流センター（地質展示，地域ガイダンス）・遠軽町埋蔵文化財センター（埋蔵文化財収蔵・展示，体験学習）である。活動内容は，拠点施設での見学・体験や野外学習が中心となっている。

拠点施設では，展示解説から黒曜石の形成と岩石学的な特徴，白滝遺跡群から出土した石器から黒曜石資源の利用について学習する。また，これらの学習を補完するため，顕微鏡を使用した観察や体験学習を組み合わせる。特に体験学習は，「観る」だけではわからない過去の技術や情報を体感し，知識と経験の融合を図る上では有効な手段である。石器づくり体験では，板状に加工した黒曜石を材料に鹿角ハンマーを用いて尖頭器づくりを行い，旧石器時代の高度な石器製作技術の理解につなげている。さらに製作後は，完成した石器と打ち割った剥片から白滝遺跡群から出土する接合資料の展示解説の振り返りに役立てる。

野外での学習では黒曜石露頭や湧別川の河原，火砕流堆積物による地層の観察から，身の回りの景観がどのように形成されたか地球科学的な視点から学習する。また，現在までの気候変動とそれに伴う地理的変化が，生物相と人々の暮らしにどのように関わり，影響を与えたか考えるきっかけとしている。このような学習は，理科や社会の教科単元の学習に止まらず，総合的な学習や持続可能な開発のための教育（ESD）を目的とした環境

教育プログラムにも活用が可能である。

## 4　ジオツーリズム

黒曜石産地の赤石山は国有林内に所在する。2020年にジオサイトを保全するために，白滝ジオパーク推進協議会と網走西部森林管理署との間に「国民参加の森林づくり協定」を締結した。現在では，地質遺産の保全と地域経済への貢献による持続可能な運営体制の確立を目指して，ジオツーリズムを推進している。

ツアーは白滝ジオパーク推進協議会が主催し，協議会事務局と地元ガイドが解説を行う。八号沢露頭や天狗平展望地など国内最大規模の黒曜石を生み出したダイナミックな火山活動の痕跡と，史跡白滝遺跡群や埋蔵文化財センターの展示資料を見学することで，後期旧石器時代の人々が自然環境に適応するために黒曜石資源が果たした役割から地球と人とのつながりを紹介している。

また，地域の多様な文化や魅力を生み出す背景にある大地とのつながり（地質，気候）を意識してもらうために，じゃがいもや鹿肉などの地場産品を活用したランチを取り入れた。参加者のアンケート調査からもツアーのストーリー性，見学場所や解説内容，ランチメニューともに高い評価を得ることができた。今後も利害関係者と連携しながら内容の充実，機会の拡充につとめていきたい。

## 5　国際黒曜石会議
（International Obsidian Conference）

また，地域資源である黒曜石を活用した取り組みとして国際黒曜石会議（IOC）の開催も挙げることができる。

本会議は黒曜石を研究対象とする地球科学者，考古学者，分析化学者によって構成される。黒曜石に関する国際学術会議としては最大規模のもので，これまでにイタリア（IOC Lipari 2016），ハンガリー（IOC Sarospatak 2019），アメリカ（IOC Berkeley 2021）[10]，で行われており，次回は2023年7月に白滝ジオパーク（遠軽町）で開催される（IOC Engaru 2023）。これまでも口頭発表やポスター発表とともにエクスカーションを実施するため，黒曜石産地を開催場所に選定していた。招致活動の結果，白滝ジオパークの環境が評価されアジアで初めて開催することとなった。学術研究への貢献とともに，関連事業として石器づくりに関するワークショップ，住民対象の講演会による認知度の向上，黒曜石資源やジオパーク活動の国際的な情報発信へ寄与することが期待される。

## 6　成果と課題

白滝ジオパークにおける白滝遺跡群の活用の成果として，埋蔵文化財や人類の活動史を地球科学的な視点や気候変動とのつながりから理解することで，より深い学びが得られることがわかった。今後は，多くの利害関係者とともにボトムアップによる地域の持続的な活動としなければならない。

**註**

1)　河野広道・名取武光「北海道の先史時代」『人類学先史学講座』6，雄山閣，1938

2)　北大調査団「白滝遺跡出土の文化遺物」『北方文化研究報告』15，北海道大学，1960

3)　杉原荘介・戸沢充則『北海道服部台における細石器文化』明治大学文学部研究報告考古学第5冊，明治大学，1975

4)　白滝団体研究会『白滝遺跡の研究』1963

5)　木村英明『黒曜石原産地・「白滝コード」を読み解く』六一書房，2012

6)　北海道埋蔵文化財センター調査報告書『白滝遺跡群Ⅰ～ⅩⅣ』を参照されたい

7)　松村愉文・瀬下直人『白滝第4地点遺跡』白滝村教育委員会，2002

8)　国府谷盛明・長谷川潔・松井公平『5万分の1地質図幅「白滝」』北海道開発庁，1964

9)　和田恵治・佐野恭平「北海道，白滝ジオパークの黒曜石溶岩の内部構造」『火山』60―2，2015

10)　IOC Berkeley 2021は新型コロナウィルスの影響によりリモートによる開催となった。

# 縄文草創期文化と土器出現

■ 夏木大吾
NATSUKI Daigo

2000 年代に入るまで，北海道における土器出現期の様相は不鮮明であり，有茎尖頭器や細石刃・石刃技術，石斧を含む旧石器時代終末期（TUP）の石器群が本州以西の縄文草創期文化と同時期と考えられてきた。こうしたなかで，訓子府町増田遺跡や富良野市東麓郷 1 遺跡において TUP に類する石器群の中に土器が伴なう可能性が指摘されたが，資料の蓄積が進んだ現在においても類例はなく，未だ確実視できない。一方，江別市大麻 1 遺跡では，本州の縄文草創期終末の室谷下層式に類する土器が出土していたが，縄文早期後葉の遺物が主体を占める中での単独的な出土であったこともあり，研究に大きな進展はなかった。

しかし，2003 年における帯広市の大正 3 遺跡の調査[1]によって縄文草創期の爪形文土器と石器が数多く出土したことで，北海道における縄文草創期文化の存在が確実となった。これ以後，縄文草創期に関連する既存資料の再評価や新たな発見が続き，土器出現プロセスをめぐる環境適応や集団移住，縄文草創期と TUP 併存など具体的に議論されるようになってきた[2]。ここでは，近年，縄文草創期文化の遺物群が発見された遠軽町タチカルシュナイ遺跡 M-Ⅰ 地点の調査成果を紹介し，次に遺物群の多様性，年代などから北海道の土器と縄文文化の出現プロセスについて論じたい。

## 1 タチカルシュナイ M-Ⅰ の成果 （図 1）

2016〜2019 年度に東京大学によって発掘された[3]。遺跡は道東北部の遠軽町に位置し，町内を北流する湧別川の右岸に立地する。約 2,900 の遺物が出土し，草創期の土器のほかに，石鏃，両面調整石器，掻器，削器，彫器，錐形石器，部分加工剝片，箆形石器，斧形石器（磨製）で構成される。

この遺跡の年代は，被熱細片の集中部に平面・垂直レベルで重なる炭化物集中の試料から得られ，12,380±70 yBP（MTC-17843），12,600±70 yBP（MTC-17844），12,400±70 yBP（MTC-17845），12,000±80 yBP（MTC-17970）を示す。較正年代では約 15,000〜13,800 cal BP となる。

土器片は 66 点で，その内 14 点に文様が観察された。左上がりのキザミを連続させ，多段配置させる爪形文は大正 3 の例と類似する。1 点のみ出土した口唇部片は平縁で，外面には右下がりのキザミがある。また，左下がりの短沈線を連続的に施した土器片が出土している。短沈線文は爪形文と同一個体の中で施文された可能があるが，同様の例は大正 3 や本州の草創期遺跡で知られていない。土器片の器厚は 4〜5mm と薄く，大正 3 における土器のサイズと厚さの関係を参考にすると小型の部類となる。大正 3 では小型品に付着炭化物が多く認められ，煮沸具として利用されている。

主要な石器生産技術は両面調整，剝片生産である。両面調整石器の形態は多様で，それ自体が石核となる例や，掻器，彫器，削器として加工・利用されたものが含まれる。石鏃は両面調整の柳葉形で，右上がりの斜行剝離が観察されるものがあり，大正 3 の例に類似する。斧形石器は，短冊形を呈し，両刃で，広範囲に研磨が認められる。岩瀬の研究では，石鏃 6 点，両面調整石器 2 点，削器 5 点，錐形石器 1 点，部分加工剝片 5 点，石器破片 1 点，剝片 11 点に使用痕跡が観察されている。石鏃は刺突具として利用されるが，両面調整石器や削器，部分加工剝片，剝片は相互に類似した作業に多目的に利用されていたと推定されている。タチカルシュナイ M-Ⅰ における使用痕検出率は 6.3% であり，例えば TUP の忍路子型細石

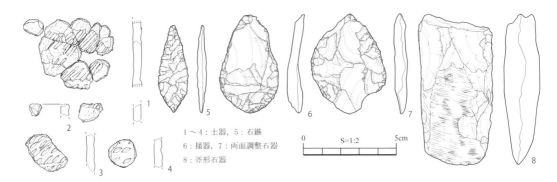

1〜4：土器，5：石鏃
6：掻器，7：両面調整石器
8：斧形石器

0　　　　　S=1:2　　　　5cm

図1　大正3とタチカルシュナイM-Iの土器と石器（註3より）

刃核や有茎尖頭器を出土した北見市吉井沢遺跡の20％と比べると検出率が低い。また，作業内容も動物の刺突や解体が中心で，皮革や骨・角・牙加工などの道具製作に利用された痕跡は低調である。

　石材のほとんどは黒曜石が占め，転礫を多く用いる傾向にある。出穂とファーガソンによる黒曜石製遺物488点の蛍光X線分析の結果，白滝赤石山（62.7％），白滝あじさいの滝（30.7％），留辺蘂（24％），置戸所山（1.2％），生田原（0.4％）が判別されている。利用された黒曜石の一次産地はすべて50km圏内に位置する。産地構成や自然面形状を踏まえると，この遺跡を残した集団の主な石材獲得領域は湧別川流域で，遺跡から1日以内の移動距離で採取可能なものが利用されている。

　タチカルシュナイM-Iは，一通りの道具組成をもちながらも，狩猟とその後の獲物の処理に伴なう比較的短期の居住によって形成されたと推測される。また，遺物数は大正3に比べて少なく，回帰的利用頻度も低かっただろう。石材利用からは遺跡近傍の湧別川流域に沿った狭い行動領域が導きだされ，一次産地の石材を利用するTUPの生業と比べて狭い範囲での効率的な資源利用に特化していたと考えられる。

## 2　草創期関連資料の多様性と年代（図2）

　縄文草創期の土器が出土した遺跡は大正3，タチカルシュナイM-I，大麻1のみである。大麻1の土器は，有段口縁で，段帯部に六段の撚糸圧痕列がみられ，室谷下層式の中でも古段階

に位置づけられている[4]。大麻1の室谷下層式の年代は，青森県櫛引の10,030±50yBP（Beta-113349），11800〜11300 cal BP 参照される。大麻1の土器は櫛引例よりも古くなるが，おおむね更新世と完新世の境となる時期に位置づけられる。

　大正3とタチカルシュナイM-Iは爪形文土器を組成し，石器の形態や製作技術にも共通点が多く，ほぼ同一のグループと捉えられる。大正3の草創期土器は乳房状突起をもつ丸底の鉢で，器形を推定しうる個体では高さが11〜20cmとなる。土器の文様は人爪と工具による爪形文が主体だが，口縁部に貼付隆帯，先端幅広のヘラ状工具の刺突文を伴なう個体もある。大正石器群は，長さ2.5〜6cm程度の小形薄手の柳葉形石鏃に特徴づけられる。この石鏃には，押圧剥離による右上がりの連続的な斜行剥離が観察される例がある。北海道のTUPの有茎尖頭器などでは左上がりの斜行剥離が，本州の草創期文化では右上がりの斜行剥離が一般的なことから，大正3遺跡を残した集団が本州系であったと推測されている[5]。大正3では土器付着物を試料として多数の測定値が報告され，12,470〜11,920 yBPの範囲の年代が得られている。

　上記した以外にも，本州の草創期文化に関連する石器群として旧白滝石器群がある。細身の柳葉形尖頭器に特徴づけられ，とくに新潟県小瀬ヶ沢で注目されたような微細な鋸歯縁の例が顕著である。その他に鋸歯縁加工のない柳葉形尖頭器や三角形石鏃，有茎尖頭器が含められる。指標となる

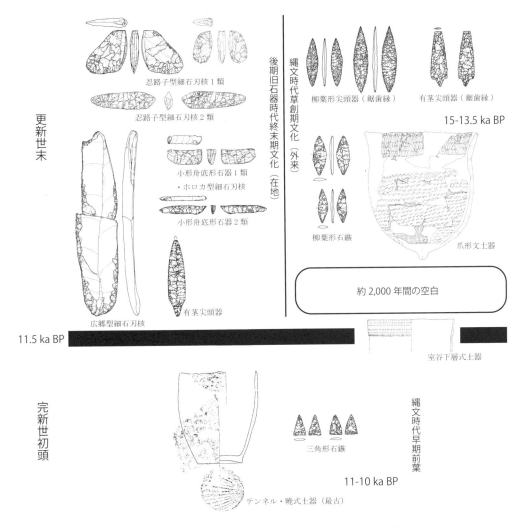

図2 北海道における更新世・完新世移行期の考古学的変化（註2より）

更新世末

後期旧石器時代終末期文化（在地）

忍路子型細石刃核1類

忍路子型細石刃核2類

小形舟底形石器1類
・ホロカ型細石刃核

小形舟底形石器2類

広郷型細石刃核

有茎尖頭器

縄文時代草創期文化（外来）

柳葉形尖頭器（鋸歯縁）

有茎尖頭器（鋸歯縁）

15-13.5 ka BP

柳葉形石鏃

爪形文土器

約2,000年間の空白

室谷下層式土器

11.5 ka BP

完新世初頭

縄文時代早期前葉

三角形石鏃

11-10 ka BP

テンネル・暁式土器（最古）

遠軽町旧白滝5では大形石刃石器群が共伴するが，TUPの掻器や斜刃彫器のような定形的石器に乏しい。尖頭器には右上がりの斜行剥離が多いが，左上がりの例も道東オホーツク海沿岸に散見される。確認できる遺跡・地点は34ヶ所と多いが，まとまった出土例に乏しく，土器の伴出例はない。北海道では関連する年代はないが，本州の類例に目を転じると，長野県星光山荘Bにおいて鋸歯縁尖頭器に伴なう可能性のある隆起線文土器の付着物で12,000±40 yBP（Beta-133848），12,160±40 yBP（Beta-133849），12,340±50 yBP（Beta-133847）の年代がある。また，青森県鬼川辺(1)では，柳葉形尖頭器に伴なう可能性の高い

隆起線文土器の付着物の年代で12,610±30 yBP（IAAA-132350）がある。

土器型式を考慮すると爪形文土器・大正石器群と旧白滝石器群に時間差がある可能性はあるが，両者は較正年代で15,000〜13,500 cal BPとなる。

## 3 土器出現をめぐる人類移住と適応

北海道の縄文草創期文化の年代と古気候変動を対応させると，爪形文土器群・大正石器群と旧白滝石器群は14,700〜12,900年前のベーリング・アレレード（B/A期）の温暖な時期に一致し，本州集団の北上があったことが指摘される[6]。縄文草創期文化は在地のTUPと併存した[7]と想定され，

縄文草創期文化とTUPの尖頭器には石器づくりの差異が見出される。縄文草創期文化はTUPに比べて，遺跡規模は小さく，立地も限定的であり，北海道では少数派の社会であっただろう。大正3や旧白滝5など縄文草創期関連の遺跡地点はTUP石器群よりも低い段丘面に立地する。大正3の土器からは水産資源利用の証拠も得られており[8]，漁労活動が存在する本州の草創期の生活像に対応し，水辺における継続的／回帰的な活動があったという指摘がある[9]。大正石器群の集団は，相対的に小さな資源獲得領域を有し，その中での効率的な資源利用の一つとして漁労が生業活動の重要な位置を占めていた可能性は考えられる。大正3の組成から弓矢猟に言及されるが，狩猟方法の違いは異系統文化集団間における食料獲得行動の差として強調できる。

12,900～11,700年前のヤンガードリアス（YD期）の寒冷期には縄文草創期に関連する証拠はなく，完新世へと移り変わる頃に室谷下層式土器が現われる。近年，髙倉は，既知のTUP石器群すべてをB/A期に編年し，人類社会の途絶も見据えた考古学的文化の空白を指摘する[10]。そして，YD期において小・中型哺乳類の絶滅・衰退により，温暖期に適応していた細石刃石器群が消滅するという仮説を提示している。髙倉はYD期に未詳の文化があった可能性を考慮するが，このようなカタストロフィックな現象の後に続く，完新世初頭における人類社会の成立をいかように説明するかが問題となる。これに対し筆者は，完新世初期の道東平底土器文化の成立をめぐっては，本州からの人の移住や文化流入だけでなく，北海道における更新世末集団の後裔も関与したと想定している。11,000～10,000 cal BPのテンネル・暁式土器を出土した大正6では，石鏃にTUP伝統である左上がりの斜行剥離が観察されることから，在地のTUP集団が存続したと考える[11]。また，TUP集団が周辺地域に退避した証拠がないことから，北海道におけるYD期の無人も想定しない。北海道と同様なTUP石器群が分布するサハリン南部においても，テンネル・暁式類似の新石器時代前期の土器が知られており，道東側と連動するような変化のプロセスがあった可能性がある。これらの仮説はなおも検証を要する。そのためには，未だ定まっていないTUP石器群の編年研究を進めていく必要がある。また，サハリン側の証拠も未だ乏しいことから，近年の不安定な世界情勢で途絶した日露共同による縄文／新石器時代研究の再開が望まれる。

**註**

1) 北沢実・山原敏朗 編『帯広市・大正遺跡群2』帯広市埋蔵文化財調査報告27，2006

2) 夏木大吾「北海道における更新世・完新世移行期の土器出現と文化形成」『物質文化』100，2020，pp.39-49

3) 夏木大吾 編『日本列島北部における新石器型狩猟採集社会の形成過程―タチカルシュナイ遺跡M-I地点の研究』東京大学常呂実習施設研究報告16

4) 中島　宏「室谷下層式についての一考察（Ⅱ）」『埼玉県立歴史資料館研究紀要』24，2002，pp.1-18

5) 長井謙治『石器づくりの考古学』同成社，2009

6) 前掲註5に同じ

7) 山原敏郎「更新世末期の北海道と完新世初頭の北海道東部」『縄文化の構造変動』六一書房，2008，pp.35-52

8) Kunikita, D., Shevkomud, I., Yoshida, K., Onuki, S., Yamahara, T., Matsukizaki, H. Dating charred remains on pottery and analyzing food habits in the Early Neolithic period in Northeast Asia. *Radiocarbon* 55, 2003, pp. 1334-1340.

9) 福田正宏「縄文文化の北方適応形態」『国立歴史民俗博物館研究報告』208，2018，pp.9-43

10) Takakura, J., Rethinking the disappearance of microblade technology in the Terminal Pleistocene of Hokkaido, Northern Japan: Looking at archaeological and palaeoenvironmental evidence. *Quaternary* 3 (3), 21. 2020.

11) Natsuki, D. Migration and adaptation of Jomon people during the Pleistocene/Holocene transition period in Hokkaido, Japan. *Quaternary International,* 608-609: 49-64. 2022.

# 土器による調理
## ─土器付着物からの分析事例─

■ 國木田大
　KUNIKITA Dai

## はじめに

　近年，食性分析の手段として，土器に付着した炭化物の炭素・窒素同位体分析や土器残存脂質分析が注目されている。北海道では，イギリス・ヨーク大学のオリヴァー・クレイグらの研究チームが帯広市大正3遺跡の研究を発表して以降，数多くの研究成果が公表されている[1-5]。本稿では，北海道における土器付着炭化物分析の研究史や，近年の研究動向などを概観し，土器による調理の内容物について考えてみたい。

## 1　分析方法の概要

　日本列島における自然科学分析を用いた先史文化の食性分析は，1980年代後半から古人骨を対象として開始された。これまでに，炭素・窒素同位体分析を用いて，北海道と本州には大きな地域差があったことなどが解明されてきた。

　2000年代には，現生試料を用いた煮炊き実験から，土器付着炭化物でも，食性分析を行なうことが可能となってきた[6]。同研究では，土器付着物の炭化前後の同位体比変化が炭素では小さく，窒素では重い同位体の割合が最大5‰程度増えることが報告されている。土壌埋没中に受ける続成作用や，窒素が保存されるメカニズムなど，解明されていない課題もあるが，大まかな食性分析には利用可能と判断されている。

　炭化前後の窒素の同位体分別や，炭化物が混合物であることを考慮すると，現状では，海生生物，$C_4$植物，$C_3$植物・陸上動物のどのグループに強く依存するか程度の精度で食性分析が可能といえる。形態観察が困難な資料に適用可能であり，試料量が微量（数mg程度）で行えるといった

利点がある反面，種の同定ができず，データの解釈が難しいといった欠点がある。一般的に，窒素同位体比（以下$\delta^{15}N$値）が約9‰を超える試料は，水生生物の影響が判断される[1]。筆者らは，これまでの土器付着炭化物の年代データに基づき，炭素同位体比（以下$\delta^{13}C$値）が-25‰よりも高く，$\delta^{15}N$値も10‰より高い範囲を海生生物由来の目安としてきた[7]。

　炭素・窒素同位体分析とあわせて紹介しておきたいのが土器残存脂質分析である。日本考古学における脂肪酸分析は，1980〜1990年代の中野益男の分析が話題を集めたが，その後，前・中期旧石器時代遺跡捏造事件の際に，その問題点が指摘された。日本では現在，この流れを汲んだ研究は行なわれていない。一方で，残存脂質分析の研究は，とくにイギリスで1990年代以降，急速に進展してきた。代表的な事例として，中東からヨーロッパでの乳利用の解明や，ストーンヘンジの集落遺跡と考えられるダーリントン・ウォールでの乳と反芻動物，非反芻動物などを検討した研究がある[8]。近年，日本でも庄田慎矢，宮田佳樹らのグループにより，研究が進められている。

　土器残存脂質分析は，日進月歩で新しい成果が発表されている。現状では，動植物については，海産動物に含まれる長鎖不飽和脂肪酸が加熱されたことを示すバイオマーカーが存在することや，パルミチン酸とステアリン酸の分子レベル炭素同位体分析によって，反芻動物（日本の場合はシカ・エゾシカ・カモシカなど）と非反芻動物を分離することが可能なことが判明している。また，雑穀の一種であるキビの特定に，ミリアシンが指標になることが解明されている[9]。本項目の詳細は，下記文献をご参照頂きたい[7]。

## 2 土器付着炭化物分析の研究史

日本における土器付着炭化物年代値の報告は，1990年の岐阜県森ノ下遺跡における縄文時代中期の事例が最初である[10]。土器付着炭化物の炭素同位体比が各試料で異なることは，研究当初から認識されており，海洋リザーバー効果の有無を検討するための指標として注目されてきた。北海道でも，2005年に擦文文化の土器付着炭化物年代値や炭素同位体比の傾向から，海生生物の影響が指摘されている[11]。

2000年代以降は，当該分野で，元素分析計とイオン源を直結した連続フロー型の高精度安定同位体比質量分析計が広く利用されるようになり，数多くの土器付着炭化物の炭素・窒素同位体比，C/N比が報告されてきた。国立歴史民俗博物館のプロジェクト「弥生農耕の起源と東アジア―炭素年代測定による高精度編年体系の構築―」では，地域別の検討がなされており，北海道では海生生物の割合が主であることが示されている[12]。また，同プロジェクトと関連して礼文町浜中2遺跡の検討も行なわれている[13]。このほかに，おもにオホーツク文化（一部擦文文化など）に焦点を当てた研究事例もある[14]。擦文文化に関しては，札幌市K39遺跡で詳細な分析が行なわれている。この報告では，擦文文化が続縄文文化（北大式土器）と比較して，炭素同位体比が約2‰高い傾向が示されている[15]。各文化の特徴について議論した先駆的な研究として評価できる。

筆者らは，2015年以降に，石刃鏃文化をはじめとした縄文時代早期[16・17]，常呂町大島2遺跡，常呂川河口遺跡[18・19]，利尻富士町役場遺跡など[20]，札幌市内の遺跡[21]，稚内市の遺跡[22]などを中心に分析を行ない，縄文文化，続縄文文化，擦文文化，オホーツク文化，トビニタイ文化，鈴谷式などの各文化間の比較検討を行なった[23]。次項でその詳細について紹介してみたい。

2013年以降になると，冒頭で紹介したクレイグらの土器残存脂質分析を皮切りに，多くの脂質分析の論考が発表される。2018年には縄文時代草創期および早期の食性に焦点を当てた研究[3]，2020年には，ハリー・ロブソンらにより，北海道の縄文時代草創期から晩期までの通時的な食性変遷が示される[4]。縄文時代早期および前期には，水生生物を含まない（もしくはフィタン酸を含まない）陸域生物と考えられる試料が確認され，後述する福井淳一らの研究とあわせて注目される。また，同論文では，内陸や沿岸部による地域差の検討も行なわれている。2022年には，アリ・ユノらにより，礼文町香深井1・2遺跡，浜中2遺跡における鈴谷式，オホーツク文化，擦文文化の食性変遷が検討されている。同論文によると，鈴谷式期には中間栄養レベルの水産資源，オホーツク文化前期には豊富な海産物，オホーツク文化中期になると海産物に加えて，陸生動物や植物資源の利用が始まることが述べられている。また，数点の測定値ではあるが，オホーツク文化や擦文文化での非反芻動物（おそらくブタ）の存在を指摘している点は，興味深いといえる。

2018年以降は，東京大学総合研究博物館に導入された土器残存脂質分析用の設備や装置が稼働し，ここ数年，研究成果が報告され始めている。2020年には斜里町チャシコツ岬上遺跡の事例[24]，翌年には，斜里町須藤遺跡の分析が実施され，擦文文化とトビニタイ文化の土器から，キビのバイオマーカーであるミリアシンが検出されている[25]。また，福井淳一らにより，北海道南部における縄文時代前半期の食性変遷が解明され，上述のロブソンらの研究と同じく，前期での反芻動物（エゾシカ）の利用が指摘されている[26]。

## 3 北海道における各文化の特徴

本項では，筆者らの先行研究を中心に，遺跡報告書や各研究者の論考で報告された土器付着炭化物（内面）の炭素・窒素同位体比，C/N比を集成し（図1・2：249点），各文化の煮炊きされた内容物を考えてみたい。なお，遺跡報告書や各研究者の文献は，紙面の都合上，割愛させて頂いた。

縄文文化（131点：○）は，図1・2ともに，もっとも幅広い領域に分布する。上述の大正3遺

跡は，$\delta^{15}$N 値が 11.9～14.7 に分布し，サケ・マ
ス類を含めた海生生物の影響が確認される[1・2]。
上述の通り，$\delta^{15}$N 値が約 9‰ より高い場合は，
水生生物の影響が考えられる[1]。もっとも $\delta^{15}$N 値
が高い試料は，標茶町二ツ山（第 1 地点）遺跡，
湧別町湧別市川遺跡，浜中 2 遺跡，浦幌町下頃辺
遺跡，釧路市東釧路Ⅱ遺跡で 16.0‰ 以上の値が
確認される。一方で，約 9‰ を下回る試料も，帯
広市八千代 A 遺跡，常呂町トコロ貝塚，湧別市
川遺跡，函館市臼尻小学校遺跡，伊達市北黄金 2
遺跡で散見され，もっとも低い値は，湧別市川遺
跡の 2.3‰ になる。縄文文化は，陸域資源から海
産物まで幅広く利用していたことがわかる。

　続縄文文化（24 点：□）も縄文文化と類似し
て，幅広い領域に分布する。$\delta^{15}$N 値も常呂川
河口遺跡や，常呂町栄浦第一遺跡で，約 15.0‰
付近のものが存在する。常呂川河口遺跡では，
$\delta^{15}$N 値が 5.8～7.4‰ に分布するものがあり（4
点），陸域生物中心の煮炊きも確認される。また，
今のところ注口土器（後北 $C_2$D 式期）と，深鉢と
の間に大きな差異はないと考えられる。

　擦文文化（54 点：△）は，縄文文化や続縄文文
化と分布が大きく異なる。$\delta^{15}$N 値が約 9‰ 以上
の試料が大部分のため，海生生物由来の可能性が
高いが，分布に右下がりの傾向が確認できる。こ
れは，アワ・キビなどの $C_4$ 植物が一部混入して
いるためと考えられる。札幌市 K518 遺跡，K528
遺跡，H519 遺跡，常呂川河口遺跡では，$\delta^{13}$C
値が -18.9～-16.3‰，C/N 比も 9.3～18.3‰ と高
いものがあり，$C_4$ 植物の影響を推測できる。

　オホーツク文化（24 点：◇）は，$\delta^{15}$N 値が
11.1～17.6‰ に分布し，海生生物の影響が高いと考
えられる。現状で，網走市モヨロ貝塚の試料 $\delta^{15}$N
値 17.6‰ がもっとも高く，常呂川河口遺跡の
11.1‰ がもっとも低い。トビニタイ文化（12 点：
+）は，擦文文化と類似した傾向，鈴谷式（4 点：
ж）はオホーツク文化と類似した傾向を示す。

　土器サイズと内容物の関係では，筆者らの大島
2 遺跡，常呂川遺跡の分析事例がある[18]。両遺跡
の擦文，オホーツク文化の分析では，土器サイズ

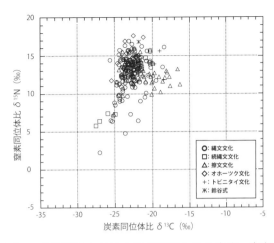

図 1　北海道における土器付着炭化物の炭素・窒素
　　　同位体比（データは註 23 などを参照）

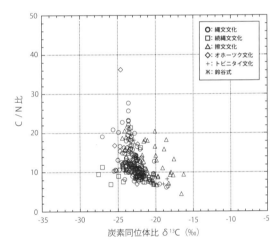

図 2　炭素同位体比・C/N 比
（データは註 23 などを参照）

と炭素・窒素同位体比の間に比較的相関が認めら
れ，大型のサイズほど，窒素同位体比が高い傾向が
ある。大型の土器で，栄養段階の高い生物（海棲哺
乳類など）を中心に煮炊きしていたのかもしれない。

## おわりに

　本稿では，土器付着炭化物の自然科学分析につ
いて紹介し，北海道における各先史文化の調理物
の検討を行なった。各文化の変遷は，基本的にこ
れまで動植物遺体で推定された内容と整合的であ
り，続縄文文化と擦文文化の間に大きな画期が存
在する。今後は，器種やサイズ，詳しい時期差や

地域差の検討が必要となろう。

**註**

1）　Craig, O.E. *et al.* Earliest evidence for the use of pottery. *Nature*, 496, 2013, pp.351‒354.

2）　Kunikita, D. *et al.* Dating charred remains on pottery and analyzing food habits in the Early Neolithic Period in Northeast Asia. *Radiocarbon*, 55（3）, 2013, pp.1334‒1340

3）　Lucquin, A. *et al.* The impact of environmental change on the use of early pottery by East Asian hunter‒gatherers. *Proceedings of the National Academy of Sciences*, 115（31）, 2018, pp.7931‒7936.

4）　Robson, H.K. *et al.* Walnuts, salmon and sika deer：Exploring the evolution and diversification of Jomon "culinary" traditions in prehistoric Hokkaido. *Journal of Anthropological Archaeology*, 60, 2020, 101225.

5）　Junno, A. *et al.* Cultural adaptations and island ecology：Insights into changing patterns of pottery use in the Susuya, Okhotsk and Satsumon phases of the Kafukai sites, Rebun Island, Japan. *Quaternary International*, 623, 2022, pp.19‒34.

6）　吉田邦夫「煮炊きして出来た炭化物の同位体分析」『新潟県立歴史博物館研究紀要』7, 2006, pp.51‒58

7）　國木田大「年代測定・食性分析・遺伝人類学」日本考古学協会編『日本考古学・最前線』雄山閣, 2018, pp.221‒237

8）　庄田慎矢・オリヴァー＝クレイグ「土器残存脂質分析の成果と日本考古学への応用可能性」『日本考古学』43, 2017, pp.79‒89

9）　Heron, C. *et al.* First molecular and isotopic evidence of millet processing in prehistoric pottery vessels. *Scientific Reports*, 6, 2016, 38767.

10）　中村俊夫ほか「岐阜県森ノ下遺跡出土の縄文土器に付着した炭化物の加速器による放射性炭素年代測定」『第四紀研究』28（5）, 1990, pp.389‒397

11）　本庄かや子ほか「擦文時代の遺跡から出土した遺物の ¹⁴C 年代測定─旭川市の擦文遺跡から出土した土器の付着炭化物を中心に─」『日本文化財科学会第 22 回大会研究発表要旨集』2005, pp.124‒125

12）　坂本稔「安定同位体比に基づく土器付着物の分析」『国立歴史民俗博物館研究報告』137, 2007, pp.305‒315

13）　Miyata, Y. *et al.* Traces of sea mammals on pottery from the Hamanaka 2 archaeological site, Rebun Island, Japan：Implications from sterol analysis, stable isotopes, and radiocarbon dating. *Researches in Organic Geochemistry*, 25, 2009, pp.15‒27.

14）　臼杵勲『北海道における古代から近世の遺跡の暦年代』札幌学院大学, 2007

15）　南川雅男「安定同位体分析による出土土器付着物の食資源解析」『K39 遺跡工学部共用実験研究棟地点発掘調査報告書』北海道大学埋蔵文化財調査室, 2011, pp.268‒272

16）　國木田大「湧別市川遺跡の放射性炭素年代測定と炭素・窒素同位体, C/N 比分析」『日本列島北辺域における新石器／縄文化のプロセスに関する考古学的研究─湧別市川遺跡の研究─』東京大学, 2015, pp.78‒84

17）　根岸洋ほか「津軽海峡周辺域における縄文時代早期の測定年代と黒曜石産地推定」『東京大学考古学研究室研究紀要』35, 2022, pp.1‒24

18）　國木田大「大島 2 遺跡出土炭化材試料の放射性炭素年代測定および土器付着炭化物の炭素・窒素同位体分析」『東京大学常呂実習施設研究報告』14, 2016, pp.90‒99

19）　國木田大「大島 2 遺跡 3 号・4 号竪穴出土土器付着炭化物の炭素・窒素同位体分析」『東京大学常呂実習施設研究報告』18, 2021, pp.79‒83

20）　熊木俊朗ほか「鈴谷式土器とその年代─柳田國男の「樺太紀行」に寄せて─」『国立歴史民俗博物館研究報告』202, 2017, pp.101‒135

21）　國木田大ほか「土器付着物を用いた擦文文化の食性分析」『日本文化財科学会第 34 回大会研究発表要旨集』2017, pp.74‒75

22）　國木田大「¹⁴C 年代測定と炭素・窒素同位体比分析」『東京大学常呂実習施設研究報告』21, 2022, pp.91‒96

23）　國木田大「土器付着物でわかる年代と食性」小林謙一編『土器のはじまり』同成社, 2019, pp.83‒105

24）　宮田佳樹ほか「北海道斜里町チャシコツ岬上遺跡出土土器の残存有機物分析」『知床博物館研究報告』42, 2020, pp.29‒37

25）　村本周三ほか「脂質分析から見たトビニタイ文化の特徴について」『日本考古学協会第 87 回総会研究発表要旨』2021, p.50

26）　福井淳一ほか「北海道南部における縄文時代前半期の古食性変遷」『日本考古学協会第 88 回総会研究発表要旨』2022, p.87

# 大規模遺跡の土器圧痕調査の到達点

■ 小畑弘己
OBATA Hiroki

## はじめに

2013年5月，福島町館崎遺跡において，北海道で初めて圧痕調査を実施した。その際，最初に目に入った小さな土器片の表裏面になんとコクゾウムシの圧痕がついていた。それ以前に三内丸山遺跡において円筒土器文化のヒエやコクゾウムシを発見し，この地域での圧痕調査に手応えを感じ，道南の同文化の土器群に期待を込めて赴いた直後の大発見であった。それから3年間館崎遺跡の1200点余の復元土器を調査した。多くの発見の中で何よりも世界を驚かせたのは，500点のコクゾウムシを練り込んだ土器の発見であろう。ただ，館崎遺跡ではコクゾウムシ圧痕はこの縄文後期の土器ばかりでなく，縄文前期末の土器にも含まれており，クリの道南への伝播とシンクロする。植物栽培と害虫の拡散である。この地域におけるコクゾウムシの発見は土器圧痕法がもたらした新たな考古学的事実である。古くから植物遺存体に対する関心が高く，フローテーション法による調査が盛んに行なわれてきた本地域において新たな調査法である土器圧痕法が何を明らかにしたのか，できたのか，本論では最新の圧痕調査成果を交えながら紹介する。なお，遺跡の概要については各報告書を参照されたい。

## 1 各遺跡における検出圧痕

### (1) 館崎遺跡 （福島町）

調査対象としたのは，本遺跡から出土した縄文時代前期中葉～後期前葉の復元土器1,200個体である。調査の結果，197点の種実・昆虫・貝類の圧痕を検出した。その種類と数は，ヒエ属 Echinochloa sp. 有ふ果74点，ニワトコ Sambucus sieboldiana L. var. pinnatisecta 種子4点，ヌスビトハギ Desmodium podocarpum 節果2点，タデ科 Polygonaceae 種子2点，シダ類羽片1点，不明種実9点，植物部位不明2点，コクゾウムシ Sitophilus zeamais M. 95点，種不明甲虫2点，巻貝と蓋6点である。もっとも多かったのはヒエ属有ふ果とコクゾウムシであり，それぞれを多量に混入したと推定される個体を検出した[1]。コクゾウムシは円筒土器下層 d2式（前期末）を最古例として，円筒土器上層 d2式（中期前半）の例があるが，数が増加するのは涌元1式土器（後期前半）である。とくに涌元2式土器の深鉢形土器（484）は85点の表出圧痕をもつが，その後のX線CTスキャナの調査によって，新たに332点の潜在圧痕を検出した。欠落部分を復元すると501点のコクゾウムシ成虫が含まれていたことになる[2]。ヒエ属は，前期後葉～中期中葉の7個体の土器から74点検出することができた。そのうちの1例（957）（円筒土器下層 d1式の深鉢土器）は表出圧痕が51点で，その後のX線CTスキャナによる調査で63点の潜在圧痕を確認した。ヒエ属有ふ果を意図的に混入した個体と考えられる（投稿中）。

### (2) 幸連4遺跡 （木古内町）

本遺跡では，縄文時代前期後葉（円筒土器下層 b1～c 式期）を中心とした15,994点（768,351g）の土器を対象とし，肉眼を主として補助的にX線機器を用いて調査を行なった。その結果，種実・昆虫・葉・茎など62点を検出した。種実圧痕で種が判明したものは，ヤエムグラ Galium spurium var. echinospermon，ニワトコ，クマノミズキ Swida macrophylla，ブドウ科 Vitaceae，タデ科 Polygonaceae のみであり，そのほか16点は不明種実，種皮1点，種子？1点であった。この他，植

物関連圧痕としては，シダ類の羽片，茎や葉，花序などを確認したが，種は特定できていない。動物圧痕としては，クモ？1点，コクゾウムシ1点，デオキスイ属 Carpophilus sp. 2点，多足類1点，幼虫1点，鱗翅目幼虫の糞2点，巻貝2点などがある。圧痕は2例（巻貝・不明：後期）を除いて円筒土器下層 b1〜c 式，縄文時代前期後葉のものである[3]。このうち円筒土器下層 b1 式土器から検出されたコクゾウムシ圧痕は北海道では最古例であり，遺跡としては2例目となる。

### （3）幸連5遺跡 （木古内町）

　本遺跡では，縄文時代中期後葉を中心とした15,038点（211,315g）の土器を調査した。初動調査より X 線機器（軟 X 線）を使用した。その結果，130点の種実・昆虫・葉・茎・骨・貝類などを検出した。そのほとんどがウニ関連の資料であった。種実で種が判明したものは，ヒエ属以外は，イノコヅチ Achyranthes bidentata var. japonica，ヤブマメ Amphicarpaea edgeworthii，キンミズヒキ Agrimonia pilosa var. japonica，ヤエムグラのみであり，このほか近似種として，キハダ？ Phellodendron amurense ？，ヤエムグラ？などの種子があった。これらのほとんどは「ひっつきむし」の類である。これ以外にシダ類羽片や茎（蔓）などがある。動物性の圧痕としては，巻貝，小動物（魚類？）の骨，ニシン Clupea pallasii V. の耳骨などがある。特徴的なものとして蛾の幼虫の糞がある。また，貯蔵食物関連の害虫と思われるデオキスイ属甲虫の圧痕1点を検出した[4]。

## 2　圧痕調査の成果と意義

### （1）ヒエ属の食料としての重要性

　三内丸山遺跡を中心として円筒土器文化圏におけるダイズやオオムギの栽培が議論されたことがある。しかし，これらは誤同定などの原因からすべての人に許容されているわけではない。植物学的要件を満たし，栽培植物としての議論があるものにヒエ属とアズキがある。ヒエ属はこれまで炭化種子をもとに議論されてきたが，三内丸山遺跡ではじめて圧痕として検出され，館崎遺跡でも多

数検出されたことから，円筒土器文化圏におけるヒエ属種子の食料としての重要性を裏付けたものと評価できる。その後の圧痕例は中期後葉例が幸連5遺跡にある。ただし，ヒエ属種子に関しては，クロフォード[5]や吉崎[6]らが想定したような種実の継続的な大型化は認められないという[7]。ヒエ属の炭化顆果には縄文時代中期に大型化がみられるものの，後の時代に継承されず，「縄文ヒエ」は平安時代後期のヒエの起源ではないとされた。しかし，土器圧痕として検出されること，さらには有ふ果の多量混入土器（957）の存在は，それらの種子が竪穴住居内（土器製作場）へ多数持ち込まれ，食料として利用されていただけでなく，他のダイズやアズキ，エゴマのような栽培植物の場合と同じく，豊穣祈願のための儀礼行為[8]にも使用された可能性がある。また，アズキ亜属の種子は少なくとも縄文時代の北海道ではまだ圧痕として検出された例がない。ただし，三内丸山遺跡をはじめとする円筒土器文化圏にはアズキ亜属種子は炭化資料だけでなく圧痕も検出されている。吉崎らは栽培の定義を種実に現れる変化以外にも「多数の出土例」がその根拠となると述べていた[9]。ヒエ属とともに，栽培化徴候群の発露に至らない Pre-domestication 段階の栽培行為[10]と把握しておきたい。

### （2）もう一つの栽培植物クリ

　幸連4遺跡における重要な成果は，北海道最古（円筒土器下層 b1 式）のコクゾウムシ圧痕の発見である。コクゾウムシは，縄文時代の家屋（貯蔵堅果類）害虫であり，現在，圧痕として72遺跡から900点ほどが検出されている[11]。本地域のコクゾウムシは，西日本発見のコクゾウムシに比べ，体長が2割ほど大きく[12]，本例も体長約4mmとその例に漏れない。この体の大きさは，特定植物に特化したホームレース形成によるもので，クリを加害した結果であると推定した[13]。幸連4遺跡例は三内丸山遺跡の最古のコクゾウムシ圧痕土器と同時期であり，道南地域へのクリの伝播が従来説[14]より型式的にもさらに遡る可能性を示唆するものである。クリの本来自生していなかった

北海道へ円筒土器文化の人々によってクリが運ばれる際，クリの実に隠れてコクゾウムシも海を渡った，これは播種行為を伴う「栽培」そのものである。

### （3）ウニ入り土器の意味

幸連5遺跡の圧痕はほぼ縄文時代中期後葉～後期前葉のものであり，館崎遺跡や幸連4遺跡の円筒土器下層式～上層式の段階の圧痕類と比べると，ウニや骨，貝などが多く，植物性の圧痕が少ない。これは，1個体のウニ入り土器個体に多量に入るウニの棘や殻片の存在が影響している可能性もあるが，この時期の土器作りの所作や屋内の環境を示している可能性がある。つまり，前期末～中期前半の植物性資源優先から中期後半からの動物性資源優先への変化である。

圧痕中でもっとも量的に多かったのは，ウニの棘であり，次いで，殻片である。130点余りの圧痕のうち48点は1個体の土器に由来するもので，ウニ殻20点，棘28点からなる。棘の大きさや棘疣の細かさからみて，エゾバフンウニのものと考えられる。その密度の高さから，破砕した棘や殻を土器粘土中に意図的に混入した可能性がある。本地域では館崎遺跡のヒエ入り土器やコクゾウムシ入り土器，そして続縄文ではあるがキウス3遺跡のアサ果実入り土器[15] など，多量の種実や昆虫を混入する土器がみられる。東日本の多数の事例も含めて考えると，本例も混和材としての機能よりも，混入する行為そのものに意味のある豊穣儀礼行為の結果と考えられる。

### （4）生活環境を示す昆虫関連圧痕

土器圧痕として検出される甲虫はほぼ家屋害虫であり，三内丸山遺跡ではこの甲虫の検出例が多かった[16]。コクゾウムシ以外で多いのが，デオキスイ属甲虫である。今回，幸連4遺跡で2点，幸連5遺跡で1点検出した。上翅が短く，腹～尾部の体節が露出するのが特徴である。同甲虫の圧痕は三内丸山遺跡の円筒土器上層式（中期前半）からも1例検出している[17]。本来腐敗植物を食するが，本属に属する数種は，穀類などとくに吸湿粉を加害することが知られている[18]。屋内の貯蔵食料を加害していた可能性が高い。

また，今回，幸連4遺跡で2点，幸連5遺跡で2点，蛾の幼虫の糞の圧痕を検出した。サイズは1～2mm前後であり，小型の幼虫のものと考えられるが，蛾の種は特定できない。昆虫の幼虫圧痕は他の遺跡でも多数検出されており[19]，幼虫の食料としての家屋内への搬入も想定されている[20]。幼虫の食を含む資源利用については，種の同定を含め今後の課題である。

## 3 圧痕と土壌試料の違い

以上みてきたように，圧痕として発見される栽培植物群は，貯蔵・加工食料として屋内へ運びこまれた栽培植物や有用植物，それらに寄生するために侵入・繁殖した家屋害虫，そして偶然に人に付着して運び込まれた「ひっつきむし」の類であった。かつて，三内丸山遺跡における低湿地から回収された種実・昆虫種と圧痕種実・昆虫を比較し，圧痕→乾地性堆積物→湿地性堆積物の順で生活残滓が含まれる割合が減少し，環境残滓が増加することを立証した[21]。その意味で，雑草類として認識される「ひっつきむし」は土壌から出土すれば，単なる周辺環境を示す生物群として処理されるであろう。またコクゾウムシやデオキスイ属をはじめとする家屋害虫も土壌試料からは得にくいものである。自然遺物は，遺構から多量に多数回出土するという現象が人為性を帯びた生物群としての認定に繋がる。土器もまさにその遺構と同じ性格をもつ。土器圧痕生物群は，フローテーションによる炭化・水浸種実や昆虫と比較することで圧痕生物群の特性が浮き彫りにされ，その背後にある人間の営為を読み取ることが可能となるのである。

## おわりに

本地域はG. クロフォードに始まり，吉崎昌一，山田悟朗，椿坂恭代などが長年にわたりフローテーション法を用いて「縄文ヒエ」や「縄文アズキ」の発見，擦文期・アイヌ期の農耕の実証を行なってきたように，他の地域にくらべ，十分な

植物考古学の資料が揃った地域である。土器圧痕は，このような地域においては，先に披瀝したように，従来説を重層的かつ理論的に再立証（裏付ける）する，さらには汚染を排除するという役目を果たした。もちろん，土壌出土の生物群では見えなかった生活環境に関する情報も加えることができた。

　ここでは，調査対象の時期も方法も異なるので，これらを遺跡や時期ごとの量的な特徴として把握することはできない。ただし，X 線機器（軟X 線機能・CT 機能）を加えて，その発見の精度を高めることができた。フローテーション法をベースに X 線機器による土器圧痕調査を行なう，学問的潜在性の高いこの地域の植物考古学は今でも学術研究の先端を走っていると考える。今後の継続的な調査とさらなる発展が望まれる。

### 註

1) 　小畑弘己「館崎遺跡出土土器の圧痕調査報告」『福島町館崎遺跡』北埋調報 333，2017，pp.202‐212

2) 　Obata H., Morimoto K. and Miyanoshita A. 2018 Discovery of the Jomon era maize weevils in Hokkaido, Japan and its mean. *Journal of Archaeological Science: Reports* 23, pp. 137‐156. https://doi.org/10.1016/j.jasrep.2018.10.037 .

3) 　小畑弘己・鈴木宏行・塚田千代・宮浦舞衣・李潤枝「幸連 4 遺跡出土土器圧痕調査報告」『木古内町幸連 4 遺跡』北埋調報 373，2023，pp.215‐222

4) 　小畑弘己・塚田千代・宮浦舞衣・李潤枝・福井純一・土肥研晶「X 線機器による幸連 5 遺跡出土土器圧痕調査報告」『木古内町幸連 5 遺跡　第 5 分冊　遺物（・分析・総括編』北埋調報 375，2023，pp. 171‐182

5) 　Crawford G. W. 1983　Paleoethnobotany of the Kameda Peninsula Jomon. *Anthoropological Papers* 73, pp. 1 ‐ 200. Ann Arbor. University of Michigan Museum.

6) 　吉崎昌一「先史時代の雑穀―ヒエとアズキの考古植物学」『雑穀の自然史―その起源と文化を求めて―』2003，pp.52‐70，北海道大学図書刊行会

7) 　那須浩郎「縄文時代にヒエは栽培化されたのか？」『SEEDS CONTACT』4，2017，pp.27‐29

8) 　小畑弘己「圧痕法が明かす縄文人の食と心」『ユリイカ』49―6，2017，pp.94‐104，青土社

9) 　前掲註 6 に同じ

10) 　Fuller D. Q. 2007 Contracting Patterns in Crop Domestication and Domestication Rates: Recent Archaebotanical Insights from the Old World. *Annals of Botany* 100, pp. 903‐924.

11) 　小畑弘己「コクゾウムシと縄文人」『文化財の虫菌害』83，2022，pp.3‐8

12) 　前掲註 2 に同じ

13) 　前掲註 2 に同じ

14) 　山田五郎・芝内佐知子「北海道の縄文時代遺跡から出土した堅果類―クリについて―」『北海道開拓記念館研究 紀要』25，1997，pp.17‐30

15) 　北海道埋蔵文化財センター「千歳市キウス 3 遺跡・キウス 11 遺跡」北埋調報 323，2016

16) 　小畑弘己「土器圧痕として検出された昆虫と害虫―圧痕家屋害虫学の提唱（その 2）―」『私の考古学』丹羽佑一先生退任記念事業会，2013，pp.103‐123，

17) 　前掲註 16 に同じ

18) 　吉田敏治・渡辺　直・尊田望之『図説貯蔵食品の害虫』全国農村教育協会，1989

19) 　前掲註 18 に同じ。森　勇一「昆虫考古学を究める―遺跡産昆虫から得られた古環境およびヒトの営み」『第四紀研究』59―2，2020，pp.43‐61

20) 　前掲註 19（森 2020）に同じ

21) 　小畑弘己「種実圧痕の考古資料としての特性―圧痕は何を意味するのか？三内丸山遺跡における検証―」『先史学・考古学論究』Ⅵ，龍田考古会，2014，pp.85‐100

# 周堤墓形成期の社会的複雑性
## ―ジオポリティカル・エコノミーからのアプローチ―

▪ 坂口　隆
SAKAGUCHI Takashi

## 序

　周堤墓とは，墓域を掘削し，その土を周囲に周堤状に盛った墓である。その最大のキウス周堤墓群2号は，外径で約75m，周堤の高さは5.4mある。こうした墓を造成するためには多大な労働力を必要とするため，周堤墓の出現とその形成過程は，縄文社会の進化を検討するうえでもっとも重要な研究課題である。

　筆者は，周堤墓の出現やその形成過程は，縄文時代後期の北海道中央部における集落・墓地遺跡の時空間的変化にみられるジオポリティカル・エコノミーの変化に伴なうものとみる。ポリティカル・エコノミーとは，家計レベルの生存に不可欠なサブシステンス・エコノミーに対し，地域社会における個人，あるいは集団間の社会政治的関係の維持や競争のために行なわれる広範な政治経済的活動で[1]，さらに地政学的視点を加味したのがジオポリティカル・エコノミーである。

　周堤墓形成期のジオポリティカル・エコノミーを捉えるためには，北海道中央部における地域集団の動態に関する分析と居住集団の動態に関する分析が有効である。地域集団の動態に関する分析とは，広域における集落・墓地遺跡の時空間的な動態を詳細に調べることで，周堤墓の出現する背景となる縄文時代後期の地域集団の動態について検討することにある。また，円形の竪穴に周堤を伴なう周堤墓は企画性が強いことから，周堤墓の普及，拡散する過程やそれに伴なう在来の伝統的な墓制がどのように変容していくかを検討することが，地域集団間のインターアクションのプロセスやその程度を理解するうえで有効である[2]。

　地域集団の動態に関する分析が遺跡間で広域的

であるのに対し，居住集団の動態に関する分析は遺跡内における住居跡単位の居住集団の規模や，人口動態に主眼を置いている。大形の周堤墓の造成には相応の労働力が必要で[3]，居住集団の規模や人口動態は，地域集団の動態と直結するとともに，周堤墓造成に関わる労働力を解明するために必要不可欠である。

　以下，ジオポリティカル・エコノミーの視点から縄文時代後期中葉〜後葉における（1）石狩低地帯，（2）余市湾を中心とする日本海側，（3）石狩川上流域（空知川流域含む）の集落・墓地遺跡の時空間的変化を検討しよう。

## 1　縄文時代後期中葉の社会的複雑性

　石狩低地帯は，東に馬追丘陵，西は支笏湖周囲の山々に囲まれ，南は太平洋，北は日本海へ抜けるルートがある。余市湾周囲は，日本海に面し海洋資源が豊富な地域であるとともに，水上交通による日本海沿いのネットワークがあるとみられ，札幌西方に位置する山々により石狩低地帯からは緩衝される。石狩川上流域は，北海道中央部の大動脈となる石狩川の東端の内陸部に位置する。これらの各地域には，地域的な墓制（石狩低地帯には土坑墓，およびクラスターを形成する墓群，余市湾と石狩川上流域には配石墓）が形成されていることや[4]，上記したような地理的背景を基に独自の地域集団が割拠していたとみられる。

　石狩低地帯の千歳川流域では，ユカンボシE3/E8遺跡を除くと小規模集落の居住地移転の頻度が高く，手稲式と鰊潤式の各時期にコアとなる集落が移り，地域集団の離合集散が起きていた可能性が示唆される。それに対し，美沢川流域では集落は小規模で分散しているが，美々4遺跡の台地

縁辺に手稲式〜鮭澗式期のクラスターを形成する6群の墓群から構成される大規模な墓域が形成されると、以降、縄文時代後期後葉まで大規模な墓域は当流域で場所を変えながら継承されることで一貫していることから、同流域を割拠していた地域集団の存在が示唆される。

石狩川上流域では集落跡は未確認であるが、神居古潭地区と音江地区が遺跡密度や配石遺構の存在から地域集団の中心部とみられる。神居古潭5遺跡と音江環状列石における配石遺構の差異から、両者は地域集団内におけるサブグループであった可能性も想定される。一般的に縄文時代後期中葉における北海道中央部では、副葬・供献品を伴なう墓の比率は低い傾向があるが、音江環状列石では美々4遺跡の墓群とともに副葬・供献品の比率が高い点が注目される[5]。

余市湾周囲では、2〜3km間隔で分布する配石遺構、および関連遺跡に地域集団のネットワークが示唆される。余市湾周囲は比較的狭い範囲でありながら、中心部が西崎山ストーンサークル（ウサクマイC式〜手稲式期）→忍路土場遺跡周囲（手稲2・3式〜鮭澗式期主体）と安芸遺跡（手稲式〜鮭澗式期主体）に遷移している可能性がある。忍路土場遺跡周囲では、川べりの低地における生活空間、川べりに面した台地に居住域、その背後の丘陵や山尾根に配石遺構が設けられている。忍路環状列石と地鎮山環状列石が近接して所在する忍路土場遺跡周囲は、縄文時代後期中葉の余市湾周囲における地域集団の中心部であろう。こうした地域集団の中心部となる集落では、葬送・追悼儀礼や様々な饗宴・儀礼が行なわれたであろう。内外の地域集団が集合する葬送・追悼儀礼は主催者となる地域集団の威信を示す場でもあるから、威信技術としての物質文化（土器・木工芸品）が発達することとなる[6]。

こうした饗宴・儀礼のために威信技術としての漆製品も発達したのであろう[7]。漆製品に代表される奢侈品は富の象徴であり、北海道縄文時代後期における漆製品の発達と社会的複雑化は一連のものであろう。地鎮山環状列石の被葬者はこうし

た物的基盤を背景にもつとともに、北海道南部の地域集団とのネットワークを持ち合わせていた有力者とみられる。

大形の配石墓である地鎮山環状列石や美々4遺跡の墓群第6群の中央に位置するX817号墓は、当該期における被葬者の社会的重要性と社会階層化を示唆する。関連して注目されるのは、美々4遺跡の手稲式〜鮭澗式期の6群の墓群では、副装品が出土している墓は群内に位置し、群外の墓からは出土していないことである。同遺跡の墓群第6群は、周堤墓の祖型とされ[8]、後述するキウス4遺跡における周堤墓内外の墓にみられる副葬品、墓標、赤色顔料の差違は、先行する手稲式〜鮭澗式期に胚胎されていたとみられる。

また、美々4遺跡の当該期6群の墓群で注目されるのは、ヒスイ製玉類が99点出土していることである。これらヒスイ製玉類は、化学分析によりそのほとんどが約750km離れた新潟県糸魚川産とされる[9]。一般的に交易物資は、原産地から距離が離れるにつれ減少していく（down-the-line trade）ことが知られている[10]。しかしながら、縄文時代後期の糸魚川産ヒスイは原産地から離れた遠隔地の北海道中央部に偏在して分布する傾向がみられる[11]。これはdown-the-line tradeとは逆のパターンであり、北海道中央部の有力者が奢侈品のヒスイを政治・経済的な野望、および自己利益を追求する戦略の一部として所望した結果生じた事象であろう[12]。糸魚川産ヒスイ製玉類を伴なう被葬者は、ヒスイ交易のネットワークに関与し、遠隔地の希少財にアクセスできた有力者とみられる。

縄文時代後期中葉の集落は小規模でも有力者を中心とした集落間の交易やネットワークが形成され、複雑化した社会が形成されていたとみられる。こうした当該期における社会的複雑性が縄文時代後期後葉にさらに発達するのであろう。

## 2　縄文時代後期後葉の社会的複雑性

当該期の余市湾周囲と石狩川上流域では、セトルメント・パターンに大きな変化が看守される。

余市湾周囲は、縄文時代後期中葉にはコアな地域であったが後期後葉には衰退する。その一方で、積丹半島西部に漁労キャンプとして機能したとみられる洞穴遺跡が分布する傾向が注目される。こうした事象は、①余市湾周囲における人口の減少、②当湾周囲が居住域から logistical locations に変容し、周縁化していったことを示唆する。

石狩川上流域でも神居古潭地区における遺跡形成が衰退する傾向が看守される。代わりに、空知川流域に野花南周堤墓が出現する。空知川流域は、後期中葉には配石遺構や配石墓の分布する地域であったから、人類学的に墓制は保守的とされることを勘案すれば、周堤墓の出現は当流域の地域社会における変化を如実に示すものであろう。

さらに周堤墓は、北海道東部にも拡散している。朱円周堤墓には、在地的な配石墓と新規に採用された周堤墓とのハイブリッド化が看守される[13]。周堤墓の数は、野花南周堤墓が1基（約1.4%）、朱円周堤墓が2基（約2.9%）、伊茶仁川流域で9基（約13.4%）、石狩低地帯で55基（約82.0%）が確認されていることから（石狩低地帯、および伊茶仁川流域の周堤墓数は、註17に準拠）、その差異は明瞭である。こうした差異は、石狩低地帯に有力な地域集団が割拠し、その他の地域には小規模な地域集団が分布し、地域集団の勢力を示唆する。

しかも石狩低地帯における周堤墓の数は、キウス周堤墓群とキウス4遺跡で全体の約半分、それに美々4遺跡と美沢1遺跡を加えると、過半数で占められる。キウス周堤墓群、キウス4遺跡、キウス1遺跡の遺跡形成過程からすれば、キウス周堤墓群はキウス4遺跡の関係者、ないし後継者により形成されたとみられる[14]。美々4遺跡と美沢1遺跡は、縄文時代後期後葉には同時期に遺跡が形成されていることと、その地理的近接性から同一グループないし、affiliation のあるグループにより形成されたとみられる[15]。周堤墓の造成には、多大の労働力を要することから、周堤墓の規模と数は、周堤墓を造成した集団の社会政治的力を示したものといえよう。

縄文時代後期後葉には、キウス4遺跡で居住集団の動態にも顕著な変化がみられる。1）住居の大形化に伴なう居住集団の拡大が顕著で、地域社会における労働力の再編成が示唆される。2）また、住居跡面積の変異が拡大し、大小が現われる傾向が看守される。こうした事象は、縄文時代後期中葉の小規模な居住集団が後期後葉に拡大し、とくにキウス4遺跡では規模の大きな居住集団が形成されていたとみられる。居住集団は拡大化、多様化し、居住集団間で有力者と非有力者の差異化や新たな労働編成が起きていたことも示唆される。セトルメント・パターンと住居跡面積の変化に示唆される居住集団の拡大傾向や居住集団間の変異の拡大化は、後期後葉に共時的に起きていたとみられる。

既述した美々4遺跡の縄文時代後期中葉の墓群における群内と群外の墓の比率は前者が約94%、後者が約6%を占めている。後期後葉のキウス4遺跡における周堤墓内と周堤墓外の墓の比率は、前者が約44%、後者が約56%を占めている。キウス4遺跡における周堤墓は、確認できる限り多くの住居跡の主軸方向（入口施設と主柱穴の中軸を結んだ軸線）に位置している。それに対し、周堤墓外の墓は住居の主軸方向から逸れた空間に位置し、その中には「盛土」に埋没したものもみられる[16]。

これら周堤墓内外の墓から検出された副葬品、墓標、赤色顔料についても差違が看取される[17]。こうしたキウス4遺跡における周堤墓内外の墓の空間的配置や副葬品などから、周堤墓内の被葬者を elite 層、周堤墓外の被葬者を non-elite 層とすれば、その比率はほぼ半々ということになる。この推定が妥当とすれば、後期後葉には non-elite 層が増加しており、このような増加は住居跡面積の変異に示唆される居住集団の拡大や労働力の再編に関与していた可能性がある。後期後葉の北海道中央部は、石狩低地帯を中心に社会が再編成され、そのような中で最有力グループのキウス地区の地域集団（遺跡として残されたのはキウス4遺跡やキウス周堤墓群）は周囲の人口を合併、吸収できた可能性がある。

当該期の石狩低地帯は，玉類，細形石棒，磨製石斧，黒曜石製石器，赤彩微隆起線文土器，アスファルトなどの実用・奢侈品の偏在的分布に示唆されるように，北海道中央部における交易物資の集積地の様相を呈する。このような地域間，および長距離交易による物資の集中は，①石狩低地帯への有力グループの割拠とともに交易ネットワークの形成，②地域集団内，地域集団間における競覇のための交易物資の利用，③その結果，有力な個人・集団への富（奢侈品）の集中として副葬・供献品に具現されている。

## 結　語

既述の通り，縄文時代後期中葉の北海道中央部では，集落・墓地遺跡のコアとなる地域は余市湾周囲，石狩川上流域，石狩低地帯に分散していた。ところが，後期後葉には，周堤墓，および関連遺跡が石狩低地帯の漁川流域，美沢川流域，および馬追丘陵沿いに集中するように分布し，個別の周堤墓遺跡はネットワークの一部であることを示唆する。その一方で，その他の地域は周縁化していく様相が看守される。周堤墓の出現やその形成過程は，縄文時代後期中葉の分散化する傾向がみられた地域社会が後期後葉に石狩低地帯への人口の集中とともに再編成されていくことを示す。縄文時代後期中葉～後葉の北海道中央部におけるジオポリティカル・エコノミーの変化が周堤墓や関連遺跡の消長に現れているとみられる。

＊本稿は，2020『周堤墓の出現に関する考古学的研究（平成 29 年度～令和元年度 科学研究費助成事業（基盤研究（C））研究成果報告書）』を改変したものである。

## 註

1）　Johnson, A. W., Earle, T.（2000）. *The Evolution of Human Societies*：*From Foraging Group to Agrarian State, 2nd ed.* Stanford：Stanford University Press.

2）　Renfrew, C.（1986）. Introduction：Peer polity interaction and socio‐political change. In C. Renfrew, & J. F. Cherry（Eds.）. *Peer Polity Interaction and Socio‐*

*Political Change*（pp.1‐18）. Cambridge：Cambridge University Press.

3）　大谷敏三「環状土籬」『縄文文化の研究 9』雄山閣，1983，pp.46‐56

4）　矢吹俊男・野中一宏「縄文時代の墓制：縄文時代後期の区画墓について」『続北海道 5 万年史』郷土と科学編集委員会，1985，pp.162‐183

5）　駒井和愛『音江：北海道環状列石の研究』慶友社，1959

6）　Hayden, B.（1998）. Practical and prestige technologies：The evolution of material systems. *Journal of Archaeological Method and Theory*, 5, 1–55.
　　Hayden, B.（2009）. Funerals as feasts：Why are they so important? *Cambridge Archaeological Journal*, 19, 29‐52.

7）　小林幸雄「先史時代の漆器」『第 47 回特別展 うるし文化：漆器が語る北海道の歴史』北海道開拓記念館，1998，pp.8‐10

8）　北海道埋蔵文化財センター 編『美沢川流域の遺跡群 8』北海道埋蔵文化財センター調査報告第 17 集，1985

9）　藁科哲男・東村武信「美々 4 遺跡出土の玉類の原産地分析」『調査年報 8：平成 7 年度』北海道埋蔵文化財センター，1996，pp.83‐94

10）　Renfrew, C., & Bahn, P.（2000）. *Archaeology*：*Theories, Methods, and Practice 3rd ed.* New York：Thames and Hudson.

11）　野村崇「北海道出土のヒスイ製装飾品」『地域と文化の考古学』六一書房，2005，pp.531‐546

12）　前掲註 6（Hayden 1998）に同じ

13）　北海道埋蔵文化財センター 編『斜里朱円周堤墓』北海道立埋蔵文化財センター，2012

14）　大谷敏三『北の縄文人の祭儀場』新泉社，2010

15）　Sakaguchi, T.（2011）. Mortuary variability and status differentiation in the Late Jomon of Hokkaido based on the analysis of shuteibo（communal cemeteries）. *Journal of World Prehistory*, 24, 275‐308.

16）　北海道埋蔵文化財センター 編『キウス 4 遺跡 8』北海道埋蔵文化財センター調査報告 157，2001

17）　藤原秀樹「その後の周堤墓研究史」『キウス 4 遺跡 10』北海道埋蔵文化財センター調査報告 187，2003，pp.69‐76

# 北海道における儀礼用土器の動向

▪ 中村耕作
▪ NAKAMURA Kousaku

## 1 儀礼用土器への着目

林謙作[1] による「大洞系・類大洞系・非大洞系」をめぐる議論は，土器から地域間の社会的関係性を考える上で時期・地域を問わない一般的な問題を含んでいる。本稿ではこのうち象徴性・社会性の高い儀礼用土器に特化して動向を整理する。注口土器についてはすでに鈴木克彦[2] によって後期中葉～後葉の本州型：宝ヶ峯型，後葉の折衷型：末広型，晩期前半の本州型，後半の北海道型：川端型という大要が把握されている。

## 2 後期中葉～晩期初頭の注口土器・下部単孔土器・異形台付土器・香炉形土器

宝ヶ峯型注口土器は北海道から東京・千葉まで広がり，鈴木の集成では北海道が最多である。道内では道央部に集中するほか，礼文島にも類例がある。研磨が顕著でしばしば特有の浮き彫り状文様をもつ宝ヶ峯型 A 類［図1・4・24］と，深鉢と共通する磨消縄文をもつ宝ヶ峯型 B 類［7・15・23］の双方が分布し，A 類の環状例も存在する［17］。

加曽利 B1 式は注口土器の分布にみられるように関東～西日本の関係性が強かったが，宝ヶ峯型が出現する加曽利 B2 式期（坂口の手稲2～3式期[3]）は，深鉢・鉢を含めて北海道～関東の共通性が全体的に高まる画期である。ほぼ同時期に，異形台付土器，釣手土器[4]，下部単孔土器が出現する。北海道では釣手土器は見られないが，忍路土場遺跡ではⅣ層・3rd で宝ヶ峯型［1］，それより上層のⅢc・Ⅲd 層で宝ヶ峯型・異形台付土器・下部単孔土器が出土している［2・3］。異形台付土器は宗谷まで分布している［5］。この後，瘤付土器第Ⅱ段階までの間，道南では東北北部と共通の竪穴床面に注口土器や下部単孔土器などを配置する取り扱いが多数みられ，道央でも若干例が知られる［11～16・22・23][5]。

瘤付土器第Ⅰ段階になると，宝ヶ峯型 A 類に代わる特殊文様として，微隆線文[6]をもつ注口土器が出現し［11］，さらに環状化，顔身体化などの異形化が進行していく。道内では横型環状例［20ほか］があるほか，長沼町 12 区 B 遺跡や函館市垣ノ島遺跡で縦横型環状の複雑な事例が出現する［27・35］。4つの環を持つ長沼例はもっとも複雑な縄文土器と言ってよいだろう[7]。なお，東北では顔面を付す例が散見されるが，道内では柏木 B 遺跡の注口付根部に顔面をもつ例のみである［37］。

こうした中，瘤付土器第Ⅰ段階後半（坂口の堂林2式期）頃を境に，道央では鈴木が折衷型（末広型）と呼んだ縄文多用の注口土器が多量に製作され［18］，御殿山式期にはさらに独自性を高めた一群［30・43～46］と東北北部と共通の無文化した注口土器やその後の大洞 B 式注口土器が並存する。両者は注口土器としては標準的な存在であるが，注口付根部に睾丸を思わせる双瘤[8]を付すようになるなど，全体的に身体象徴性を高める。茂辺地遺跡の4つの顔面を持つ縦横型環状注口土器［32］をはじめとする多数の顔面付土器破片もその動向が過剰化したものである。また，双口の注口土器や壺［12・19・29・50］，底部が半環状の注口土器［48］など，象徴性が高い独自の器形が発達する。堂林式期の周堤墓以来，道央部では墓域・墓坑内からは玉類・櫛・小形石棒類と共に注口土器の出土例が目立つ。西島松 5 遺跡の墓坑口部では2つの注口土器・椀と共に小さなワイングラス状・コップ状土器が複数出土しており［41］，2種の飲料による祭祀が想定されている[9]。

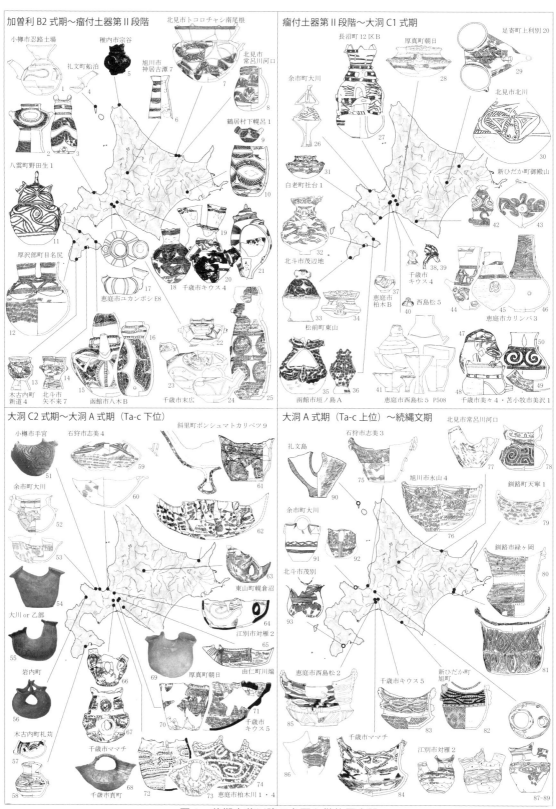

図1　後期中葉以降の主要な儀礼用土器

なお，東北北部では瘤付土器第Ⅰ〜Ⅳ段階に香炉形土器が盛行し，後半期には顔身体化したものも出現する。道内で器形が判明する事例はわずかだが［33・36・42］，後期後葉のキウス4遺跡，西島松5遺跡で香炉頂部の顔面・動物装飾破片が出土し［38〜40］，晩期中葉の注口土器の頂部に香炉形の頂部形態が取り込まれた例［47］もある。

## 3 晩期後半の双口土器・舟形土器・注口付浅鉢

　道内の晩期の注口土器は数が少なく，大洞BC〜C1式のものが散見される程度である［28・31・34］。その後，道内は大洞C2式の大規模な流入（壺・台付鉢主体）[10]によって西側の聖山式，東側の幣舞式が対比される状況となり，注口土器はわずかとなる［52・58・59］。後者で発達したのが双口土器・舟形土器・注口付浅鉢である。

　双口土器自体は前期〜晩期の列島各地で見られるものの，系統変化を論じられるだけの定着性をもつのは北海道の晩期のみである。前述のように後期後葉にも口の部分が2つある土器があるので，これをA類（ただし器形は多様），胴部が曲がった筒状でその両端が口となるものをB類，胴部が縦型環状で上端に1つの口をもつものをC類と大別し，3期に区分する。なお，C類は厳密には双口土器ではないが，2分された液体が内部で一緒になる点で共通しており，類似した象徴的意味があったものと思われる。この空間構造は，さらに遡って国宝著保内野土偶あるいは環状注口土器とも共通する後期の北海道に特徴的な象徴表現であった。

　**1期**　B類のうち口縁部が大きく開き，縄文の上に沈線で曲線的な文様を描くものは，浜中大曲式（大洞C2式古段階併行）とされており，縄文のみの例を含めて余市周辺の沿岸部に集中している［51・53〜57・69］。岩内町例は口の部分が繋がっており，真町例［68］はブリッジを有する。大川or乙部例［55］も口縁間のブリッジの痕跡が残っている。これらをB2類とし，両口縁が分離しているB1類と区別しておく。

　**2期**　C類は，ママチ・キウス5・ユカンボシE4など千歳・恵庭周辺に集中する［67・70］。いずれもTa-C下部のⅡB層中の出土で，カッコ文を持つ。やや離れて東川町に幌倉沼例がある［63］。ママチ例［66］は一見C類に近いが上部中央は塞がれており構造的にはB2類である。関根はこれらを含む土器群を大洞A1式期に限定するが，福田の幣舞Ⅱ式はC2新〜A1式期と幅を持たせている。柏木川4遺跡では同じくTa-C下部の墓坑から手形付土製品・足形付土製品を伴ってB2類が出土している［73］。また，同遺跡および近接する柏木川1遺跡では，縄文地に刺突の縁取りを伴なう沈線で文様を描くB1類が出土しており［72・74］，いずれも同時期とみられる。キウス5・柏木川1・柏木川4・幌倉沼は墓坑出土例である。

　**3期以降**　Ta-cより上位を3期とする。大洞A'式〜砂沢式期と報告された対雁2遺跡土器集中1からは，口・胴の大きさが非対称の例が3点出土している［87・89］。西島松2遺跡［86］にも例があるが，双口土器B1類とみるか，注口土器とみるか判断が難しい。また，常呂川河口遺跡ではフシココタン下層式期の墓坑内からB1類が出土している［77］。いずれも2期と異なり平底である。後者は道央中心だったそれまでの分布から大きく外れているが，その後の続縄文期には分布域を拡大させる［90〜93］。

　このうち，事例の多い1〜2期が道内で大洞系土器の影響力が強まったことと連動していると想定することは容易である。幣舞式は双口土器だけでなく，各種の器種を通じて器形・装飾に手間をかけている。但し，1期は余市周辺，2期は恵庭・千歳，3期以降に分布を拡大するなど，時期によって分布範囲が異なるという問題がある。

　興味深いのが注口付浅鉢・舟形土器の動向である。鈴木が北海道型（川端型）とした注口付の大形の平たい浅鉢は，1期の志美4例［60］を初現とし，2期の川端（Ⅱ黒層）・対雁2（Ⅱ群）・キウス5（Ⅴ層）・柏原16など分布を広げ［64・65・71］，3期には注口部を失い，続縄文期には姿を

消す。舟形土器[11]は，3期に道央〜道東に分布する［75・76・78〜85］。ただし，福田が「斜里2期」＝本稿1期の指標としたポンシュマトカリペツ9遺跡では，注口付浅鉢，舟形土器が共に出土しており，出現期が遡る可能性がある［61・62］。

## 4 儀礼用土器の象徴的特性と北海道

道内の後・晩期の儀礼用土器を大きく2時期にわけて概観してきた。両者は本州とのかかわりで対照的なあり方を示している。

前半期の，《後期中葉における宝ヶ峯型注口土器・異形台付土器・下部単孔土器の広域分布，後葉〜晩期初頭における注口土器の異形化とその過剰化および地域性の高まり》という変化は東日本一帯で共通している。注口土器・下部単孔土器はおそらく口からの液体の摂取と一対一の順序化[12]，異形台付土器や香炉形土器の用途は不明だが形態から類推すると鼻を通した燻煙の効果が想定されている。注口土器がしばしば墓坑・墓域から出土するのに対し，燻煙系や異形注口土器はほとんど墓から出土しないことから異なった儀礼に用いられた可能性があるが，視覚効果の強調としての注口土器の異形化同様，その出現は，基本となる注口土器の存在を前提としている。

関東では安行1式（瘤付土器第II段階）で大形の安行型注口土器が成立するが，異形台付土器は関東独自形態を維持している。東北では注口土器の異形化と共に香炉形土器を発達させる。こうした中で北海道では燻煙系は早々に姿を消し，注口土器を独自に発達させる道を選ぶ。北海道においては周堤墓以来，全般的に墓域出土遺物が多いこともこの違いに関わっているだろう。

これに対し，後半期に大洞式が拡大する動きは列島規模であるものの[13]，大洞A式以降，道南以南では注口土器は激減し，ほかの異形器種もほぼ姿を消す。こうした中で，各地域で新たに儀礼具を創造し，順次分布域を拡大させた道央〜道東の動向は特異である[14]。対雁2のように注口土器に類似したものがあるとはいえ，後期以来の注口土器ではない，しかし飲食に関する器種を創出し

た点は，新たな儀礼具を模索したことや，儀礼における飲食の重要性を物語っている。

### 註

1) 林　謙作「北海道」『縄文土器大成4』1981
2) 鈴木克彦「北海道における縄文時代注口土器の研究」『北方の考古学』1998。同『注口土器の集成研究』2007
3) 道内の編年はおもに以下を参照した。坂口　隆「周堤墓形成期の土器研究」『考古学雑誌』100(2)，2018。福田正宏『極東ロシアの先史文化と北海道』2007。関根達人「北海道晩期縄文土器編年の再構築」『北海道考古学』48，2017
4) 西村広経「広域分布する異形土器」『東京大学考古学研究室研究紀要』33，2020
5) 中村耕作「縄文時代後期後半・北海道南部における竪穴廃絶と儀礼行為」『縄文時代』29，2018。同「縄文時代後期後半の北日本における竪穴床面出土土器」『縄文時代』31，2020
6) 阿部明義「縄文後期後半の微隆線土器の様相」『考古学論攷I』2012
7) 中村耕作「異形注口土器のカテゴリ認識」『理論考古学の実践II』2017。同「注口土器・香炉形土器の異形化・顔身体化と社会背景」『季刊考古学』155，2021
8) 坂口　隆「縄文時代の男性的シンボルに関する基礎的研究」『考古学雑誌』97(3・4)2013
9) 藤原秀樹「周堤墓と葬送儀礼」『季刊考古学』148，2019
10) 澤田恭平「北海道の縄文晩期社会の特質」『季刊考古学別冊』25，2018
11) 鷹野光行「再び舟形土器について」『お茶の水女子大学附属高等学校研究紀要』48，2002
12) 鈴木徳雄「縄紋後期注口土器の形態形成と器種行為」『地域考古学』5，2020
13) 九州まで広がるのは大洞C2/A〜A1式期，幣舞遺跡での出土数ではA〜A'式期にピークがある。設楽博己・小林青樹「板付I式土器成立における亀ヶ岡系土器の関与」『新弥生時代のはじまり2』2007。澤田恭平「北海道釧路市幣舞遺跡出土の亀ヶ岡式土器について」『釧路市立博物館紀要』35，2014
14) 千葉県山武姥山貝塚と大崎台遺跡に大洞A'式期の大形深鉢に顔面を付す例があり，象徴性の強化という点で関連する可能性もある。中村耕作「顔身体土器」『季刊考古学別冊』40

# 縄文文化の環壕遺跡
## —北海道恵庭市島松沢8遺跡の発掘調査を中心に—

■ 鈴木将太
■ SUZUKI Shota

　北海道の縄文文化の大規模な遺構のひとつに「環壕」がある。ここでいう環壕は，本州の弥生文化に見られる集落を防御する目的でその周囲に「濠」を巡らせた「環濠」ではなく，縄文文化のものであり「壕」の漢字を使用する。縄文文化の環壕が確認されているのは，苫小牧市静川遺跡，千歳市丸子山遺跡，恵庭市島松沢8遺跡のわずか3例であり，すべてが道央部の石狩低地帯に位置する。縄文文化の環壕は，壕で囲われた内側について，マツリや儀式の場[1]，公共的な行事，祭祀，儀礼などの非日常的な場[2]，非日常的な空間，聖域[3,4]であった可能性などが考えられているが，類例の少なさや，関連する遺構・遺物の少なさにより，機能や役割は必ずしも明確ではない。ここでは，筆者が発掘調査を担当した島松沢8遺跡の事例を中心に述べることとし，静川遺跡，丸子山遺跡との比較を加える。あわせて，島松沢8遺跡は昭和初期の発見から2014年の発掘調査の実施に至るまで，考古学的アイヌ文化の「チャシ跡」として認識されていたことについて，その意義と課題についても述べる。

## 1　環壕遺跡の概要

### (1) 恵庭市島松沢8遺跡[5]

　2014年に恵庭市教育委員会によって発掘調査が行なわれた。遺跡は恵庭市街地から北西約6kmの島松沢地区に位置し，島松川右岸段丘縁北側の舌状に張り出した標高約45〜65mに立地する。舌状先端部は小高くなった地形（以下，丘頂部）を呈し，島松川に面する部分は垂直に近い崖面となっている。発掘調査が実施された区域は，丘頂部，北東側の斜面部，南側の削平が著しい部分の大きく三つに分けられる。確認された縄文時代の遺構は，環壕2基，竪穴住居跡5基，土坑4基，焼土4基，礫集中2基，盛土状遺構1基である。遺物は土器・石器などが約30,000点出土しており，このうち約6,500点はこぶし大の礫である。土器は縄文中期後半から後期初頭を主体とする。環壕は丘頂部を囲うように弧状に確認され，崖面の崩落により一部が失われているが，1932年に撮影された写真をみると，崩落した側にも壕が巡っていたと推定される。確認できた環壕の延長は約40m，上幅は3〜6m，最大深は約1.2mで，断面形はU字形・逆台形を呈する。構築時期は，二時期（古段階と新段階）あると考えられ，古段階は縄文中期後半天神山式期，新段階は縄文中期末〜後期初頭の北筒式〜余市式期であると推定される。新段階は再構築であり，構築位置が重なる部分やずれる部分がある。古段階は丸子山遺跡，新段階は静川遺跡と年代観が一致する。縄文時代の遺構はすべて環壕に関連するものと考えられる。

### (2) 苫小牧市静川遺跡[6]

　1982年に苫小牧市教育委員会によって発掘調査が行なわれた。遺跡は苫小牧東部工業地帯を南北に流れる安平川左岸の標高約18mの北に延びる樹枝状丘陵の先端部に位置し，背後および東西二つ丘陵（東側をA区，西側をB区）は細い尾根でつながっており，独立丘のような様相を示している。環壕は東側（A区）で確認されている。A区の縄文時代の遺構は，環壕1基，竪穴住居跡2基，落とし穴19基，土坑18基，焼土56基などである。遺物は，土器・石器などが約76,000点出土しており，土器は縄文晩期前葉を主体とする。環壕は，A区の丘陵先端部で先端の崖状急斜面部を除いて「ひょうたん形」に区画するように築かれている。延長139m，上幅2〜3m，下幅0.3〜

0.5m，深さは0.8〜1.8mで，断面形はV字形・U字形を呈している。構築時期は，出土遺物から縄文中期末葉ないし後期初頭の余市式期と考えられている。環壕で区画された内側には環壕と同時期と考えられる炉のない竪穴住居跡が2基ある。

### (3) 千歳市丸子山遺跡[7]

1990〜1993年に千歳市教育委員会によって発掘調査が行なわれた。遺跡は千歳市街地から北東約5km，中央地区のオルイカ川左岸の標高22m，紡錘形の独立丘陵上に立地する。確認された縄文時代の遺構は，竪穴住居跡52基，土坑149基，土器囲炉3基，石組炉1基，周堤墓2基，環壕1基，建物跡1基，焼土130基，柱穴群1基である。土器は縄文中期後半から後期初頭を主体とし，数万点にのぼるという。環壕は，北西側の急斜面部を除き，基本的に段丘の平坦部から傾斜変化点のやや下側に築かれている。延長170m，上幅2.5〜3m，下幅0.5m，深さ1.3mで，断面形はV字形・U字形・逆台形を呈している。構築時期は縄文中期後半天神山式期と考えられている。環壕で区画された内側に環壕と同時期の遺構は確認されていない。

## 2 島松沢8遺跡の環壕と関連遺構・遺物

### (1) 環壕と竪穴住居跡

島松沢8遺跡の発掘調査では竪穴住居跡5基が確認されている。うち4基は北東側の斜面部に位置し，斜面を切り出すように構築されている。残り1基は丘頂部の平坦面に位置する。斜面部に位置する竪穴住居跡はいずれも縄文中期後半天神山式期のものである。丘頂部に位置する竪穴住居跡はまとまった土器の出土がないが，斜面部の4基と異なり石囲炉であることや放射性炭素年代測定の結果などから，斜面部の4基よりもやや新しく，縄文中期末〜後期初頭の北筒式〜余市式期と推定される。このことから，島松沢8遺跡は竪穴住居跡のうち4基は古段階の環壕，残り1基は新段階の環壕と同時期のものと判断される。

### (2) 環壕と多量の礫

こぶし大（平均約550g）の礫が調査区の全域で

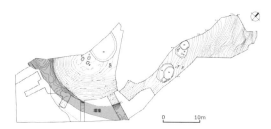

図1 島松沢8遺跡（註5より加筆）

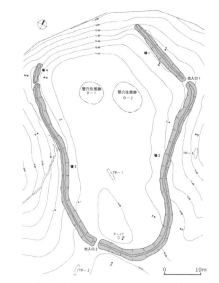

図2 静川遺跡（註6より加筆）

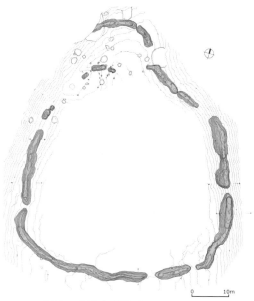

図3 丸子山遺跡（註7より加筆）

出土しているが，丘頂部や斜面部で集中している箇所がみられたほか，壕底面からも出土してい

る。このことから，礫は丘頂部に集められ，そこから流出したものが斜面部や壕底面に留まったと考えられ，壕底面の礫は意図的に収められたものではないと推定される。二時期ある環壕のいずれの底面にも礫がみられることから，どちらの時期も礫を丘頂部に集めていた可能性が考えられる。

## 3　環壕の機能について

　環壕は，静川遺跡や丸子山遺跡の調査例から，壕で囲われた内側は日常的使用の痕跡が希薄であることなどから，祭祀・儀礼に関する「非日常空間」や「聖域」的なものである可能性が示されてきた。これは内側と外側を区画する「祭祀的聖域区画機能」としての環壕といえる。島松沢8遺跡は静川遺跡や丸子山遺跡の調査例と異なる点が多く，環壕の内側や近接するエリアで炉をもつ竪穴住居跡が確認されており，多量の礫も静川遺跡や丸子山遺跡には見られなかったものである。多量の礫は環壕の内側や近接したエリアに居住した集団が投石のために集めていたとすれば，砦的要素を有していた可能性もあり，この場合，環壕は防御のために機能していたとも考えられる。これは「砦的防御機能」としての環壕といえる。ほかに，掘削行為そのものにも共同作業としての意味があった可能性も指摘されている[8・9・10]。環壕は掘削土量の多さから大規模土木工事であるため，共同作業は不可欠である。共同作業によって価値観を共有し，共同作業の構成員の結束を高める目的もあったのかもしれない。これは「祭祀的聖域区画機能」とあわせると，環壕による区画の内側を「祭祀的聖域」とする共通認識の形成に共同作業が必要であった可能性も考えられる。

## 4　環壕遺跡とチャシ跡

### （1）チャシ跡としての認識

　島松沢8遺跡は，2014年の発掘調査の実施までのあいだ「島松Bチャシ跡」という名称で，チャシ跡として認識されていた遺跡である。最初の調査は，1932年のことであり，調査記録は後藤寿一によって記されているが，詳細の公表はなされて

（1932年撮影）

（2013年撮影）

図4　島松沢8遺跡の遠景（註5より）

いない。調査記録には「一九三二，七，一〇　島松チヤシ」などの記述とともに石鏃のスケッチや天神山式土器の拓本，北西側から（北広島市側）撮影された写真が添付されている。写真には，遺跡の崖面が崩落する前のほぼ完全に近い形状を保った姿が写されている。1964年には広島考古学研究会によって「島松のチャシ」として調査報告がなされている[11]。1983年には北海道教育委員会が実施したチャシの調査が『北海道のチャシ』[12]としてまとめられ，ここでは「丘先式」，「弧状，2条（崖面の断面観察）」と記載されている。

### （2）環壕遺跡とチャシ跡

　このように，島松沢8遺跡は，1930年代から2014年の発掘調査の実施に至るまで，チャシ跡として認識されていた遺跡である。これは，崖面に露出した壕の断面や，現況地形に残された壕のくぼみ，台地先端部という立地条件などが，考古学的アイヌ文化のチャシ跡に極めて近いものであることが要因である。発掘調査によってチャシ跡の壕と考えられていたものが，縄文時代に構築された環壕の埋没過程にあるものであることが確認

され，アイヌ文化に関連する遺構・遺物は確認されなかった。つまり，遺跡の外見や立地条件からは，チャシ跡と縄文時代の環壕は判別がつかないということになる。このことについて小杉康は，縄文時代の「環壕」をアイヌ文化期特有の「チャシ」として誤認している危険性や，実際に「チャシ」として改築された可能性を考慮する必要があると指摘し[13]，畑宏明は札幌市の「T71遺跡（平岸天神山遺跡）」のチャシ跡は縄文時代の環壕である可能性を指摘している[14]。チャシ跡は，道内で500ヶ所以上が確認されているが，その大半は発掘調査が実施されていない。これらのなかには島松沢8遺跡のように，現況地形にあらわれた壕状のくぼみが実際は縄文文化の環壕であるものも含まれているという可能性を考慮に入れる必要がある。島松沢8遺跡の調査結果をもとに，発掘調査が実施されていないチャシ跡の壕については，次のように整理できる。①「現況地形などの判断どおり，チャシ跡の壕」，②「縄文時代以降に構築された壕の埋没過程にあるもの」，③「縄文時代以降に構築された壕の埋没過程にあるくぼみをチャシの区画としてそのまま再利用したもの」，④「縄文時代以降に構築された壕の埋没過程にあるくぼみによって区画された立地をチャシとして再造成したもの」

## 5　まとめ

島松沢8遺跡の発掘調査によって得られた成果と課題は大きく二つある。成果の一つは静川遺跡や丸子山遺跡と異なり縄文文化の環壕とともに，その関連遺構や遺物が多く見つかった点である。もう一つは，縄文文化の環壕遺跡と考古学的アイヌ文化のチャシ跡は外見上区別がつかないという点である。一つ目の課題については，縄文文化の環壕遺跡はいまだ類例が少ないため，環壕の機能や役割についてはっきりとしない点が多く，類例の増加が待たれる域を脱してはいない。二つ目の課題については，発掘調査が行なわれていない

チャシ跡をどのように評価するのかというところである。結局のところ，遺跡は発掘してみなければわからないということであろうか。発掘調査によって島松沢8遺跡の環壕は「縄文時代以降に構築された壕の埋没過程にあるもの」であることが判明したが，崖面の崩落により崖面側にも巡っていたと推定される壕の調査はできていない。このため，崩落した側に「縄文時代以降に構築された壕の埋没過程にあるくぼみをチャシの区画としてそのまま再利用したもの」の痕跡があった可能性も考慮する必要はあるが，2014年の島松沢8遺跡の発掘調査からは縄文文化の環壕と考古学的アイヌ文化のチャシ跡の関連性は確認されていない。

### 註

1)　林　謙作「Ⅱ縄文時代」『図説 発掘が語る日本史1 北海道・東北編』新人物往来社，1986
2)　小林達夫『縄文人の世界』朝日選書557 朝日新聞社，1996
3)　高橋　理「環壕1 千歳市丸子山遺跡」『日本考古学協会2014年度伊達大会 研究発表資料集』2014
4)　赤石慎三「環壕2 苫小牧市静川遺跡」『日本考古学協会2014年度伊達大会 研究発表資料集』2014
5)　恵庭市教育委員会『島松Bチャシ跡・島松沢8遺跡』2015
6)　苫小牧市教育委員会『苫小牧東部工業地帯の遺跡群Ⅶ』2002
7)　千歳市教育委員会『丸子山遺跡における考古学的調査』1994
8)　長沼　孝「縄文集落の変遷＝北海道」『季刊考古学』44，雄山閣，1993
9)　前掲註2に同じ
10)　田村俊之「丸子山遺跡と環壕」『新千歳市史 通史編 上巻』千歳市，2010
11)　広島考古学研究会「調査報告第一輯」『郷土研究広島村』広島村郷土史研究会，1967
12)　北海道教育委員会『北海道のチャシ』1983
13)　小杉　康「趣旨説明」『日本考古学協会2014年度伊達大会 研究発表資料集』2014
14)　畑　宏明「平岸天神山遺跡」『札幌縄文探検隊通信』2012

# 縄文の埋葬行為

■ 藤原秀樹
FUJIWARA Hideki

## はじめに

北海道では環状列石墓・周堤墓などの特徴的な墓が存在し，副葬品も豊富であることから，古く明治期から報告があり，近年まで事例の集成も継続している[1]。

このうち，後期～晩期の多様な葬墓制はとくに研究の蓄積がある。後期では環状列石と周堤墓の発達・変容[2]，周堤墓の編年，埋葬区＝世帯の区分や埋葬行程の復元[3]，晩期では時期・地域の特徴[4]，晩期～続縄文時代の多副葬墓や首長の存在[5]とそれに対する疑問[6]，さらに埋葬時の遺体周辺環境から，後期の追葬可能な「カリンバ型合葬墓」の提唱[7]に対し，同時埋葬との反論もある[8]。

また，筆者は後述する土坑墓以外の多様な埋葬方法や，子供の埋葬[9]，埋葬儀礼の復元[10]，副葬品と被葬者の性格[11]など，北海道における縄文時代の葬墓制を総合的に検討している。

## 1 時期別概要

### (1) 早期

中葉から土坑墓が確認され，道南部の函館市垣ノ島B遺跡では日本最古と言われる漆製品，道東北部の釧路市北斗遺跡（図1-1）などでは，多数の石鏃や剝片の副葬がある。後葉は副葬品がより明瞭となり，事例が増加する。土器・剝片石器が主体で，足形付土製品，抉入石器やカラフルなつまみ付きナイフなどの特徴的な副葬品も出現し，多数の剝片類も道東北部の富良野市東9線8遺跡などで継続する。ベンガラ散布は地域差があり，とくに道東部では時期を通して非常に多い。

### (2) 前期

前葉の道南部は事例が少なく，道央部・道東部では土器・玦状耳飾などの副葬がある。中葉・後葉の道南部では八雲町栄浜1遺跡などの大規模集落で土坑墓のほか，貝塚・盛土遺構などへの掘り込みの無い埋葬，住居への埋葬，貯蔵穴転用墓（図1-2），土器埋設遺構（土器棺墓）（図1-3）などの多様な埋葬が出現し併存する。なお，土坑墓と多様な埋葬の被葬者の差異を副葬品などから見出すことはできない。道央部の苫小牧市静川22遺跡では居住域の斜面下に円形～楕円形の深い土坑墓がまとまり，土器の副葬が多く，道東北部では土器・礫が主体となる。

### (3) 中期

土器・剝片石器・剝片・礫などがおもに覆土から出土し，ベンガラ散布も少ないため，土坑墓が不明瞭となる。道南部の大規模集落では多様な埋葬が継続するが，土器埋設遺構は減少し，後葉に成人再葬土器棺墓が出現する。

### (4) 後期

前葉は引き続き副葬品が少なく，道南部では北東北の影響を受けた大規模環状列石（図1-4）が構築され，貯蔵穴転用墓・土器埋設遺構はこの時期まで継続する。中葉は環状列石墓・配石墓や大規模な土坑墓群が作られ，土器・ヒスイ玉の副葬（図1-5）が増加する。後葉は道央部・道東北部で周堤墓が構築され，伸展葬が出現し，道央部では晩期初頭にかけて掘り込みの無い盛土墓もある。副葬品は漆製品・石棒・サメ歯などが増え，玉類は蛇紋岩などの石材で小形化し[12]，周辺から土偶も出土する。また，道央部では恵庭市カリンバ遺跡の合葬墓，同市柏木B遺跡の竪穴や千歳市美々4遺跡の周溝を伴う土坑墓などの特別な構造を持つ墓が一定区域へまとまる傾向があり[13]，当該期の一時的な社会の階層化傾向も指摘

されている[14]。

### (5) 晩期

前葉は土坑墓が主体となり、副葬品は道南部・道東北部では不明瞭で、火葬（焼人骨葬）が道央部の余市町大川遺跡にある。中葉は大規模な墓地遺跡が増え、副葬用に大量製作された石鏃・玉類などが多く副葬された厚葬墓（＝多副葬墓）が道央部で出現する。後葉は副葬品の多種類・多量化傾向が顕著となり（図1-7）、道東部では座葬やコハク玉（図1-8）が増加するなど、道央部と道東部、道東部でも太平洋側とオホーツク海側の地域差が顕著となる。

## 2 埋葬方法別概要

### (1) 貝塚・盛土遺構などへの
### 掘り込みの無い埋葬

人骨検出例は前期中葉の函館市八木A遺跡がもっとも古く、掘り込みが浅いものも含め、道南部では後期前葉まで断続的に存在する。後期前葉は道東部の釧路町天寧1遺跡例もあり、後葉～晩期前葉の道央部の盛土墓も同じ系譜と想定される。北東北でも貝塚・捨て場での検出例があるが散乱骨主体であることから、北海道的な特徴と言える。

### (2) 廃絶した住居跡への埋葬

人骨検出例は前期後葉の函館市ハマナス野遺跡で覆土、福島町館崎遺跡で床面と覆土下位がある。道南部では中期後葉まで継続し、晩期前葉にも事例がある。床下土坑、床面、覆土土坑、覆土に分類され、前期・中期では住居廃絶と埋葬との差は同時期か土器一型式程度であるのに対し、晩期はより時間差がある。

### (3) 貯蔵穴への埋葬

人骨検出例は前期中葉の八木A遺跡がもっとも古く、後葉に増加し、中期まで散見され、明瞭な副葬品はほとんど無い。栄浜1遺跡185号土坑（図1-2）の9体などの合葬もあり、多くは同時埋葬である。人骨未検出でもベンガラ検出・完形土器出土などの複合に墓の可能性があるが、むしろ特別な出土状況を示さない埋葬が多いと推測され、当初から袋状の土坑墓もある[15]。

### (4) 土器埋設遺構（土器棺墓）

人骨検出例は前期後葉の八雲町コタン温泉遺跡の円筒下層d2式土器の39週胎児（図1-3）、後期後葉の八雲町浜松5遺跡の大津式土器の10歳前後がある。人骨未検出では八木A遺跡などの前期中葉、円筒下層b式土器が古く、後葉の円筒下層d式期に増加し、道南部の円筒土器文化圏に分布を広げる。後続する中期末葉～後期前葉の一部、晩期後葉の道央部、晩期末葉～続縄文前半期の日高地方・道東部の事例も埋葬施設としての性格が強く、中期後葉・後期前葉は成人再葬も出現した[16]。

### (5) 合葬

貯蔵穴への埋葬を除く人骨検出例は中期前葉の福島町館崎遺跡の幼児～成人の8体合葬がもっとも古い。後期後葉の周堤墓から増加し[17]、周堤墓直後のカリンバ遺跡の7体?、晩期前葉の厚真町朝日遺跡、後葉の釧路市緑ヶ岡遺跡の8体と多数体合葬も各地に分布する。人骨未検出でも早期後葉の函館市垣ノ島A遺跡P-181で規模や足形付土製品などの副葬品配置から合葬の可能性が指摘されている。合葬の要因は冬季の地面凍結により保存していた遺体の春季一括埋葬説[18]が有力で、その背景に血縁・擬制的血縁関係も想定されている[19]。

### (6) 火葬（焼人骨葬）

人骨検出例は部分骨混入を除くと、晩期前葉の余市町大川遺跡が古く、中葉・後葉に事例が増え、斜里町ピラガ丘遺跡、富良野市無頭川遺跡などの道東北部まで広く分布する。土坑内火葬が主体で、埋め戻し途中で火を焚いた埋葬儀礼の一環と考えられる事例もある。北東北とは時期や埋葬方法が異なり、道南部に類例が無いことからも晩期に北海道で独自に発達した可能性がある[20]。

## 3 墓前祭祀など

早期後葉の苫小牧市静川5遺跡では坑底部・覆土から注口土器など4点が出土し、その他遺跡での土坑墓上や周辺の焼土・炭化種子類の検出から、当該期に火を用い食物などを供献する埋葬儀礼の存在がうかがわれる。

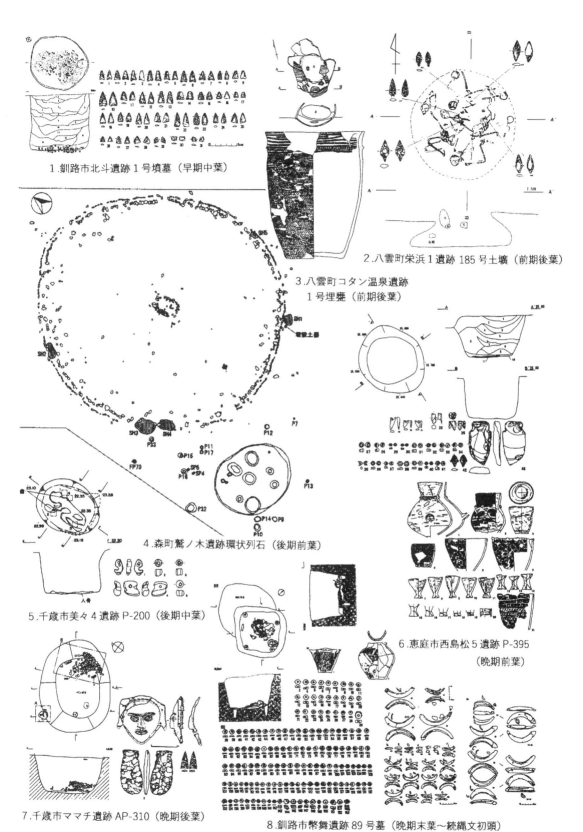

1.釧路市北斗遺跡1号墳墓（早期中葉）

2.八雲町栄浜1遺跡185号土壙（前期後葉）

3.八雲町コタン温泉遺跡
　1号埋甕（前期後葉）

4.森町鷲ノ木遺跡環状列石（後期前葉）

5.千歳市美々4遺跡P-200（後期中葉）

6.恵庭市西島松5遺跡P-395
　　　　　（晩期前葉）

7.千歳市ママチ遺跡AP-310（晩期後葉）

8.釧路市幣舞遺跡89号墓（晩期末葉～続縄文初頭）

図1　北海道の葬墓制（各報告書を一部改変，縮尺は鷲ノ木遺跡1：600，土坑墓1：80，石器1：8，土器1：16）

後期後葉の周堤墓後半期～晩期初頭では坑口部の注口土器などの出土状況（図1-6）から埋め戻し後に10数名程度で共飲・共食し，その後に土器を破砕し墓上に置くという墓前祭祀が推測される。晩期中葉以降は坑口部出土が壺形土器などに代わり，坑底部土器の増加や土器内部出土品などから，豊穣・再生祈願とともに，食物や道具類を土器に入れ，死者へ供献する儀礼へと変遷した[21]。

## おわりに

土坑墓などと居住域との関係は時期・地域により異なる。早期～中期は居住域に比較的近く，早期後葉・前期後葉以降に土坑墓がまとまる遺跡があり，後期中葉以降は居住域から離れて墓域を形成するようになる。

副葬品は早期から多量の石鏃などの剝片石器・剝片類があることが特徴で，漆製品は早期中葉から，ヒスイ玉は前期後葉～中期前葉からと希少財も古くから出現し，早期後葉の足形付土製品や前期前葉の大型つまみ付ナイフなどの北海道特有のものも多い。後期中葉はヒスイ玉，後葉は三ッ谷式期から連をなす玉類，御殿山式期から漆製品や坑口部土器などが増加する。晩期中葉は道央部で副葬用に大量製作された石鏃・玉類などが多く，後葉は副葬品が多種類・多量化し，道央部・道東部では新たに棒状原石・矢柄研磨器などが追加される。

また，貝塚・盛土遺構や住居跡，貯蔵穴への埋葬，土器埋設遺構などの多様な埋葬が前期中葉～後期前葉の道南部の大規模集落を中心として併存し，一部は時期・地域を超えて広く分布する。住居跡・貯蔵穴も廃棄後に捨て場となることから，貝塚などと同様の物送りの思想を背景として，このような埋葬が行なわれたと考えられる。

### 註

1) 日本考古学協会伊達大会実行委員会編『日本考古学協会2014年度伊達大会研究発表資料集』2014。藤原秀樹「北海道における縄文時代墓制の諸様相」『列島における縄文時代墓制の諸様相』縄文時代文化研究会，2019，pp.1-24

2) 小杉 康「大規模記念物と北海道縄文後期の地域社会について（予察）」『北海道考古学』49，2013，pp35-49

3) 藤原秀樹「北海道後期の周堤墓」『縄文時代の考古学9 死と弔い―葬制―』同成社，2007，pp.19-32。藤原秀樹「北海道の周堤墓から見た縄文時代の社会」安斎正人編『理論考古学の実践』，同成社，2017，pp.263-295。藤原秀樹「周堤墓と葬送儀礼」『季刊考古学』148，2019，pp.74-78

4) 藤原秀樹「北海道における縄文時代後期・晩期の墓制とヒスイ玉」『玉文化』3，2006，pp.23-90

5) 瀬川拓郎「縄文―続縄文移行期の葬制変化」『縄文時代の考古学9 死と弔い―葬制―』同成社，2007，pp.208-218

6) 鈴木 信「続縄文期における階層差とは―墓制・交易からの検討―」『北海道考古学』46，2010，pp.23-42

7) 青野友哉「縄文後期における多数合葬墓の埋葬過程―北海道カリンバ遺跡を中心に―」『考古学研究』59―3，2013，pp.47-66

8) 上屋真一・木村英明「北海道恵庭市カリンバ遺跡の大型合葬墓と埋葬様式」『考古学研究』60―4，2014，pp.22-42

9) 藤原秀樹「北海道における縄文・続縄文時代の子供の埋葬」『北海道考古学』55，2019，pp.1-20

10) 藤原秀樹「埋葬儀礼と土器」『季刊考古学』155，雄山閣，2021，pp.89-92

11) 藤原秀樹「北海道における縄文・続縄文時代の副葬品と被葬者」『北海道考古学』58，2022，pp.1-20

12) 前掲註4に同じ

13) 前掲註3（藤原2017）に同じ

14) 山田康弘『人骨出土例に見る縄文の墓制と社会』同成社，2008

15) 藤原秀樹「北海道・北東北の縄文時代の貯蔵穴と貯蔵穴への埋葬」『北海道考古学』57，2021，pp.63-84

16) 藤原秀樹「北海道の土器埋設遺構について」『北海道考古学』53，2017，pp91-110

17) 藤原秀樹「北海道北部の葬墓制」『縄文集落の多様性II 葬墓制』，雄山閣，2010，pp.19-50

18) 藤本英夫『北の墓』学生社，1971

19) 青野友哉「葬墓制と葬送儀礼を考える 縄文時代」『季刊考古学』150，2020，pp.79-82

20) 前掲註1（藤原2019）に同じ

21) 前掲註10に同じ

# 出土人骨の安定同位体比からみた縄文・続縄文の食性

■ 蔦谷 匠
　　TSUTAYA Takumi

## 1 安定同位体による食性の復元

安定同位体分析は特定の食物カテゴリーの摂取割合を個体ごとに定量的に推定するのに優れた方法であり[1]，過去の人びとの食性復元に利用されはじめてから40年以上が経過している。近年，蓄積された安定同位体データを集成してまとめて解析（メタ解析）する研究がなされるようになっている。これにより，過去の人びとの食性の時間的および空間的な変遷と，その生態学的および社会文化的要因が明らかにされている[2]。本研究では，北海道から出土した古人骨について測定された炭素・窒素安定同位体比を集成し，縄文時代から擦文時代までの食性の変遷を概観するとともに，縄文および続縄文の食性がそのなかにどのように位置づけられるかを議論する。

## 2 メタ解析の対象と方法

すでに出版されている古人骨コラーゲンの安定同位体比を集成し[3-6]，北海道の古人骨 $\delta^{13}C$ と $\delta^{15}N$ に関するデータセットを作成した。報告された年代や文化期に従い，縄文，続縄文，オホーツク，擦文に区分した。授乳・離乳によって値が異なる恐れがある小児骨は除外し[7]，元素濃度の指標によって保存状態が悪く元々の値を保っていないと判断されるデータも除外した[8]。

比較対象として，北海道の食資源と現代人の炭素・窒素安定同位体比のデータも集成した。食資源については，縄文，続縄文，オホーツクの遺跡で報告されている陸上哺乳類，海生魚類，海生哺乳類の骨コラーゲン $\delta^{13}C$ と $\delta^{15}N$ のデータ（合計443点）を利用した[9-12]。また，現代の $C_3$ 植物と $C_4$ 植物のデータも利用した[12]。現代の北海道民の毛髪の安定同位体比は以前に報告された30人分のデータを利用した[13]。古人骨の安定同位体比を食資源と比較する際には，食物と消費者体組織のあいだに生じるシステマチックな差分を補正するため，食物の値に対し，$\delta^{13}C$ で +5‰（食物の値が骨コラーゲンで測定されている場合には +1.5‰），$\delta^{15}N$ で +4‰の補正を加えた[1]。毛髪ケラチンの安定同位体比を骨コラーゲンと比較する際には，ケラチンとコラーゲンのあいだの差分を補正するため，毛髪の値に対し，$\delta^{13}C$ で +1.4‰，$\delta^{15}N$ で +0.9‰の補正を加えた[14]。現代の試料を過去の試料と比較する際には，化石燃料の利用によるグローバルな $\delta^{13}C$ 低下の影響を補正するため，現代の値に対し，$\delta^{13}C$ で +1.5‰の補正を加えた[15]。

食資源の摂取割合の定量推定にはR言語の"SIAR（Stable Isotope Analysis in R）"パッケージを利用した[16]。SIARは，食資源と消費者の安定同位体比を比較して食資源の寄与割合を定量的に計算する安定同位体混合モデルの一種である。十分なデータ数がある縄文，続縄文，オホーツクのデータに対してSIARの計算を適用した。

## 3 結果・考察

報告されているデータを集成した結果，縄文時代から擦文時代まで，15遺跡から115個体分の古人骨安定同位体比データが利用可能となった（表1，図1）。各時代・文化期の平均値は，$\delta^{13}C$ で -13.4‰ から -14.4‰，$\delta^{15}N$ で 15.6‰ から 19.4‰のあいだにあった。

古人骨および現代人の $\delta^{13}C$ と $\delta^{15}N$ を食資源の値と比較した結果を図2に示した。古人骨は現代人よりも $\delta^{15}N$ が高く，海産資源に由来するタン

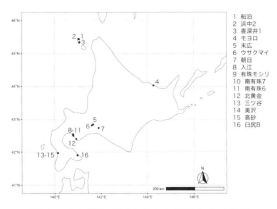

図1　メタ解析の対象とした遺跡とその位置

1　船泊
2　浜中2
3　香深井1
4　モヨロ
5　末広
6　ウサクマイ
7　朝日
8　入江
9　有珠モシリ
10　南有珠7
11　南有珠6
12　北黄金
13　三ツ谷
14　美沢
15　高砂
16　日尻B

表1　時代ごとの古人骨の安定同位体比の概要

現代人は毛髪ケラチンの値を古人骨コラーゲンの値に換算

| 時代・文化 | $\delta^{13}C$ | | | $\delta^{15}N$ | | | 個体数 |
|---|---|---|---|---|---|---|---|
| | 中央値 | 平均値 | SD | 中央値 | 平均値 | SD | |
| 縄文 | -14.2 | -14.4 | 0.9 | 17.4 | 17.0 | 1.3 | 41 |
| 続縄文 | -13.7 | -13.4 | 0.7 | 18.2 | 18.1 | 0.9 | 16 |
| オホーツク | -13.4 | -13.6 | 0.7 | 19.4 | 19.4 | 0.8 | 55 |
| 擦文 | -13.9 | -14.1 | 1.2 | 15.6 | 15.6 | 0.1 | 3 |
| 現代 | -16.8 | -16.8 | 0.7 | 10.6 | 10.5 | 0.6 | 30 |

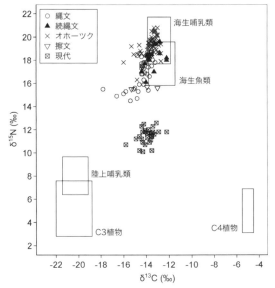

図2　古人骨と食資源の安定同位体比の比較

現代人は毛髪ケラチンの値を古人骨コラーゲンの値に換算。食物-体組織間の差分を補正した食資源の平均±1SD範囲を長方形で示した。

表2　SIARによる食資源の寄与割合(%)の計算結果

| | | $C_3$植物 | 陸上哺乳類 | 海生魚類 | 海生哺乳類 |
|---|---|---|---|---|---|
| 縄　文 | 最頻値 | 1.5 | 16.5 | 22.5 | 57.5 |
| | 95%信用区間下限 | 0.5 | 4.3 | 8.9 | 41.3 |
| | 95%信用区間上限 | 14.6 | 20.5 | 40.0 | 70.6 |
| 続縄文 | 最頻値 | 1.5 | 4.5 | 41.5 | 50.5 |
| | 95%信用区間下限 | 0.4 | 0.7 | 23.1 | 35.9 |
| | 95%信用区間上限 | 8.4 | 10.1 | 55.9 | 67.1 |
| オホーツク | 最頻値 | 0.5 | 5.5 | 21.5 | 71.5 |
| | 95%信用区間下限 | 0.1 | 1.3 | 12.8 | 62.9 |
| | 95%信用区間上限 | 4.7 | 7.5 | 31.3 | 80.3 (%) |

パク質の摂取割合が現代よりもかなり大きかったことがわかる。SIARによって食資源の摂取割合を計算した結果は表2に示した。

　古人骨の結果を時代・文化期別に見ると，$\delta^{15}N$は縄文時代と擦文文化の古人骨で比較的低く，オホーツク文化期の古人骨でもっとも高く，続縄文時代の古人骨はそれらの中間にあった（図2）。ノンパラメトリックU検定を適用すると，縄文時代の古人骨は続縄文時代の古人骨に比べて$\delta^{13}C$（U＝536.5，p＜0.001）と$\delta^{15}N$（U＝494，p＝0.003）がどちらも有意に低かった。一方，続縄文時代の古人骨はオホーツク文化期の古人骨に比べて$\delta^{13}C$（U＝403.5，p＝0.619）に有意な差があるとは言えなかったが，$\delta^{15}N$（U＝108，p＜0.001）は有意に低かった。

　これらの結果から，北海道の過去の人びとの食性は海産資源に強く依存していたことがわかる。食性に占める海生魚類と海生哺乳類の寄与割合の最頻値の和は，縄文時代が80.0%，続縄文時代が92.0%，オホーツク文化期が93.0%といずれも8割を超えていた（表2）。さらに，いずれの時代・文化期においても海生魚類に比べて海生哺乳類の

寄与割合が高かった。北海道の考古遺跡から出土した動物骨の構成を詳細に検証した研究では，北海道では縄文時代前期の初期から海生哺乳類の狩猟がなされていたことが示されている[17]。本研究の結果からも，海生哺乳類は北海道の先史狩猟採集民の食性において重要なタンパク質源だったことが示唆される。

　先史北海道の人びとは海洋資源に強く依存していたが，その内容は時代・文化期によって異なっていたこともわかった。縄文時代には，海産資源だけでなく陸上哺乳類や$C_3$植物などの$\delta^{13}C$と$\delta^{15}N$の低い陸上資源の寄与割合が後の時代・文化期に比べて比較的大きかったことが推定される。SIARの計算では，食物タンパク質の4.3-

20.5％が陸上哺乳類に由来することが示唆された。実際に，縄文時代前期の貝塚である北黄金遺跡から得られた人骨の化合物特異的安定同位体分析の研究では，海産資源から摂取されていた食物タンパク質は全体の 67-80％程度だったことが示唆されている[18]。

続縄文時代の人骨では縄文時代よりも $\delta^{13}C$ と $\delta^{15}N$ が有意に増加し，続縄文時代には陸上資源の摂取割合が低下し，海産資源の摂取割合が増加したことが示唆される。SIAR の計算でも，陸上哺乳類の寄与割合は 0.7-10.1％と縄文自体よりも低下し，そのかわりに海生魚類の寄与割合が 23.1-55.9％と縄文時代（8.9-40.0％）よりも増加していた（表2）。北海道の考古遺跡から出土した動物骨の構成を詳細に検証した研究でも，縄文時代終末期から続縄文時代の初期にかけて，北海道全域で食資源としての魚の重要性が増加したことが明らかにされている[17]。安定同位体比のメタ解析の結果からも，続縄文時代にはタンパク質源としての海生魚類の重要性が高まったことが支持される。

続縄文時代とオホーツク文化期の食性の違いは，おもに海生哺乳類の摂取割合によるものと考えられる。続縄文時代とオホーツク文化期の人骨コラーゲンの $\delta^{13}C$ に有意差は見られないが，$\delta^{15}N$ はオホーツク文化期のほうが有意に高く，海生魚類よりも $\delta^{15}N$ の高い海生哺乳類の摂取割合がオホーツク文化期でより大きかったことが示唆される。SIAR の計算でも，オホーツク文化期の食性における海生哺乳類の寄与割合は 62.9-80.3％と続縄文時代（35.9-67.1％）よりも増加していた（表2）。オホーツク文化期のモヨロ貝塚から出土した人骨の安定同位体分析の研究では，食物タンパク質の 80-90％が海生哺乳類から得られていたことが示されている[10]。その一方で，オホーツク文化期において，北海道の北部（礼文島など）では北海道の北東部（網走など）に比べてとくに海生哺乳類の寄与割合が大きかったという化合物特異的安定同位体分析の結果も報告されている[19]。本研究で集成したオホーツク文化期の人骨データは，北海道の北東部に位置するモヨロ貝塚に由来するものに大きく偏っており，オホーツク文化期における海生哺乳類の寄与が過剰評価されている可能性もある。

擦文時代のデータは3個体と少ないため詳細な議論ができないが，$\delta^{13}C$ と $\delta^{15}N$ は比較的低く，食物タンパク質に占める海産資源の寄与割合が比較的低下していた。擦文時代には植物の栽培がなされており，そうした陸上資源の寄与が増加したと考えられる。

現代人の $\delta^{15}N$ は古人骨と比べて非常に低く，海産物のタンパク質寄与が相対的に大きく低下した一方，$C_4$ 植物資源の摂取によって $\delta^{13}C$ は比較的高いままであることがわかる（図2）。

## 4 本研究の限界と将来の課題

北海道においてこれまでに報告されている古人骨の安定同位体データは依然として少なく，時間的・空間的に北海道の先史時代を網羅しきれていない。詳細な研究がなされた特定の遺跡で多数のデータが報告されており，そうした遺跡の食性に全体の傾向がバイアスを受けている恐れもある。また，北海道の土壌は火山灰に由来し酸性であるため骨が分解されやすいが，貝塚では貝殻の炭酸カルシウム成分が骨を分解から守るため，古人骨が残存しやすい。そのため，北海道の古人骨の安定同位体データは沿岸部の貝塚遺跡に偏っており，そうした遺跡では海産資源の寄与割合が必然的に大きかったと考えられる。同位体混合モデルは食資源の寄与割合を定量的に計算するうえで有用なツールであるが，より正確な推定値を得るためには，遺跡ごとに食資源の安定同位体比も測定し，個別に計算を実施する必要がある。本研究では，複数遺跡の結果をまとめて，必ずしも同じ遺跡から得られたわけではない食資源の値に対して同位体混合モデルを適用しており，得られた計算割合はあくまで概算値である。より正確な結果を得るためには，動物骨の安定同位体比も含め，今後のさらなるデータの蓄積が必須である。

## 5　結　論

古人骨の安定同位体比を集成し時代ごとに比較することで，実際に摂取された食物の割合を共通の指標で比較できる。先史北海道の人びとの食性は，全体的に海生哺乳類を中心とした海産資源に強く依存していたが，以下のような時代・文化期による違いも示唆された。

・縄文時代では続縄文時代に比べて陸上資源の寄与が比較的大きかった。

・続縄文時代には海生魚類の寄与が増加した。

## 註

1) 　Lee‐Thorp JA. 2008. On isotopes and old bones. *Archaeometry* 50: 925‐950.

2) 　Bird MI, Ulm S, Wurster C. 2021. A global carbon and nitrogen isotope perspective on modern and ancient human diet. *Proc Natl Acad Sci* 118: 1e2024642118.

3) 　Fernandes R, Hudson MJ, Takamiya H, Bassino J‐P, Uchiyama J, Robbeets M. 2021. *The ARCHIPELAGO archaeological isotope database for the Japanese Islands*. J Open Archaeol Data 9: 3.

4) 　北海道埋蔵文化財センター「厚真町朝日遺跡」北海道埋蔵文化財センター，2015

5) 　南川雅男「炭素・窒素同位体分析により復元した先史日本人の食生態」『国立歴史民俗博物館研究報告』86，2001, pp.333‐357.

6) 　Okamoto Y, Ishida H, Kimura R, Sato T, Tsuchiya N, Murayama S, Fukase H, Nagaoka T, Adachi N, Yoneda M, Weber A, Kato H. 2016. An Okhotsk adult female human skeleton（11th/12th century AD）with possible SAPHO syndrome from Hamanaka 2 site, Rebun Island, northern Japan. *Anthropol Sci* 124: 107‐115.

7) 　Tsutaya T, Yoneda M. 2015. Reconstruction of breastfeeding and weaning practices using stable isotope and trace element analyses: A review. *Yearb Phys Anthropol* 156: 2‐21.

8) 　DeNiro MJ. 1985. Postmortem preservation and alteration of in vivo bone collagen isotope ratios in relation to palaeodietary reconstruction. *Nature* 317: 806‐809.

9) 　Tsutaya T, Sawada J, Dodo Y, Mukai H, Yoneda M. 2013. Isotopic evidence of dietary variability in subadults at the Usu‐moshiri site of the Epi‐Jomon culture, Japan. *J Archaeol Sci* 40: 3914–3925.

10) 　Tsutaya T, Naito YI, Ishida H, Yoneda M. 2014. Carbon and nitrogen isotope analyses of human and dog diet in the Okhotsk culture: perspectives from the Moyoro site, Japan. *Anthropol Sci* 122: 89‐99.

11) 　Tsutaya T, Takahashi T, Omori T, Yamazaki K, Sato T, Yoneda M, Schulting RJ, Kato H, Weber AW. 2022. Reconstruction of diachronic changes in human fishing activity and marine ecosystems from carbon and nitrogen stable isotope ratios of archaeological fish remains. *Quat Int* 619: 46‐55.

12) 　Yoneda M, Suzuki R, Shibata Y, Morita M, Sukegawa T, Shigehara N, Akazawa T. 2004. Isotopic evidence of inland‐water fishing by a Jomon population excavated from the Boji site, Nagano, Japan. *J Archaeol Sci* 31: 97‐107.

13) 　Kusaka S, Ishimaru E, Hyodo F, Gakuhari T, Yoneda M, Yumoto T, Tayasu I. 2016. Homogeneous diet of contemporary Japanese inferred from stable isotope ratios of hair. *Sci Rep* 6: 33122.

41) 　O'Connell TC, Hedges REM, Healey MA, Simpson A. 2001. Isotopic comparison of hair, nail and bone: modern analyses. *J Archaeol Sci* 28: 1247‐1255.

15) 　Friedli H, Lötscher H, Oeschger H, Siegenthaler U, Stauffer B. 1986. Ice core record of the 13C/12C ratio of atmospheric CO2 in the past two centuries. *Nature* 324: 237‐238.

16) 　Parnell AC, Inger R, Bearhop S, Jackson AL. 2010. Source partitioning using stable isotopes: coping with too much variation. *PLoS ONE* 5: e9672.

17) 　Takase K. 2020. Long‐term marine resource use in Hokkaido, Northern Japan: new insights into sea mammal hunting and fishing. *World Archaeol* 51: 408‐428.

18) 　Naito YI, Honch N V, Chikaraishi Y, Ohkouchi N, Yoneda M. 2010. Quantitative evaluation of marine protein contribution in ancient diets based on nitrogen isotope ratios of individual amino acids in bone collagen: an investigation at the Kitakogane Jomon site. *Am J Phys Anthropol* 143: 31‐40.

19) 　Naito YI, Chikaraishi Y, Ohkouchi N, Mukai H, Shibata Y, Honch N V, Dodo Y, Ishida H, Amano T, Ono H, Yoneda M. 2010. Dietary reconstruction of the Okhotsk Culture of Hokkaido, Japan, based on nitrogen isotopic composition of amino acids: implication for correction of 14C marine reservoir effects on human bones. *Radiocarbon* 52: 671‐681.

# 北海道における動物利用の特質

■ 福井淳一
FUKUI Junichi

## はじめに

　北海道における動物利用の全体像は，1980年代に西本豊弘が縄文～近世並行期までの通時的な特質をまとめ，金子浩昌が縄文文化期の遺跡毎に様相を示して[1]以降，膨大な資料が蓄積され，個別研究もすすめられた。ここでは動物利用について像を生態認識，捕獲，解体，利用，加工，製品流通，儀礼的取り扱い，「廃物」処理など含めて概観する。

## 1　無脊椎動物利用

**貝　類**：遺存条件により貝塚という集積・累積での検出例が多い。貝塚は縄文文化早期（以下文化を略す）より確認されるが，前期と中期末～後期前葉は気候変動の影響か多く残された。太平洋側やオホーツク海側では，海進による内湾化，後に潟湖化した地域で，一部大規模貝塚が堆積された。内浦湾東岸では環境変動に伴なう利用貝種変遷が捉えられる。それ以外の地域では岩礁性貝類が主に利用され，小規模貝塚が多い。続縄文前半期は貝塚が多く，各沿岸で検出され，洞窟集積例も多いが，続縄文後半期の貝塚は少ない。オホーツク期は，オホーツク海側中・南部では砂底～泥底性貝塚，道北部や根室地域では岩礁性貝塚が残される。擦文期の貝塚は全般に小規模だが，伊達地域や奥尻島に規模のやや大きい例がある。洞窟集積例も多い。中・近世並行期も小規模例が多いが，各沿岸にみられる。遺跡周辺環境を反映しつつも，大型種の特定利用が目立つ。淡水産のカワシンジュガイは擦文期以降に殻皮が多く検出されるが，それ以前では遺存しにくいとみられる。

　エゾアワビ主体貝塚は，続縄文前半期には礼文島（れぶん）で認められる。移出生産の結果と推測される例は，擦文末期の奥尻島にあり，近世並行期以降は利尻・礼文島，小樽・余市，瀬棚，奥尻島にある。

　採貝は縄文期以降徒手採捕のほか，ヘラ状採貝具が用いられた。中・近世並行期以降には鉄製ヤス刺突痕が残るエゾアワビやホタテガイがある。

　貝殻は縄文～続縄文前半期，主に装飾品に用いられた。イモガイなど島外からの移入品も目立つ。ビノスガイ，エゾタマキガイは縄文後期中葉～続縄文前半期に膨大量の平玉に加工された。アナダラ属などは縄文早期に施文具となった。近世並行期には杓子，穂摘具，灯明皿などにされた[2]。

**フジツボ類・ヒザラガイ類**：少量検出される。

**イカ・タコ類**：縄文期津軽海峡沿岸で確認される。

**カニ類**：縄文期や近世並行期の各遺跡から「爪」部分が少数検出される。なお，千歳市根志越遺跡ではモクズガニ漁用とみられる陥穽具が出土した。

**ウニ類**：縄文前期以降確認され，多量な利用が特徴。ウニ殻層が残される時期・地域がある。余市町大川遺跡（続縄文期）に模した土製品がある。

**ナマコ類**：出土例ないが19世紀以降多用された。

## 2　魚類利用

**ニシン**：沿岸部では縄文早期から利用が盛んで，近世並行期に至る各遺跡から非常に多く出土する。内陸部遺跡でも検出される。在来漁法はタモ網などによる掬い漁とみられる。近世並行期以降和人主体で多量捕獲，魚肥加工した遺跡を残す。

**岩礁性魚類，底生魚類**：カサゴ類，アイナメ類，ホッケ，カジカ類，ヒラメ，カレイ類などが各時期の沿岸部で盛んに利用され，釣針の形態変化を促した。出土遺体の推測体長からは，縄文期は中・小型魚が多いが，続縄文前半期やオホーツク期，中・近世並行期では大型魚が多くなる[3]。

サ　ケ：縄文早期以降確認されるが，沿岸部では顕著ではない。内陸部での利用頻度は高いが，縄文期はエゾシカ出土量には及ばない。続縄文前半期には内陸部の石狩低地帯で利用が盛んになり，シカ出土量を凌駕する例も増え，後半期初期まで同様な状況が続くが，後半期後葉には多量出土遺跡は激減する。その後，擦文中期以降にシカ出土量を圧倒的に凌駕する出土例が増え，本格的利用が開始される。ただこの時期は島外移出品というより携行食品として島内で需要があったと考えている。中・近世並行期は遺構によりサケ出土量に対しシカ出土量が多い場合，少ない場合があるなど多様化する。サケ資源量は，産卵場や成長段階の海洋環境変動の影響も大きい。擦文中期以降と以前では利用状況が大きく異なっており，多様な交易活動の進展とともに環境変動が影響したとみられる[4]。

**マス類・イトウ**：サケ利用量にはまったく及ばない。

**ウグイ類**：縄文期から確認され，内陸部では場合によってサケ以上の出土量が認められる重要種。

**フナ類**：続縄文初頭期のH317遺跡で検出された。近世移入種か検討必要。

**イトヨ**：釧路や札幌の内陸部遺跡で多く認められる。縄文中期にも認められるが，晩期以降目立つ。

**キュウリウオ・チカ・シシャモ**：道東部では縄文期から重要種。利用は全道的。

**タラ類**：マダラは縄文前期から出土するが，本格的利用は縄文晩期以降となる。オホーツク期以降さらに進展し，近世並行期は交易品化する。コマイは道東に多い。

**メカジキ**：釧路で縄文早期後葉から利用され，後期前葉で増加し，近世並行期までみられる。吻部を地面に突き立てたものは，擦文期に伊達で単独例，近世並行期に日高で複数例がある。

**チョウザメ類**：出土数は少ないが，縄文前期以降近世並行期まで全道で利用された。

**サメ・エイ類**：縄文早期から利用される。ツノザメ類やエイ類などは食用に，アオザメやホホジロザメ，メジロザメ属は歯が装身具に用いられ，とくに縄文後・晩期の墓への副葬例が多い。アカエイは尾棘がヤスに利用された。オホーツク期はネ

ズミザメ吻端骨でヒグマ造形物が製作された。

## 3　両生類・爬虫類利用

**カエル類・ヘビ類**：少数出土する程度である。

**ウミガメ類**：各時期出土するが多くはない。続縄文前半期には角製・石製の造形物があり，近世並行期ではアカウミガメ埋納遺構が検出された。

## 4　鳥類利用

**海鳥類**：利用が顕著で，アホウドリ類やウミスズメ類，ウ類，カモメ類，アビ類，ミズナギドリ類など多くみられる。なかでもアホウドリ類は，各時期の遺跡から多く出土する。幕末～明治期でも利用された。食用のほか，骨が大きく真っ直ぐなため，管玉，骨針，針入れなどに用いられた。

**水鳥類**：カモ類・ガン類・ハクチョウ類などが多くみられる。カモ類には海ガモも含まれる。ハクチョウ類の骨は管玉にされたほか，オホーツク期では儀礼的取り扱いの証左となる側頭部穿孔例がある。ツル類出土例は少ない。

**猛禽類**：縄文前期には知られ，オホーツク期ではオオワシ，オジロワシ，クマタカ，シマフクロウなどが検出されるが少量。フクロウ類はオホーツク期に造形物が複数みられ，骨塚から遺体も検出されている。シマフクロウは近世並行期には一時飼育され，送り儀礼が行なわれた。

**ニワトリ**：トコロチャシに樽前aテフラ（1739年降下）下位出土例がある。ほかは明治期以降のものが入舟遺跡などから出土している。

## 5　陸棲哺乳類利用

**エゾシカ**：旧石器期は柏台1遺跡でシカ属が確認されている。少なくとも縄文期～近世並行期まで陸獣利用の主体であり続けた。弓，槍，落し穴，イヌ，柵，シカ笛などの道具・施設により，追跡，誘導，待ち伏せなどの方法で狩猟された。オホーツク期～中・近世並行期には毛皮利用のためか乱獲されたらしく，17世紀以降のユクエピラチャシ跡やトブー遺跡などで多量に出土した。

儀礼的取り扱いを示す例が，縄文期以降各時期

に認められる。オホーツク期は骨塚から出土し，後頭部穿孔例もある。17世紀以降は頭頂部を輪切りにする例があり，幣柵に安置したらしい。

シカの角，中手・中足骨は骨角器素材の主要選択肢で，銛頭，釣針，刺突具，矢中柄などに用いられた。続縄文期には肩甲骨が卜骨にされた。

**イノシシ**：北海道に自然分布せず，本州から搬入された。縄文前期より確認され，後期前葉に出土量が増加，晩期には道東部でも多く遺体が残される。焼骨での出土が多く，晩期では墓に伴う例もある。搬入は続縄文前半期には量的にかなり少なくなり，続縄文後後半期や擦文期，近世並行期では極少量となる。縄文期，幼獣骨の検出や幼獣造形物の存在から，一部生体で本州から運搬され，一時飼養された可能性がある。一方，頭骨など部位の偏りもあり，部分的遺体の状態でも持ち込まれた可能性もある。歯牙は装身具などに用いられた。

オホーツク期では大陸系イノシシ類「カラフトブタ」が道北島嶼部主体に検出される。前期に確認され，中期以降増加する。幼獣〜成獣までみられるため，飼養・繁殖されたとみられる。食用だけでなく，道具素材にも用いられた。

ブタは中・近世並行期のポンマ遺跡で確認されるが，多くなるのは幕末・明治以降とみられる。

**イ　ヌ**：縄文前期以降確認されるが，縄文晩期末葉〜続縄文前半期にかけて道東北の一部では多量に出土する。またオホーツク中・後期に増加し，近世並行期にも多い例がある。出土量の増加期は，若い個体が多く，解体痕が認められるため，食用や毛皮用にされたとみられる。埋葬例は縄文前期の東釧路貝塚にあり，後期にも可能性例がある。儀礼的取り扱いは明瞭でないが，オホーツク中・後期で側頭部穿孔のほか線刻装飾された上腕骨が確認される。「縄文犬」は一系統で小型であるが，道東北部の「続縄文犬」と「オホーツク犬」の一部は別系統で大型も含まれる。

**ヒグマ**：随一の猛獣で，出土は縄文前期まで遡るが少ない。縄文後期中葉〜続縄文中葉には焼骨検出例が増加し，イノシシと共に確認される例も多い。晩期後半には儀礼的取り扱いを示す側頭部穿

孔の可能性ある頭骨を土坑に納めた例が知られる。続縄文前半期も出土量は少ないが，造形物が急増し，毛皮移出が想定される。オホーツク期では住居内部の骨塚に頭骨を主体に集積され，頭骨の一部は側頭部穿孔される。島嶼部でも出土し，造形物も多く残されるため，重要性がより増し，毛皮移出量も増加したであろう。擦文期の堀株1遺跡では頭骨以外が貝・骨集中から出土したため，頭骨の儀礼的取り扱いが想定された。またアイヌの山中でのクマ送り儀礼に酷似する状況が擦文末期のオタフク岩洞窟で検出された。ただ中・近世並行期の出土例は意外に少なく，17世紀中葉以降の集落での儀礼の文献記録の状況をそのまま遡及できる状況にはない。

**キタキツネ・エゾタヌキ・エゾクロテン・ニホンカワウソ（北海道亜種・絶滅）**：主に毛皮が利用されたとみられるが，縄文期での利用は少ない。オホーツク期でやや多くなり，側頭部穿孔例もある。骨塚でも認められる。18・19世紀には大陸向け交易品化によって多量捕獲されたとみられる。

**リス類**：全般に出土量は少ない。

**エゾユキウサギ**：近世並行期以前の出土量は多くないが，近代の送り場跡では目立って認められる。

**オオヤマネコ（絶滅）**：縄文前期・大曲洞窟で認められる以外になく，自然絶滅したとみられる。

**エゾオオカミ（絶滅）**：出土は稀だが，縄文前期から知られる。絶滅は近代の毒殺などによる。

**トナカイ**：北海道外生息種である。オホーツク期遺跡で角製品素材として確認される。

**ネ　コ**：中世末〜近世並行期の勝山館跡ほか，ポンマ遺跡，福山城下町遺跡などで出土した。

**ウ　マ**：勝山館跡で出土したほか，幕末〜明治期の有珠善光寺2遺跡などでも知られる。近世並行期では足跡が千歳市・札幌市の遺跡で確認される。

**ウシ・ヒツジ**：野付通行屋跡遺跡のウシ出土例は幕末の可能性がある。ウシはH529遺跡からも出土している。ヒツジ？は入舟遺跡から出土している。

## 6　海棲哺乳類利用

**鰭脚類**：ニホンアシカ（絶滅，環境省レッドリスト

2020 では絶滅危惧、以下アシカと記述する）、トド、オットセイ、アザラシ類の多量利用は、北海道沿岸部生業の特徴。種毎の回遊状況など地域生態系に即した利用が縄文前期には確立された[5]。主な捕獲具である銛頭形態は多様に変遷した。

太平洋側西部（津軽海峡〜内浦湾）では縄文前期以降近世並行期までオットセイ幼・若獣を多量利用する。ただし重要度は続縄文期以前と比べ、擦文末期〜中世並行期には減少したとされる。

太平洋側東部（釧路地域）では、縄文前期以降近世並行期までオットセイ雌成獣、雌雄若・幼獣主体に、アシカ・トドも利用された。なかでも縄文期はオットセイ若獣率が高い。また、トド利用が縄文前期から多いのが特徴的。

日本海側〜オホーツク海側北部では、縄文期・続縄文前半期はアシカ主体で、オホーツク前期はオットセイ若・成獣とアザラシ類が主体となり、後期はアシカ雄かトドの雌が加わり、擦文期・近世並行期はトドとアシカ雄主体となる。近世並行期では骨が細かく割られ、徹底した油脂抽出が想定される。オホーツク前期の利用種が異なるのは寒冷化の影響とみられる。なおアシカ類の側頭部穿孔による儀礼的取り扱いが縄文後・晩期、オホーツク期に認められる。

オホーツク海側中・南部では、縄文期はオットセイ成獣が多いが、オホーツク期以降はオットセイとアザラシ類が主。オホーツク期ではゴマフアザラシ・ワモンアザラシとともに、アゴヒゲアザラシも多く、環境変動による海氷勢力の強さが推測された。また各鰭脚類の雄成獣の側頭部穿孔例も目立つ。

なお、鰭脚類の骨は緻密質が厚いため銛頭や釣針などに用いられた。犬歯は釣針素材にされた。

**イルカ・クジラ類**：利用は縄文前期以降知られる。カマイルカ、イシイルカ、ネズミイルカ、ゴンドウクジラ類が主に捕獲される。大型クジラ類は「寄り鯨」を利用したとみられるが、続縄文前半期で角製匙頭部に表現され、オホーツク期では針入れに大型クジラ類を狩る様子が刻まれる。イルカ類は頭骨の集積が縄文前期、続縄文前半期、オホーツク期にみられ、縄文中期には造形物が製作される。断続的だが、連綿と儀礼的取り扱いを受けたとみられる。

クジラ類の骨は縄文期で骨刀など、オホーツク期は骨鍬・骨斧など大型骨製品にされ、近世並行期は矢の中柄にされた。歯は造形品に加工された。

**ラッコ**：釧路地域主体に縄文晩期〜続縄文初頭以降みられるが、少量である。造形物に表現されるのはオホーツク期。

**セイウチ**：生息域外ながら、牙製品がオホーツク期に製作されたと考えられている。ただ、マッコウクジラ牙製品との分別の問題がある。

## おわりに

今回は北海道で人類が多様な動物を利用してきた全体像を示すことを主としたため、研究動向を検討するまでに至らなかった。長期的には環境変動の影響の程度、交易品需要の進展に伴なう略奪的な特定的多量利用の状況、儀礼的取り扱いなどの変化が認められる。近代例を数千年過去の解釈に一足飛びに参照する危うさも再認識され、さらに環境史からの検討も必要であろう。非常に多くの文献を参照させていただいたが、紙数の都合でほとんどを省略した。御了承願いたい。

### 註
1) 西本豊弘「北海道の縄文・続縄文文化の狩猟と漁撈」『国立歴史民俗博物館研究報告』4、1984。西本豊弘「北海道の狩猟・漁撈活動の変遷」『国立歴史民俗博物館研究報告』6、1985。金子浩昌「北海道における縄文時代貝塚の形成と動物相」『北海道考古学』22、1986
2) 福井淳一「北海道出土骨角器の変遷」『北海道考古学』53、2017
3) 福井淳一「北海道南西部における縄文文化から続縄文文化前半期の釣漁」『北方島文化研究』7、2009。福井淳一「オホーツク文化の石錘」『北方島文化研究』11、2014
4) 福井淳一「北海道におけるサケ科利用の変遷」『北海道考古学』57、2021
5) 福井淳一「漁撈証拠からみた縄文海洋進出史（北海道〜青森県域）」『季刊考古学』161、雄山閣、2022

# 北海道における植物利用研究の現状
## —炭化種実からみた食用植物利用を中心に—

■ 榊田朋広
SAKAKIDA Tomohiro

## はじめに

　晩氷期と呼ばれる全球的な気候激変期が終焉を迎える11,700年前，世界は安定した温暖な気候となり，列島の植生は温帯落葉広葉樹の東日本と常緑広葉樹の西日本にほぼ二分され，北海道では8,000年前までに冷温帯落葉広葉樹林が展開した[1]。縄文早期にあたるこの時期から，北海道の遺跡では炭化種実の出土が確認されている。本稿では紙幅の都合上，これまで注目されてきた縄文早期以降の炭化種実と食用植物利用に的を絞り，時期ごとの様相をみていきたい。

## 1　縄文文化～続縄文文化

　クルミ属はもっとも多く出土する堅果類で，早期初頭からみられる[2]。出土場所は大まかに①住居跡床面，②炉跡や焼土，焼土粒・炭化物集中，③貝塚や遺物包含層，④低湿地，⑤貯蔵穴の中にまとめられ，①・②から長軸5mm以下の細片となった堅果皮が出土する例がもっとも多い[3]。大型堅果皮の多量出土例は子葉を取りだした後に集めて廃棄されたものと考えられており[4]，貯蔵されたと評価されるのは現在でも前期の静内町トビノ台遺跡の貯蔵穴出土例のみである。1基の遺構から百～数百g以上の多量の堅果皮が出土した例が晩期～続縄文初頭の道南・道央日本海沿岸部～石狩低地帯北西部でめだち[5]，消費量の増加や加工・廃棄行動などの時期的・地域的特徴を示す可能性がある。

　クリは縄文前期後半に東北北部の円筒土器文化圏の人々から渡島半島の津軽海峡沿岸に持ちこまれたことで利用がはじまり，同時期に噴火湾西岸部，中期末までに道央太平洋沿岸部，後期中葉～晩期初頭に道央日本海沿岸部～石狩低地帯までひ

ろがり，続縄文文化にも継続するとされた[6]。この見解は現在の資料でも追認できる。近年，前期以降の層準でのクリ属花粉検出例が蓄積されている[7]。なかでも福島町館崎遺跡では前期末葉に堆積したと考えられる盛土層直下～下部土層から多量のクリ花粉が検出され[8]，北海道の円筒土器文化圏でのクリの管理・育成を示す実証的データが得られている。クリ属子葉の出土数は前期後半では少ないが，中期以降に遺構や捨て場から百～千単位の個数で出土する例が散見されるようになる[9]。

　トチノキは，七飯町上藤代7遺跡で中期末葉の焼土から出土した子葉片が最古例とされ[10]，東北北部の大木式土器文化圏におけるトチノキ利用の拡大・広域拡散との関連が指摘されている[11]。近年北斗市館野6遺跡の前期後半の盛土遺構から種子が出土した[12]。道央部では後期中葉から続縄文前半にかけて，低地遺跡の捨て場などから種皮が出土する例がみられる[13]。

　コナラ亜属はクルミ属と同様早期初頭から利用されており，道東がもっとも早い[14]。早期のコナラ亜属出土遺跡は道央～道東の貝殻文平底土器分布圏にあり，長万部町以西の貝殻文尖底土器分布圏にないことから，集団ごとで利用の有無や処理方法に違いがあったと指摘されていた[15]。近年函館市豊崎O遺跡の貝殻文尖底土器である住吉町式を出土した屋外炉からわずかだがコナラ属子葉が出土したため[16]，加工場所などの違いも検討する必要がある。前期～中期になると出土例の減少から食料としての重要性が低下した可能性が示唆されたが[17]，近年前期後半～後期初頭の出土例が増えてきたため[18]，早期の例同様に時期ごとの加工法や加工場所の違いを検討したうえで評価する必要がある。後期～晩期も出土例が増えており，

千歳市キウス4遺跡のように柱穴内や盛土遺構から多量に出土した興味深い例もある[19]。

ヒエ属は道央部以西の早期中葉〜続縄文文化の遺構から出土しており，中期にみられる穎果粒径の肥大化や，内外穎が除去された状態で出土する資料の多さなどから，馴化や栽培化など人間の積極的な関与が注目されてきた[20]。近年では福島町館崎遺跡で有ふ果を意図的に混入した前期後半の土器が出土し[21]，人口増加期と大形種子出現期の一致が指摘されるなど[22]，興味深い成果があがっている。一方，中期をすぎると穎果粒径は小さくなり擦文文化や考古学的アイヌ文化期まで肥大化が確認されないこと[23]，続縄文後半の資料は混入が疑われること[24]，北大式期の遺構出土例がないこと[25]なども明らかになっており，縄文文化のヒエ属栽培が続縄文文化を通じて擦文文化に継承されたという見解は再検討を要する。

ソバは花粉の出土例は多いものの[26]，唯一の出土種子だった函館市ハマナス野遺跡資料の混入が疑われ，栽培に否定的な見解もある[27]。

アサは後期〜続縄文前半にかけて出土が確認されていた[28]。種子を多量に混入した続縄文初頭の土器も見つかっている[29]。近年函館市臼尻小学校遺跡の中期中葉の竪穴床面から出土した[30]。

ゴボウは江別市江別太遺跡の続縄文前半の遺物包含層で出土が確認されていたが[31]，その後大成町貝取澗2洞窟の続縄文前半の杭穴中や[32]，木古内町大平遺跡の前期後半の竪穴内遺構や土坑覆土中の炭化物層から果実が出土した[33]。後者は混入でないとすれば列島内最古級の資料となる。

## 2 擦文・オホーツク文化〜考古学的アイヌ文化

擦文文化は畑作農耕に関する体系的な考察がなされ，アワ・キビを主とし時期・地域によってオオムギ・コムギ・ヒエ・ヒエ属・ソバ・アズキ・緑豆？・モロコシ・シソ属・アブラナ科・ウリ科・ヒョウタン・アサ・ベニバナなどが栽培されたとされている[34]。その後厚真町ショロマ4遺跡でエゴマ果実が確認された[35]。また擦文文化後半期にアワが激減しキビ主体になること，道央部でも地域によって穀物構成とその時間的変化の様相がかなり異なることなどがわかってきた[36]。イネは東北地方からの交易品と考えられてきたが，陸稲を含めた稲作関連資料の探査[37]にも今後注目したい。

オホーツク文化は雑穀を中心に研究がすすめられ，大陸から金属器などとともに渡来し，擦文文化後半期の道央部以北・以東で出土する裸性短粒オオムギはオホーツク文化の同化・吸収の結果もたらされたと考えられている[38]。トビニタイ文化の雑穀種子・圧痕が未検出で詳細が不明だったが，近年斜里町須藤遺跡出土土器付着炭化物からキビのバイオマーカーが検出されたことは注目される[39]。雑穀以外では，堅果類・根茎類・ベリー類利用の発達と生態適応について考察されている[40]。

考古学的アイヌ文化は，栽培植物種子や畑跡の検出事例が蓄積し，近世・近代の史料や聞き取りなどから与えられてきた"粗放的な農耕"というイメージに再考を促す成果があがっている[41]。栽培された植物は擦文文化のそれからヒョウタンが欠落しスモモが加わるとされる。厚真町オニキシベ2遺跡では擦文文化の屋外炉からスモモ属の核片が出土しており[42]，混入でないとすれば両文化のスモモ利用のつながりが注目される。穀物構成は，早い時期では地域によって擦文文化と類似するが，15〜16世紀以後ヒエとアワが主体（ヒエの方が多い）になる[43]。13世紀頃からの小氷期に冷害に強いヒエが選択されたとみる考え[44]がある一方，東北北部や石狩低地帯北西部で10〜12世紀代にヒエ属種子が増加することから，小氷期直前の不安定な気候のもとで比較的安定した収量を得られる作物として選択されたとみる考えもある[45]。

## おわりに

以上，これまでの研究に最新の出土資料や研究成果を加え，食用植物利用研究の現状を論じた。本来であれば花粉分析や樹種同定，木製品やレプリカ法の研究成果なども加え，環境適応の様相や食用以外も含めた体系的な植物利用を通観するべきであるが，筆者の力量不足から叶わなかった。

木製品と木材利用[46]やレプリカ法[47]の最新の成
果は参考文献に記した著書・論文にまとめられて
いるので，併せて参照いただければ幸いである。
また炭化種実についても触れられなかった知見が
多くあるため，機会をあらためて詳述したい。

## 註

1) 小野有五・五十嵐八枝子『北海道の自然史』北
　海道大学図書刊行会，1991
2) 山田悟郎「北海道の遺跡から出土した植物遺体
　について」『古代文化』45─4，1993，pp.13-22
3) 山田悟郎「ヤギナイ遺跡から出土した植物遺体
　について」『ヤギナイ遺跡』北斗市教育委員会，
　2009，pp.41-44
4) 矢野牧夫「忍路土場遺跡の動植物遺体および関
　連資料」『忍路土場遺跡・忍路5遺跡（第4分冊）』
　北海道埋蔵文化財センター，1989，pp.191-215
　および前掲註3に同じ
5) 吉崎昌一「沢町遺跡出土の炭化植物種子につい
　て」『沢町遺跡』余市町教育委員会，1989，pp.182-
　184。吉崎昌一・椿坂恭代「H317遺跡から検出さ
　れた植物種子」『H317遺跡』札幌市教育委員会，
　1995，pp.238-253。吉崎昌一・椿坂恭代「札幌市
　H37遺跡出土の炭化植物種子」『H37遺跡丘珠空
　港内』札幌市教育委員会，1996，pp.124-125。米
　谷登志子・宮宏明「大川遺跡検出の植物遺体につ
　いて」『大川遺跡における考古学的調査Ⅰ』余市町
　教育委員会，2000，pp.381-385。パリノ・サーヴ
　ェイ「生渕2遺跡炭化種子・炭化樹種・動物遺存体
　同定」『北檜山町生渕2遺跡』北海道埋蔵文化財セ
　ンター，2005，pp.96-102。パリノ・サーヴェイ
　「炭化材・種実・骨同定結果」『江別市対雁2遺跡
　(9)』北海道埋蔵文化財センター，2007，pp.132-158
6) 山田悟郎・柴内佐知子「北海道の縄文時代遺跡
　から出土した堅果類」『北海道開拓記念館研究紀
　要』25，1997，pp.17-30
7) 吉川昌伸「臼尻小学校遺跡から産出した花粉化
　石群」『函館市臼尻小学校遺跡』函館市教育委員
　会，2006，pp.233-236。森 将志「臼尻A遺跡
　の花粉分析」『函館市臼尻A遺跡』函館市教育委員
　員会，2016，pp.110-112。森 将志「電電公社
　合宿舎遺跡の花粉分析」『函館市電電公社合宿舎
　遺跡』函館市教育委員会，2017，pp.137-141
8) 福井淳一「館崎遺跡の植生環境」『福島町館崎
　遺跡 第4分冊 骨角器・分析・総括編』北海道埋

蔵文化財センター，2017，pp.298-300
9) 阿部千春編『大船C遺跡─平成11年度発掘調
　査報告書─』南茅部町教育委員会，2000および
　前掲註4矢野文献に同じ
10) 前掲註2に同じ
11) 國木田大・吉田邦夫・辻誠一郎「東北地方北部
　におけるトチノキ利用の変遷」『環境文化史研究』
　1，2008，pp.7-26
12) 佐々木由香・バンダリスダルジャン「館野6遺
　跡の炭化種実」『北斗市館野6遺跡（2）』北海道
　埋蔵文化財センター，2016，pp.282-287
13) 前掲註2に同じ
14) 前掲註2に同じ
15) 山田悟郎・柴内佐知子「八千代A遺跡から出土
　した植物遺体について」『帯広百年記念館紀要』
　26，2008，pp.1-9
16) 椿坂恭代「豊崎O遺跡から出土した炭化植物種
　子」『函館市臼尻小学校遺跡・豊崎C・D・F・O
　遺跡』函館市教育委員会，2009，pp.239-242
17) 前掲註2に同じ
18) 北海道埋蔵文化財センター編『木古内町新道4
　遺跡』北海道埋蔵文化財センター，1998。古環境
　研究所2017「福島町館崎遺跡における炭化種実同
　定」『福島町館崎遺跡 第4分冊 骨角器・分析・総
　括編』北海道埋蔵文化財センター，2017，pp.189-
　201。椿坂恭代「札幌市K518遺跡第2次調査から
　出土した炭化種子について」『K518遺跡第2次調
　査』札幌市教育委員会，2009，pp.421-430。椿坂
　恭代「ショロマ2遺跡から検出された植物種子」
　『ショロマ2遺跡』厚真町教育委員会，2015，
　pp.200-203。吉崎昌一・椿坂恭代「茂別遺跡から
　出土した炭化植物種子について」『上磯町茂別遺跡
　第2分冊』北海道埋蔵文化財センター，1998，
　pp.84-99。椿坂恭代「札幌市M459遺跡から出土
　した炭化種子」『M459遺跡』札幌市教育委員会，
　2005，pp.170-175。山田悟郎「ポンオサツ遺跡，
　オサツ18遺跡，ケネフチ5遺跡から出土した植物
　遺体と遺物包含層の花粉分析について」『千歳市ポ
　ンオサツ遺跡（2）・オサツ18遺跡（2）・ケネフチ5
　遺跡（2）』北海道文化財保護協会，1997，pp.311-319
19) 吉崎昌一・椿坂恭代「キウス4遺跡から出土し
　た炭化植物種子について」『千歳市キウス4遺跡
　(2)』北海道埋蔵文化財センター，1998，pp.357-
　367。吉崎昌一・椿坂恭代「北海道キウス4遺跡
　Q地区から出土した縄文時代の植物種子」『千歳

市キウス4遺跡（7）Q地区第2分冊』北海道埋蔵文化財センター，2001，pp.347‑352。吉崎昌一・椿坂恭代「北海道キウス4遺跡（D・F・G地区）から出土した縄文時代の炭化植物種子」『千歳市キウス4遺跡（8）第1分冊』北海道埋蔵文化財センター，2001，pp.465‑480。吉崎昌一・椿坂恭代「キウス4遺跡R地区から出土した縄文時代の植物種子」『千歳市キウス4遺跡（9）第2分冊』北海道埋蔵文化財センター，2003，pp.193‑206

20）　Crawford, G. Paleoethnobotany of the Kameda peninsula Jomon. *Museum of Anthropology University of Michigan,* 1983, №73。吉崎昌一「縄文時代の栽培植物」『第四紀研究』36‑5，1997，pp.343‑346。山田悟郎「北海道における栽培植物種子の出土状況」『日本考古学協会2007年度熊本大会研究発表資料集』日本考古学協会2007年度熊本大会実行委員会，2007，pp.409‑419

21）　小畑弘己「館崎遺跡出土土器の圧痕調査報告」『福島町館崎遺跡 第4分冊 骨角器・分析・総括編』北海道埋蔵文化財センター，2016，pp.202‑212

22）　那須浩郎「ヒエはなぜ農耕社会を生み出さなかったのか？」『農耕文化複合形成の考古学㊦』雄山閣，2019，pp.161‑176

23）　高瀬克範「北海道島におけるイネ科有用植物利用の諸相」『農耕文化複合形成の考古学㊤』雄山閣，2019，pp.91‑110および前掲註22に同じ

24）　榊田朋広・高瀬克範「石狩低地帯北部における先史・古代の植物利用」『日本考古学』48，2019，pp.1‑19

25）　榊田朋広「続縄文文化終末期の炭化種実組成」『SEEDS CONTACT』6，2019，pp.29‑36

26）　前掲註20山田文献に同じ

27）　小畑弘己『東北アジア古民族植物学と縄文農耕』同成社，2011

28）　前掲註20山田文献に同じ

29）　鈴木信編『千歳市キウス3遺跡・キウス11遺跡』北海道埋蔵文化財センター，2016

30）　吉川純子「臼尻小学校遺跡から出土した炭化種実」『函館市臼尻小学校遺跡』函館市教育委員会，2006，pp.229‑232

31）　前掲註20山田文献に同じ

32）　山田悟郎「貝取澗2洞窟遺跡から出土した植物遺体について」『貝取澗2洞窟遺跡』北海道開拓記念館，2001，pp.141‑151

33）　佐々木由香・バンダリ スダルジャン「木古内町大平遺跡出土の炭化種実」『木古内町大平遺跡（2）』北海道埋蔵文化財センター，2016，pp.593‑603

34）　山田悟郎「擦文文化の雑穀農耕」『北海道考古学』36，2000，pp.15‑28

35）　バンダリ スダルジャン・佐々木由香「厚真町ショロマ4遺跡から出土した炭化種実」『厚真町ショロマ4遺跡』北海道埋蔵文化財センター，2016，pp.200‑203

36）　榊田朋広「擦文文化の雑穀利用の展開と地域間交流」『東日本穀物栽培開始期の諸問題』雄山閣，2023，pp.81‑99。および前掲註24に同じ

37）　小林博昭「北海道松前，乙部町における擦文時代稲作調査（総括）」『斬新考古』4，2016，pp.2‑3

38）　山田悟郎「栽培植物研究の現状」『北海道考古学会2013年度研究大会 先史時代の植物利用戦略』北海道考古学会，2013，pp.1‑8

39）　村本周三・宮内信雄・堀内晶子・吉田邦夫・宮田佳樹「脂質分析から見たトビニタイ文化の特徴について」『日本考古学協会第87回総会 研究発表要旨』日本考古学協会，2021，p.50

40）　榊田朋広「炭化種実組成からみたオホーツク文化の食用植物利用」『横浜ユーラシア文化館紀要』11，2023，pp.1‑20

41）　山田悟郎「中・近世アイヌ民族の農耕活動の実態について」『北海道開拓記念館研究紀要』36，2008，pp.37‑56。横山英介『考古学からみた北海道の焼畑』アイワード，2009。添田雄二・青野友哉・永谷幸人編『伊達市カムイタプコプ下遺跡発掘調査報告書』北海道博物館，2019など。

42）　椿坂恭代「オニキシベ2遺跡から検出された植物種子」『オニキシベ2遺跡』厚真町教育委員会，2011，pp.327‑335

43）　山田悟郎・椿坂恭代「作物種子・農具・畠跡から見たアイヌの農耕」『極東先史古代の穀物3』熊本大学埋蔵文化財調査室，2008，pp.95‑110

44）　前掲註41山田文献

45）　前掲註24に同じ

46）　伊東隆夫・山田昌久編『木の考古学』海青社，2012

47）　太田　圭「日本列島北部におけるレプリカ法による土器圧痕の研究」『考古学ジャーナル』776，2022，pp.40‑43。佐々木由香・太田　圭「古代以前の土器圧痕からみた雑穀利用」『季刊考古学』159，2022，pp.49‑51。前掲註23高瀬文献に同じ

# 縄文遺跡群の世界文化遺産登録
## ―北海道の構成資産から―

■ 阿部千春
ABE Chiharu

2021年7月，「北海道・北東北の縄文遺跡群」（以下「縄文遺跡群」）は，北東アジアにおける農耕以前の長期にわたる生活のあり方と精緻な精神文化を示す物証としてユネスコ世界文化遺産に登録された。その登録に向けた全体の取組と北海道の資産について概観する。

### 1 登録への取組と構成資産の範囲

世界遺産登録への取組は，青森県を事務局として，北海道，岩手県，秋田県および資産を有する13市町によって2007年から始まった。

2013年に世界遺産登録推薦書（原案）を提出し，以来，数度に渡る推薦書案の修正を経て，2020年9月にイコモス（ICOMOS）の現地調査を受け，その勧告に基づき登録が決定したのである。ただ，世界遺産として評価されたのは「縄文文化」ではなく，「農耕以前の定住生活と精神文化のあり方」である。その点についても本稿で説明したい。

構成資産は17遺跡で，その範囲は北海道南部の石狩低地帯から東北北部の奥中山分水嶺までである。この範囲は森林植生における冷温帯落葉広葉樹林帯（北方ブナ帯）の分布と重なり，暖流と寒流が交差するなど，北と南の生態系が重複する地域である。また，円筒土器文化に代表されるように縄文時代を通した共通の土器型式圏の中心となる地域でもある。（図1）。

採集・漁労・狩猟といった自然資源を基に定住生活を実現した縄文文化を考える場合，同じ環境の下で展開した生活のあり方について比較・検討を行なう必要がある。世界遺産に推薦する構成資産を「冷温帯落葉広葉樹林」の範囲とした背景には，こうした同じ自然環境で暮らす狩猟採集民の長期に渡る生活がテーマになっていたためである。

### 2 縄文遺跡群の顕著な普遍的価値とその証明

世界遺産に登録されるためには，「顕著な普遍的価値」（Outstanding Universal Value／以下「OUV」）が必要となる。

本資産のOUVは「北東アジアにおける世界的にも希な長期間継続した採集・漁労・狩猟文化による定住の開始・発展・成熟の過程および精神文化の発達をよく表しており，農耕以前における人類の生活のあり方と精緻で複雑な精神文化を示す物証」であり，それを17遺跡で証明することとなる。

その証明方法は，この「価値」という抽象的な概念を，具体の物証によって説明することであり，その手順は，OUVを複数の属性

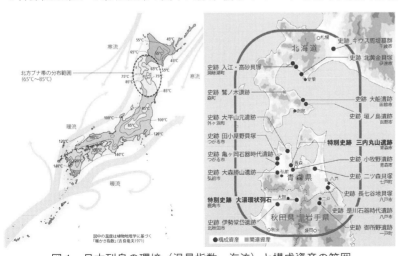

図1 日本列島の環境（温量指数・海流）と構成資産の範囲

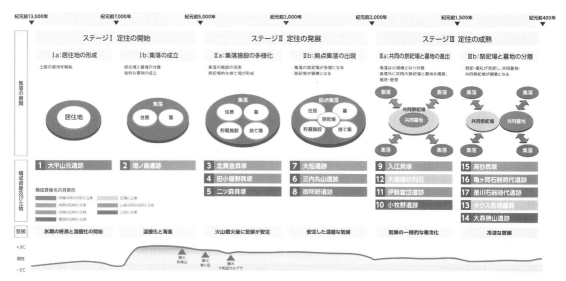

図2　集落展開と精神文化に関する6つのステージ

に分解することから始まる。分解された属性は4項目である。

　(a) 自然資源を巧く利用した生活のあり方
　(b) 祭祀・儀礼を通じた精緻で複雑な精神性
　(c) 集落の立地と生業の関係が多様であること
　(d) 集落形態の変遷

　そのうえで，物証となる遺跡・遺構・遺物などがa〜dの属性にどのように対応するかを一つ一つ示し，ミニマムな17遺跡でこれらの属性を満たしていることを立証していく作業を行なった。

　それがイコモスおよび世界遺産委員会で認められ，今回の登録が実現した。従って，「縄文文化」が世界遺産になったのではなく，「農耕文化以前の人類の定住生活と精神文化のあり方」に価値があり，それが登録されたことになる。そのため定住に至る過程の遺跡も含まれているし，世界遺産委員会に提出した推薦書においても「縄文文化／Jomon Culture」という表現はしていない。

## 3　全体のストーリーと北海道の構成資産

### (1)　全体のストーリー

　全体のストーリーと各資産の役回りについて，模式図を基に概説したい（図2）。

　上段は「集落の展開（生活・精神文化）」を示している。定住のステージは「Ⅰ定住の開始」，「Ⅱ定住の発展」，「Ⅲ定住の成熟」に設定し，さらに各ステージを前半と後半に区分している。ステージⅠでは，移動生活から季節的定住を経て，竪穴建物や墓などで構成される集落の形成。ステージⅡでは，次第に捨て場や祭祀場などの集落構成要素が増えて拠点集落が出現していく状況。ステージⅢでは，寒冷化を契機とする集落の縮小・分散と祭祀場の進出，さらには共同墓地の分離までの過程を示している。

　中段は「構成資産の立地」を示している。遺跡の立地を，内陸の河川付近，外洋の沿岸，内湾の沿岸，湖沼の沿岸，丘陵，山岳の河川付近，山岳に分類してステージ順に並べることにより，定住の初期段階で海岸部に進出し，徐々に山岳などの多様な環境に適応していく様子を伝えている。

　下段は「気候変動」を示しており，集落の展開や立地の変遷と比較できるようになっている。

### (2)　北海道の構成資産

　道内6資産の位置づけと概要は次の通りである。

　**垣ノ島遺跡**（函館市）　定住の開始期後半の集落跡。居住域と墓域が区分され，「日常の空間」と「非日常の空間」が明確となっている。墓から足形付土板が17点出土している。これは小判形の粘土板に子どもの足形を付けたもので，子を思う親の気持ちが伝わる遺物である。その後，コの

字形を呈する大規模な盛土遺構も造られた。

**北黄金貝塚**（伊達市）　定住の発展期前半の貝塚を伴なう集落跡。居住域と墓域のほかに貝塚や食料貯蔵穴などの施設が配置されている。貝塚にはハマグリ，カキ，ホタテなどの貝類が厚く堆積しているほか，シカの頭骨を規則的に並べるなど，動物儀礼を行った痕跡も認められる。貝塚には人の墓もつくられており，祭祀的な行為があったと考えられている。

**大船遺跡**（函館市）　定住の発展期後半の集落跡。盛土遺構などの祭祀場が加わり，集落の構成要素が整った拠点的な機能を持つ。竪穴建物跡の規模は概して大きく，深さ2m，長軸10mを越えるものもある。また，集落を支えたクジラやマグロなどの水産資源のほか，クリの炭化種子も出土している。クリは縄文時代に本州から持ち込まれたと推定される。

**入江貝塚**（洞爺湖町）　定住の成熟期前半の貝塚を伴なう集落。寒冷化により集落が縮小・分散する時期に相当し，土葺き屋根の竪穴住居も出現している。貝塚につくられた墓から四肢骨が極端に細い成人人骨が見つかっており，幼い頃に筋萎縮症などの病に罹り，集落のなかで介護を受けながら成人を過ぎるまで生きた証となっている。

**高砂貝塚**（洞爺湖町）　定住の成熟期後半の貝塚と共同墓地。冷涼化が進んで低地の利用が可能となった時期である。入江貝塚の標高より一段下の段丘にある貝塚に多くの墓がつくられており，副葬品として土偶やミニチュア土器など祭祀に関する遺物が出土している。

**キウス周堤墓群**（千歳市）　定住の成熟期後半の共同墓地。9基の周堤墓で構成されている。周堤墓とはドーナツ状の周堤の内側に複数の墓を配置するもので，最大のものは周堤の直径が約75m，竪穴面から周堤の頂部までの高さが5mを越える。当時の葬制や社会構造をうかがうことができる。

## 4　世界遺産としての意義と課題

世界遺産登録の効果としては，文化遺産の保護はもとより，世界遺産が存在することによる地域の誇りの形成とまちづくり，さらにインバウンドを含めた観光振興などが期待されている。

ここで再確認しなければならないことは，世界遺産の基になる世界遺産条約（正式名：世界の文化遺産および自然遺産の保護に関する条約）は，ユネスコ（国際連合教育科学文化機構）が起草し，1972年に採択された条約であることだ。

ユネスコの理念は「教育，文化の振興によって戦争の悲劇を二度と繰り返さない」ことであり，そのために「文化多様性の保護」と「異文化交流の促進」を掲げている。世界遺産は，まさにその理念を体現するものであり，この条約の下で縄文遺跡群が登録された意義は大きいと考えている。

ユネスコでは持続可能な開発のための教育／ESD（Education for Sustainable Development）を推進している。これは国際社会のなかに存在する差別，貧困，人権，過度の開発による環境破壊などの課題について，先ず自分たちの問題として捉え，世界の人々が未来にわたって安全・安心に暮らせる持続可能な社会を目指すという教育活動である。

今後，縄文遺跡群を通じた世界遺産活動を推進するなかで，自然環境や文化多様性の大切さを伝えることにより，ESDなどの取組みにも貢献できるであろうし，それも縄文遺跡群が世界遺産に登録された意義であると考えている。

## 5　今後の取組に向けて

北海道の各資産では，世界遺産に登録される前から市町の教育委員会と地域の民間団体が協働で保存・活用を推進しているが，今後は更なる工夫が必要になってくるだろう。それは単体の遺跡としてではなく，定住の開始・発展・成熟という全体のストーリーのなかでその位置づけや役回りを意識して説明するなど，世界遺産としてのOUVを伝える取組が求められることである。

今回の縄文遺跡群の世界遺産登録は一つの出発点である。今後は，各地域の縄文遺跡など埋蔵文化財への関心を高めるための施策を推進することが重要な取組となってくることを最後に述べておきたい。

# 続縄文文化の評価

■ 青野友哉
■ AONO Tomoya

## 1 本稿の目的

「続縄文文化」の存在は，日本列島の北部におけるローカルな考古学的文化との意味合いにとどまらず，考古学研究全体や現代社会とも関わる問題として議論の対象となってきた。

一つは，その定義や文化評価を考える上で，日本考古学における時代名称や文化区分の問題と関連する点にある。続縄文期を一部の地域の時期区分ではなく，日本列島全体に存在した過渡期とする考え[1]や，縄文時代の一時期とする考え[2]はその一例である。もう一つは，アイヌ文化につながる北海道の歴史認識において，続縄文文化の位置付けが大きく関わっており，その評価が与える現代的な影響力もまた大きい点がある。

本稿では続縄文文化の評価の変遷を簡単にまとめたのち，高瀬克範と鈴木信の主張をおもに取り上げ，近年の動向とする。その後，両者の論点でもある縄文晩期から続縄文期にかけての生業の変化に関わる最新事例について紹介する。

## 2 続縄文文化の評価の変遷

「続縄文」の用語が初めて登場したのは，山内清男の『日本遠古之文化（補註付・新版）』[3]である。山内は北海道の縄文晩期以後に存在する縄文の多い土器を「続縄紋式」とよび，本州の弥生土器とは異なる土器型式が存在することを指摘した。また，北海道の晩期以後の生業については，「縄紋式以来の狩猟，漁業の生活が遺存した」[3]と述べ，本州以西との違いを示した。さらに「日本先史時代概説」の中では「生活状態は，縄紋式と同様，狩猟漁撈採集であった。この点は，その持つ石器骨角器等から，また残された貝塚の内容

から知ることができる。ことに骨角器の発達は著名で，漁撈が大きな地位を占めていたことを示している」と「続縄紋式」を伴う文化の生業が漁労活動に特徴があることを述べている[4]。

縄文晩期直後の土器自体は 1918 年に松本彦七郎が室蘭市オハシナイ貝塚出土の土器を「類弥生式」と報告している[5]。この土器は，現在の続縄文前半期の恵山文化に属するもので，平行沈線文と平滑緻密な胎土が弥生式に似ているとされた。

「類弥生式」や「続縄紋式」といった命名は弥生文化の存在を基にしている。これに対して 1939 年に河野広道は，「北海道式薄手縄文土器」を使用した「金石併用文化」であるとして，北海道独自の文化としての把握と呼称を試みる。河野は，土器が薄手となる背景には，弥生文化からの間接的な影響があったとする一方，金属器や碧玉製管玉，ガラス製小玉の出土は，本州方面だけではなく，樺太・千島経由や直接的な大陸文化の流入を想定していた。いずれにしても，続縄文文化を評価する要素の一つに，縄文晩期にはない新たな文物による技術導入と交流・交易の存在が加わる。

1950〜60 年代には「続縄文文化」との用語は研究者間で一般化したが，文化概要の説明に際しては「寒冷な気候のために稲作を受容できなかった地域の文化」との停滞的なイメージが付帯した。

これに対して，1974 年に沢四郎は『新釧路市史』において釧路地方の貝塚の調査を踏まえた続縄文文化の説明を，北海道はサケ・マスや海獣類はもとより，陸獣や植物性食料などの豊富さから農耕を選択する必要がなかった，との考えを示した。同様に，1980 年に岡田宏明は白老町アヨロ遺跡の報告書中に，墓址の密度の高さと副葬品の豊富さから，続縄文文化の生活が豊かであったと

ともに，社会階層化への萌芽をも示唆している。そして，狩猟採集社会への偏見と続縄文文化への誤った解釈と研究姿勢に対して批判している。

これら新しい解釈について藤本強は，現代社会が抱える問題に対するアンチ・テーゼとしての「採集経済民みなおし」論との側面があり，すべては受け入れられないとしつつも，従来の一面的な見方から，北日本の文化にも開かれた目を向けるべき，としている[6]。

なお，山内は日本列島の「縄紋式以後」の様相について，西日本から東北地方までは弥生式土器の文化に置き換わり（以後古墳時代に移行），北海道・樺太・千島においては別の変遷（「続縄紋式」）があり，琉球方面の状況も多少異なっていたと，日本列島の文化を3地域にわけて並置した[3]。同書では，縄文土器の終末が地方によって大きな年代差はないことを示す中で，「『文化は西から』の先入観」を排除する姿勢をとっており，上記の「縄紋式以後」の3地域（文化）区分は，より客観的な叙述を意識した結果と捉えられる。

藤本はこの考えを発展させ，日本列島の通時的な歴史を捉える概念として「北の文化」，「中の文化」，「南の文化」の3つを設定し，それぞれを対等に評価すべきことを指摘した[7]。

続縄文文化について藤本は「北日本の縄文時代後・晩期の文化を受け継ぎ，生業の面では漁撈活動を発展させ，その後半の時期には河川漁撈を中心とした生業体系を確立し，擦文文化・アイヌ文化に伝統として残した文化」であるとの評価をしている[6]。漁労活動の発展の根拠としては，遺跡立地が縄文晩期の居住地を引き継ぎつつ，新しい環境への進出が見られるとして，釧路地域における遺跡分布と，釧路市三津浦遺跡と興津遺跡におけるメカジキやイルカの骨が主体的に出土する点を挙げている。同様に道南西部では森町尾白内貝塚でのヒラメ骨の出土，道央部では江別太遺跡のサケ類の出土とヤナ漁の可能性を挙げている。

一方で，従来の「続縄文」の捉え方とは異なる考え方も登場する。林謙作は1987年に「縄文人が弥生系の技術・文物を部分的に採り入れ，伝統

的な生業や社会組織の手直しを試みた『段階』」を「続（エピ）縄文」と捉え，農耕社会化したすべての地域に存在したとした[1]。また，農耕社会化しなかった北海道は「北海道型（?）続縄紋」として細分している。

縄文晩期と「続（エピ）縄紋」の時間的境界は，関東では安行3b式と3c式の間，東北地方では大洞$C_1$式と$C_2$式の間，北海道南西部では聖山式と大洞A式併行期との間に置かれており，階段状に設定されている。この時に道東部は大洞$C_2$式併行期と幣舞式の間が時間的境界とされるとともに，「北海道型（?）続縄紋」の始まりとしても区分されている。これは弥生文化に移行しない文化との位置付けであり，時期的境界の設定には道東部の非大洞系土器の顕在化があったと思われる。

一方，吉崎昌一は1986年に，生業や物質文化に大きな違いがないのであれば，続縄文との名称は使用せずに縄文文化末期の一段階とすべきとした。加藤邦雄も近似した考えを持ち，道央部から道東部を「縄文終末期文化」とし，道南部の恵山文化は弥生文化の文物を多く摂取する本州志向性の強い体質であるとして「類弥生文化」とした。

小杉康も，縄文時代との違いとして強調される傾向にある「漁撈活動の特化」は，縄文文化の内での変異幅と変わらないとしている[2]。そのため，続縄文は縄文文化の内に含まれると理解し，縄文晩期に続く「続縄文期」としている。

## 3　近年の動向

研究史の整理では，縄文晩期とそれ以後に見られる質的・量的な差異を，縄文文化内での変化と捉えるか，より大きな次元での差異と捉えるかの認識・立場の違いが存在した。議論の対象は，生業の変化（農耕の有無と漁労の性質）が最も多く，外来系文物の入手と技術導入，交易など経済段階の変化，社会階層化への言及も見られる。

以下では，縄文晩期と続縄文期の生業・経済の変化について検討した近年の事例を取り上げる。

高瀬克範は，漁労活動の変遷について述べるなかで，「渡島半島の続縄文文化期ではそれまでほ

とんど利用されていなかった大型個体が属する資源構造の領域を積極的に利用するようになった」と縄文文化の漁労との相違点を挙げている[8]。具体的には、魚形石器を用いた大型ヒラメ類の捕獲行為が、「量」ではなく「質」に高い価値をおいた漁労活動であることや、道東部太平洋側におけるメカジキ・ヒラメ漁、石狩低地帯北部の内陸部におけるサケ科利用の開始も「資源構造の拡張的開発」であり、この点が「続縄文経済のおおきな特徴のひとつ」であるとした。

また、動物遺存体の分析では、道内の縄文早期から近代の動物遺存体を重量比較している。その結果、縄文文化の76％の遺跡において、出土動物遺存体の分析資料に占める魚類の重量比率が2割程度以下なのに対し、「続縄文文化では、7遺跡の9事例すべてで魚類が哺乳類・貝類を凌駕」することを示した[8]。続縄文期における漁労の拡大傾向については山内や藤本がすでに指摘していたが、それを実証的に示した。

さらに、続縄文後半期には道央部を中心に、全道的にサケ漁への依存傾向が強くなる点も踏まえて、高瀬は「縄文文化と続縄文文化のちがいは、たんに魚類の利用量や利用方式にあるのではなく、それと連動した土地の利用方法、集団の編成方法、経済に占める交易の重要性、利器の外部依存など、社会の広い方面におよんでいた」とし、「擦文・アイヌ文化につながる資源利用の基盤が続縄文文化において確立したことを重視し、縄文文化とはことなる歴史的意義を有する考古学的文化として続縄文文化を位置付けるべき」と主張している[8]。漁労への依存度の高まりを「資源構造の拡張的開発」と捉え、社会・経済構造への影響を加味して、縄文文化とは一線を画している。

鈴木信は、石狩低地帯北部においては縄文早期や後期の遺跡でもサケ・マス漁は機会があるごとに行われていたとする[9]。そして江別市対雁2遺跡の動物遺存体分析と土器付着炭化物の炭素窒素安定同位体比分析の結果では、サケ・マス漁は縄文晩期後葉にすでに隆盛していたことから、続縄文期における新出的な経済ではなく、高瀬のいう「資源構造の拡張的開発」とはいえないと主張している。また、続縄文期前葉のサケ・マス漁への傾斜については、環境の変化、つまり海水温の変化によるシロザケの回帰率によることを、古環境復元研究を援用して述べている。鈴木の続縄文文化に対する定義と評価は、「縄文時代以来の生業に特化という修整を加え、その後葉に鉄器の広域交換が生業の基盤となった文化」であるとしている。

鈴木は、東北地方・道南・道央・道東の地域間において、遺構・遺物に現れる属性の変化を地域間の影響方向として把握し、時期別に整理した。これにより、縄文晩期後葉から続縄文期の初めにかけての道南部は東北地方からの一方向的な影響が認められるのに対し、道央部と道東部は双方向的な影響関係にあったことや、後北B・$C_1$式～後北$C_2$-D式期には道央部から道南部・東北地方への一方向的な影響が強くなることなどを明示した。

これらの分析を通じて、鈴木は「縄文文化から続縄文文化への移行は少なくとも縄文晩期後葉に遡り、続縄文期後葉（後北$C_2$-D式期）には"文化"交代を含んで大きく変容する」として、「縄文晩期後葉の道央・道東の"文化"を続縄文文化に編入する」ことを提案している。

鈴木の説は林の「北海道的（？）続縄文」の意図に近く、それを土器などの種々の文化要素の影響方向から検証したものといえる。

## 4 縄文晩期と続縄文期の食性比較

高瀬が主張した続縄文期における「資源構造の拡張的開発」について、鈴木は安定同位体比分析により、石狩低地帯北部では縄文晩期からサケ・マス類を利用しているとして、否定的である。しかし、対象とした人骨および土器付着炭化物（17点）の出土地域は道央部から道東部と広く、時期は縄文後期前葉から晩期後葉までと、続縄文期の試料は含まれていない[9]。本来であれば、同一の地域で時期ごとの比較ができることが望ましい。

そこで、道南部太平洋側の例ではあるが、縄文晩期と続縄文前半期の食性分析の結果を例示しておく。対象は伊達市有珠モシリ遺跡出土の人

表1　有珠モシリ遺跡人骨の炭素・窒素安定同位体比

| 時期 | 遺構名 | 人骨名 | δ¹³(‰) | δ¹⁵(‰) | C/N比 | 分析機関文献等 |
|---|---|---|---|---|---|---|
| 縄文晚期 | 9号墓 | 9（覆土・第3貝層） | -14.30 | 15.90 | 3.2 | 米田2005 |
| | 9号墓 | 9（南壁） | -13.90 | 18.80 | 3.4 | |
| | 9号墓 | 9（覆土・第3貝層・女性） | -13.90 | 18.40 | 3.2 | |
| | 16号墓 | 16A | -13.80 | 18.30 | 3.1 | パレオ・ラボ2021年測定 |
| | 16号墓 | 16B | -13.50 | 18.50 | 3.1 | |
| | 18号墓 | 18A | -14.05 | 19.12 | 3.4 | |
| | 18号墓 | 18B | -13.51 | 18.35 | 3.3 | |
| | 18号墓 | 18C | -14.06 | 19.06 | 3.3 | |
| | 18号墓 | 18D | -14.67 | 19.16 | 3.3 | |
| | 18号墓 | 18E | -14.28 | 18.05 | 3.3 | 山形大学2021年測定 |
| | 18号墓 | 18F | -14.51 | 19.10 | 3.3 | |
| | 18号墓 | 18G | -14.65 | 18.78 | 3.3 | |
| | 18号墓 | 18H | -14.72 | 18.80 | 3.3 | |
| | 18号墓 | 18I | -14.47 | 18.77 | 3.2 | |
| | 18号墓 | 18J | -14.01 | 18.72 | 3.3 | |
| | 18号墓 | 18K | -14.68 | 18.57 | 3.4 | |
| 続縄文前半期 | 2号墓 | 2 | -13.70 | 18.00 | 3.3 | 米田2005 |
| | 3号墓 | 3A | -14.00 | 18.00 | 3.3 | |
| | 3号墓 | 3B | -14.00 | 18.00 | 3.3 | |
| | 6号墓 | 6 | -12.60 | 18.20 | 3.4 | |
| | 7号墓 | 7-1 | -13.90 | 18.40 | 3.3 | |
| | 7号墓 | 7-2 | -13.90 | 18.50 | 3.3 | |
| | 8号墓 | 8 | -13.60 | 18.20 | 3.4 | |
| | 9号墓 | 9（第1s貝層） | -12.60 | 19.10 | 3.2 | |
| | 11号墓 | 11 | -13.30 | 19.60 | 3.2 | |
| | 12号墓 | 12 | -12.80 | 19.70 | 3.4 | |
| | 13号墓 | 13若年 | -12.50 | 19.70 | 3.1 | |
| | 13号墓 | 13女性 | -13.00 | 18.30 | 3.1 | |
| | 13号墓 | 13男性 | -12.40 | 18.40 | 3.2 | |
| | 15号墓 | 15 | -12.20 | 18.00 | 3.2 | |
| | 19号墓 | 19 | -12.50 | 19.10 | 3.2 | |
| | 20号墓 | 20（覆土） | -13.70 | 14.30 | 3.2 | |
| | 20号墓 | 20 | -12.50 | 18.20 | 3.2 | |
| 不明 | 1号墓 | 1 | -13.20 | 19.40 | 3.2 | 未実施 |
| | 4号墓 | 4 | -12.80 | 19.60 | 3.2 | 未実施 |
| | 10号墓 | 10 | -13.70 | 17.70 | 3.1 | 未実施 |
| | 13号墓 | 13 | -12.70 | 18.60 | 3.2 | 未実施 |
| | 14号墓 | 14 | -14.10 | 17.60 | 3.2 | 未実施 |
| | 17号墓 | 17 | -13.70 | 18.50 | 3.2 | 未実施 |

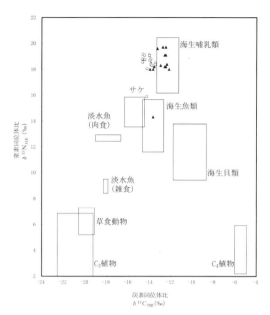

図1　有珠モシリ遺跡人骨の炭素・窒素安定同位体比
（米田2005に新たな測定結果を追加し，米田2014に基づき作成）○：縄文晩期　▲：続縄文前半期

骨で，札幌医科大学による分析結果[10]に筆者が行った16号墓人骨（2体）と18号墓人骨（11体）を加えたものである。

　有珠モシリ遺跡は縄文晩期から続縄文期の人骨が多く出土し，複葬墓も検出されている。そのため，安定同位体比分析の結果を比較するにあたり，伴出土器や埋葬形態を考慮しつつ，各人骨の年代測定の結果をもとに縄文晩期と続縄文前半期とにわけている（表1）。

　その結果，縄文晩期のδ¹³Cが-14‰前後に集中するのに対し，続縄文前半期のδ¹³Cは-13‰と全体的にやや高い値に移行している（図1）。特に続縄文前半期の多くの個体が海生哺乳類の範囲内に入っている。このことは，有珠モシリ遺跡においては，縄文晩期に比べて続縄文前半期に海獣狩猟が強化されたということができる。

　今後は，交易品としての毛皮の獲得を目的とした可能性も含めて，他地域での同様の研究結果との比較が必要となる。

　註
1)　林 謙作「続縄紋のひろがり」『季刊考古学』19，雄山閣，1987，pp.55-57
2)　小杉 康「列島北東部の考古学」『はじめて学ぶ考古学』有斐閣アルマ，2011，pp.263-282
3)　山内清男「日本遠古之文化（補註付・新版）」『先史考古学論文集』1，1939，pp.1-44
4)　山内清男「日本先史時代概説」『日本原始美術』Ⅰ，講談社，1964，pp.135-147
5)　松本彦七郎「北海道に類弥生式土器」『人類学雑誌』33-8，1918，pp.226-228
6)　藤本 強「続縄文文化概論」『縄文文化の研究』6，1982，雄山閣，pp.10-20
7)　藤本 強「総論 続縄文文化と南島文化」『縄文文化の研究』6，1982，雄山閣，pp.4-7
8)　高瀬克範『続縄文文化の資源利用』2022，吉川弘文館，pp.1-220
9)　鈴木 信『北海道続縄文文化の変容と展開』2021，同成社，pp.1-329
10)　米田 穣「有珠モシリ遺跡出土人骨における同位体分析」百々幸雄編『北海道続縄文人の系譜論的・生活論的研究』2005，pp.273-288
　　米田 穣「炭素・窒素安定同位体比分析」『小竹貝塚発掘調査報告』2014，pp.16-23

# 変成岩と鉄器の利用

■ 佐藤由紀男
■ SATO Yukio

## 1 変成岩製磨製石斧について

　北海道で産出される石材を用いた磨製石斧のうち，広範囲に分布する事例として知られているのは，北海道の中央部を縦走する神居古潭構造体の変成岩である緑色片岩[1]と青色片岩を利用した事例である。縄文時代，続縄文時代ともに両石材の磨製石斧は北海道内のみならず，本州の北部にまで分布することが知られている[2]。

　緑色片岩製磨製石斧の未成品は，註1で述べた青虎石の産地である沙流川支流の額平川流域の平取町荷負2遺跡［平取町教委1995］，パンケヌッチミフ遺跡［平取町教委2010］，町有牧野第11牧区遺跡［平取町教委2011］で出土している。出土土器の主体は縄文時代である。またこれらの未成品はおもに剝離・敲打の工程途中の破損品である。筆者が計測し得た69点の比重値は2.7〜3.15，平均2.98であり，うち2.9〜3.1が91％を占める[3]。これらの遺跡出土の完成品は21点，未成品は185点であり，未成品率（未成品の石斧点数／すべての石斧点数）は89.8％である。

　緑色片岩製磨製石斧の未成品は，石狩川支流の夕張川流域の由仁町川端遺跡からも出土している［由仁町教育委員会1996］。出土土器の主体は縄文時代晩期中葉から恵山式である。未成品はおもに剝離・敲打の工程途中の破損品である。筆者が計測し得た21点の比重値は2.87〜3.07，平均2.95であり，うち2.9〜3.1が87％を占める[4]。未成品率は81％である。報告書記載点数から算出した未成品率は88％である。

　額平川流域と川端遺跡の緑色片岩の肉眼での正確な弁別は筆者には困難であり，比重値による弁別も不可能であるため，額平川流域の9点，川端遺跡の10点について蛍光X線分析を実施した[5]。

　すべての資料に含まれていた元素はSi，Ca，Feであり，Al，Ti，Mnも多くの資料に含まれていた。この6元素について2元素ごとの含有率の分布図を作成して検討した。両資料を明確に区分できる分布差は確認できなかったが，Si‐Ca（図1），Si‐Fe，Si‐Ti，Si‐Mn，Fe‐Ca，Fe‐Tiにおいて，重複域はあるものの，両者は異なる分布の傾向を示していた。分析点数が少ないものの，一定程度の区分は可能であると考えられる。

　青色片岩製磨製石斧の未成品は，深川市納内3遺跡で出土している［北海道埋文1989］。出土土器の主体は縄文時代前期から中期である。未成品

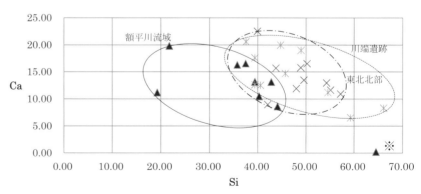

▲ 額平川流域　× 東北北部　※ 川端遺跡

**図1　額平川流域・川端遺跡・東北北部資料のSi-Ca元素分布図**
（註5文献の図を一部改変転載）

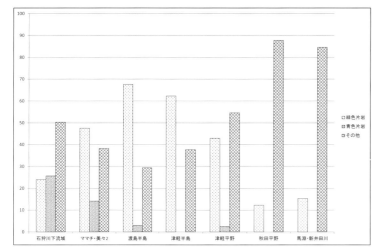

図2　大洞 $C_2$ 式期（同並行期）から弥生時代前期（同並行期）の石材別比率（註4文献の図を一部改変転載）

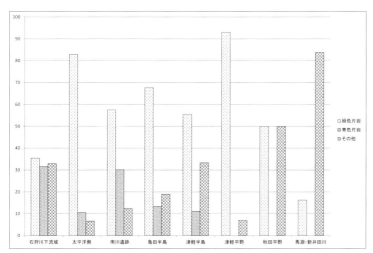

図3　弥生時代中期（同並行期）の石材別比率
（註4文献の図を一部改変転載）

以上は続縄文時代を主体とした事例ではないが，詳細不明な当該期の磨製石斧製作の様相を推測するうえで参考となる。

図2には，大洞 $C_2$ 式期（同並行期）から弥生時代前期（同並行期）の北海道道央部から東北北部の磨製石斧の石材別比率を示した。図3は，弥生時代中期（同並行期）の石材別比率である。石斧の時期の推定は困難な事例も多いため，すべての地域の検討は難しく，またママチ（千歳市ママチ遺跡）・美々2（千歳市美々2遺跡）・南川遺跡（せたな町南川遺跡）は地域名ではなく，遺跡名である。図2では北海道太平洋側のグラフを，資料不足から提示できなかったが，図3を参照すれば，緑色片岩の比率の高い状況であった蓋然性が高い。

青色片岩と緑色片岩の比率では，図2の石狩川下流域を除き，緑色片岩の比率が高い。この時期の広域流通品の中心は緑色片岩製磨製石斧である。両石材とも比重が重いので磨製石斧に適してはいるものの，緑色片岩は適度な硬さと粘りをもつが，青色片岩は硬いものの粘りに乏しいという特徴[8]があり，それが影響しているのであろう。

図2は原産地や製作地からの距離に応じて流通品の比率が減少するという傾向が確認される。ところが図3では，津軽平野の緑色片岩製磨製石斧の比率が北海道のいずれの地域・遺跡よりも高率となる。前述のように優れた石材である緑色片岩製磨製石斧を，北海道の人たちよりも多く，また前代よりも2倍以上の比率で入手することができるようになったのは，津軽平野から北海道への極

はおもに剥離・敲打工程途中の破損品である。筆者が計測し得た58点の比重値は2.87～3.19，平均3.07であり，うち3～3.2が85％を占める[6]。報告書記載点数から算出した未成品率は83％である。

以上の遺跡における未成品率はいずれも80％以上であり，完成品の多くは搬出されたと考えられる。本州・九州の弥生時代の事例であるが，広域流通が確認される磨製石斧の製作遺跡では，いずれも未成品率は80％を超過している[7]。緑色・青色片岩製磨製石斧のこれらの遺跡での製作が，流通を主たる目的としていたことは間違いない。

めて重要な対価が準備できたためであろう。それは北陸以西との交易品であった蓋然性が高く，その一つは後述する鉄器であったと考えられる。

なお東北北部出土の大洞C2式期から弥生時代中期の緑色片岩製磨製石斧10点について，蛍光X線分析を実施した。すべての分布図において，これらの資料は，川端遺跡例と類似した分布を示した（Si－Caの分布図のみ図1に示す）。夕張川流域産の石材を用いた石斧が含まれている蓋然性は高い。

## 2 鉄器について

北海道での鉄器の初現例は苫小牧市タプコプ遺跡［苫小牧市教委1984］資料である（図4）。多副葬墓の坑口部の副葬品として緑色片岩の原石の下部から出土した。時期は弥生時代中期中葉並行の恵山Ib1式期である[9]。註9のX線撮影報告では鋳造品としたが，村上恭通氏から，このデータで鋳造か鍛造かを判断することは難しいとのご教示を得たので，現在はそれに従っている[10]。

後続する弥生時代中期後葉並行の恵山Ib2式期の鉄器は，石狩市紅葉山33号遺跡［石狩町教委1984］の多副葬墓の坑底部から出土している。

また鉄器加工の蓋然性が高い骨角器としては，伊達市有珠オヤコツ遺跡の多副葬墓の坑底部出土の鹿角製釣り針が知られている[11]。伴出土器は時期の確定が難しいが，弥生時代中期中葉並行期以前と推定される。この資料は鳥取県青谷上寺地遺跡出土骨角器との比較でも，鉄器加工の蓋然性が高いと考えられている[12]。

北海道の弥生時代中期中葉並行期には鉄器が存在し，木器などと比較すれば堅牢な骨角器製作の利器として使用されていた蓋然性は高い。

石川県小松市八日市地方遺跡は，弥生時代中期中葉以前の鉄器および鉄関連資料が出土した遺跡として知られるが，この遺跡からは東北北部からの搬入品の可能性が高い，三面石斧が2点出土している。そのうちの1点は中期前葉から中葉の時期である[13]。東北北部のこの時期に鉄器の存在は確認されないが，中期中葉を主体とする津軽平野

の田舎館村垂柳遺跡からはイモガイ製貝輪の凝灰岩製模倣品が出土している[14]。イモガイ製貝輪そのものは伊達市有珠モシリ遺跡の土坑墓から出土しており［伊達市教委2003］，同型式の貝輪は長崎県佐世保市宮の本遺跡の石棺墓から出土している［佐世保市教委1981］。石棺墓出土人骨の炭素年代測定結果は，弥生時代中期中葉前後である[15]。模倣品が存在するのであるから，この時期の津軽平野にはイモガイ製貝輪そのものが存在していた蓋然性は高い。三面石斧の動向を考慮すれば，イモガイ製貝輪は北陸西部を経由地として九州北部方面から，もたらされたと考えられる。海上交通を利用した九州北部・北陸西部・津軽平野の流通経路の延長には，緑色片岩の流通で前述したように北海道が繋がっている。鉄器も同様であろう。

タプコプ遺跡出土鉄器は，X線撮影の結果，長辺6cm程度，短辺2cm程度，厚さ0.5cm程度で，短辺の片方は刃部状を呈することが明らかになった。紅葉山33号遺跡例の詳細は不明であるが，別々の多副葬墓の坑底部から出土した2点の鉄器はいずれも長辺2.5〜3.5cm程度，短辺1〜2cm程度であろう。

弥生時代の鉄器は，脱炭処理した鋳造品と低炭素鋼（軟鋼）による鍛造品の二種の存在が想定されている[16]。そこでこの二種の素材によって，タプコプ遺跡出土例と同様の鉄器（以下，鉄器A）と，紅葉山33号遺跡例を意識した長辺3cm，短辺1cm，厚さ0.5cmで刃部を有する鉄器（鉄器B）を製作し，鹿角の加工実験を実施した[17]。比較のために，弥生時代中期の伊勢湾周辺に分布するハイアロクラスタイト製扁平片刃石斧[18]も鉄器A・Bと類似した法量で製作した（石器A・B）。

**図4 タプコプ遺跡出土鉄器のX線写真**
（註9文献の図を一部改変転載）

両鉄器・石器ともチョウナおよびノミとしての使用を想定し、チョウナはツバキ製、ノミはカシ製の柄を製作した。ノミは叩きノミ・突きノミの二用途を想定したものである。鉄器A・石斧Aはチョウナとノミの双方、鉄器B・石器BはノミとしてAして使用した。

チョウナ・叩きノミ（叩き具は木槌）としての使用では、切れ味は鉄器が優れているが、同じ動作による実験で石器の損傷はほとんど認められなかったのに対し、鉄器は損傷が大きく、破損した事例もあった。鉄器の重量が軽いことや、鋳造品は硬いが靭性が乏しいために欠損しやすいので、脱炭処理済みとはいえ、その性質が反映している可能性もある。低炭素鋼は靭性が高いものの、柔らかい素材であるため損傷しやすい。鉄器の方が効率的であるとはいえない事例であろうか。

一方、ケズリ動作の突きノミの実験では、切れ味は鉄器が優れ、損傷も鉄器・石器ともに認められなかった。鉄器の希少性を考慮すれば、これらの鉄器の当時の使用方法としては、突きノミ的な使用を想定するのが、妥当であろう。

謝辞　本研究はJSPS科研費JP20K01072の助成を受けたものである。

**註**

1) 合地信生氏の研究（合地信生「三内丸山遺跡出土石斧の産地と流通について」『特別史跡三内丸山遺跡年報』9、2006）にならい、緑色片岩の名称を用いる。またこの石材を現在の俗称の青虎石（アオトラ石）と呼称する事例もあるが、俗称を学術論文で使用することは適切とはいえない。

2) 前掲註1（合地2006）ほか

3) 佐藤由紀男「北海道・道南地域における縄文時代晩期後半から続縄文時代前半の磨製石斧の様相」『弥生研究の群像』大和弥生文化の会、2013

4) 佐藤由紀男「磨製石斧の流通からみた紀元前一千年紀の北海道・東北北部」『北方島文化研究』12、2016

5) 佐藤由紀男・平原英俊ほか「北海道・東北北部出土の緑色片岩・青色片岩製磨製石斧の蛍光X線分析」『秋田考古学』60、2016。なお図1の※印は、肉眼では緑色片岩と判断されたが、比重値2.7と極端に低い額平川流域の資料である。その要因を探るために分析資料に含めた。

6) 前掲註3に同じ

7) 佐藤由紀男「石材の比重からみた弥生系磨製石斧の生産・流通」『岩手大学文化論叢』9、2017

8) 前掲註1（合地2006）に同じ

9) 佐藤由紀男・赤沼英男ほか「苫小牧市タプコプ遺跡30号墳墓出土鉄製品のX線撮影報告」『苫小牧市美術博物館紀要』4、2018

10) 佐藤由紀男「東北北部・北海道への鉄器流通と広域交流」『考古学ジャーナル』766、2022

11) 福井淳一「続縄文文化における骨角器の動態」『北海道考古学』46、2010

12) 河合章行「骨角器に見られる金属器による加工痕」『瀬戸内海考古学研究会第9回公開大会予稿集』2019

13) 佐藤由紀男・宮田　明「石川県小松市八日市地方遺跡出土の層灰岩製片刃石斧と三面石斧をめぐって」『考古学研究』65―3、2018

14) 高瀬克範「東北北部の初期弥生文化」『縄文岩手10000年のたび』大阪府立弥生文化博物館、2014年

15) 青野友哉「東北日本の玉類の流通」『考古学ジャーナル』739、2020

16) 村上恭通「鉄器化した弥生社会の実現とその背景」『瀬戸内海考古学研究会第7回公開大会予稿集』2017年・村上恭通「今回の実験で使用する鉄斧の調達について」『瀬戸内海考古学研究会第9回公開大会予稿集』、2019

17) 2022年11月26日にあいち朝日遺跡ミュージアムにて実施した。参加者は河合章行、川添和暁、佐藤祐輔、佐藤由紀男、鶴来航介、那須川善男、林大智、原田幹、福井淳一、村上恭通である。なお本論での記述は参加者の統一見解ではなく、筆者の見解にすぎない。

18) この石材は比重値2.82～3.03、平均2.93（前掲註7に同じ）で、適度な硬さと粘りをもつ。性質は北海道の緑色片岩と類似する。

＊　［　］で本文中に示した報告書の記載は割愛した。

# 骨角器研究の進展

■ 高橋　健
■ TAKAHASHI Ken

## 1　北海道の骨角器の特徴

「骨角器」とは，骨・角のほかに，歯牙や貝殻など動物の体の硬質の部分を素材として作られた道具を指す。素材としての骨角は，A.硬さと強靭さを兼ね備えていること，B.ある程度容易に入手できること，C.大きさや形に制約があること，D.独特の光沢や質感をもつこと，などの特徴をもつ。これらの特徴のうち，Aを生かして銛頭や釣針のように鋭さと複雑さを合わせ持つ道具を作ることが可能となる。Bは骨角素材の多くについて当てはまるもので，日常的な生業活動に伴なって手に入り，広い範囲で同様の素材が入手可能である。もちろん捕獲に危険が伴なう場合や種の分布範囲を超える場合は入手困難となり，素材自体が価値を生む場合もある。Cの制約のために素材の形が生かされることが多く，製品の形や大きさにも影響する。とくに機能性との関連で「他人の空似」が生じるケースには注意が必要である。Dを生かして，腕輪や垂飾などの装身具や擬餌針などの素材として利用される。

1980年代に骨角器全般についての金子浩昌・忍澤成視による全国的な集成研究はあったが[1]，従来の骨角器研究の多くは特定の器種に対象を限定したものだった。2014年の日本考古学協会伊達大会において，北海道の貝塚を特徴づける資料として，西本豊弘らが縄文時代から近代までの約三千点の骨角器を集成して解説した[2]。また2017年には福井淳一が悉皆的に資料を集成し，その変遷を示している[3]。本稿ではこれらの成果を参照して，北海道の骨角器の特徴を述べてみたい。

北海道の骨角器の特徴としては，第一に出土数が多いこと，第二に狩猟漁労具が発達すること，第三に近代まで骨角製の狩猟漁労具が作られ続けること，第四に鹿角と並んで海獣骨が素材として多用されること，第五に動物の彫刻が多く作られること，第六に装身具として貝玉が発達することが挙げられる。

### （1）出土数の多さ

福井の集成によれば，北海道でこれまでに出土した骨角器の総数は約56,000点に達するという。うち貝玉が半数以上を占めているが，これを除いても27,000点である。全国的に同様の集計がなされているわけではないため厳密な比較は難しいが，北海道で非常に多くの骨角器が出土していることは間違いない。

出土数がもっとも多いのは縄文後期であるが，これは期間の長さを反映しているため，1000年当たりに換算して比較してみよう（図1）。骨角器は縄文早期に出現するが極めて少なく，前期に増加する。中期に減少するが後期に急増し，晩期に

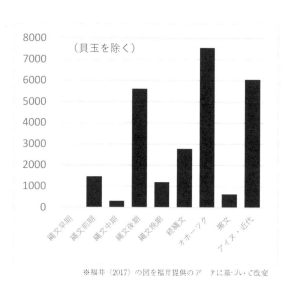

※福井（2017）の図を福井提供のデータに基づいて改変

図1　時期ごとの骨角器出土数（1000年あたり）

は再び減少する。続縄文文化期は前半に限定すれば縄文後期に匹敵するだろう。もっとも多いのはオホーツク文化期で，分布域が限定されていることを考えれば圧倒的である。アイヌ文化期・近代がこれに次ぐが，擦文文化期の資料は非常に少ない。こうした骨角器の増減は，基本的には貝塚遺跡の消長と対応していると考えられる。

### （2）狩猟漁労具の発達

水域での狩猟漁労においては獲物を回収するために「引っかける」ことが重要であり，カエシをつけたり湾曲した鈎形にするなどの工夫がされる。硬さと強靭さ，加工のしやすさを兼ね備えた骨角はこうした道具を作るのに適していた。北海道では骨角製の銛頭や釣針などの出土数が多く，かつバラエティーに富んでいるが，これには次にみる製作期間の長さも影響している。

### （3）製作期間の長さ

一般に利器としての骨角器は，鉄器の普及とともに置き換えられていく。本州では中世以降の骨角器は装身具や擬餌針に限られるが，北海道では骨角製の利器が近代まで残る。

鉄器による骨角器の加工について，佐藤由紀男らは続縄文前半期の骨角器に金属器による加工痕を見出し，弥生中期中葉並行期にすでに北海道で鉄器使用が始まっていたことを指摘した[4]。

### （4）海獣に由来する素材の多用

海獣骨や海獣犬歯が鹿角と並んで骨角器の素材として多用される。銛頭では縄文前期から海獣骨製の例があり，釣針でも縄文中期から海獣犬歯製の釣針が日本海沿岸を中心にみられる。続縄文文化期には，大型のへらや槍などが鯨骨で作られるようになる。鉄器による大型鯨骨製品の製作はオホーツク文化ではさらに盛んになり，トコロチャシ跡遺跡では幅90cmを超える超大型の肩甲骨製品も出土している。

骨角器の素材同定は全体の形状と組織の肉眼観察によって行なわれるが，加工が進んでいる場合や小破片の場合は不明とせざるを得ないことが多い。澤田純明は福島町館崎遺跡から出土した被熱した骨角器の破断面を観察し，緻密質部分の微細構造にもとづく素材の同定の可能性を示した[5]。従来は困難だった焼けた骨角器破片の素材同定が可能になればその意義は大きい。

### （5）動物の彫刻

縄文時代には函館市戸井貝塚から後期の角偶の出土例があるが，骨角による人間・動物の表現は少ない。続縄文期になると匙などの端部に動物を彫刻する例が現れ，オホーツク文化期にはさらに発達する。オホーツク文化の動物彫刻はクマや海獣などの写実的な表現が特徴で，単独の丸彫り像や多数の浮彫をもつ指揮棒状製品もある。こうした動物意匠遺物に対しては北方民族の偶像との関連で関心がもたれてきたが，擦文・アイヌ文化期には激減する。

### （6）貝玉の発達

北海道の骨角器でもっとも多いのが貝玉である。本州の代表的な貝製アクセサリーである貝輪と比較すると，素材貝の形よりも色合いと質感を重視している点に特徴がある[6]。特定の遺跡に集中する傾向があり，縄文後期の礼文町船泊遺跡から1万5千点以上，続縄文前半期の伊達市有珠モシリ遺跡からは約1万点が出土している。全国的にも突出した多さだが，船泊遺跡の副葬例から1連を40個ずつとして「腕輪の数」に換算すると約375個分となり，本州の貝輪多量出土遺跡と同じ程度の量だといえる。続縄文後半期以降には貝製のアクセサリーは作られなくなる。

## 2　銛頭の変遷

銛頭，鏃，針，へらなどの器種は長期間にわたる資料が出土しているが，ここでは器種別の研究がもっとも進んでいる銛頭の変遷を概観してみたい。用語については筆者の基準に従い，柄への装着方法と抵抗機能によって分類する[7]。北海道の銛頭を特徴づけるのは，柄を挿入するソケットが開いていて，索溝に巻かれた銛縄が柄を固定する機能を兼ねる開窩兼用式である（図2-a）。縄文時代早期末に出現し，共通した構造の銛頭が中世アイヌ文化期まで使われ続ける（図2左列）。

縄文時代の銛頭はすべて開窩兼用式である（1・

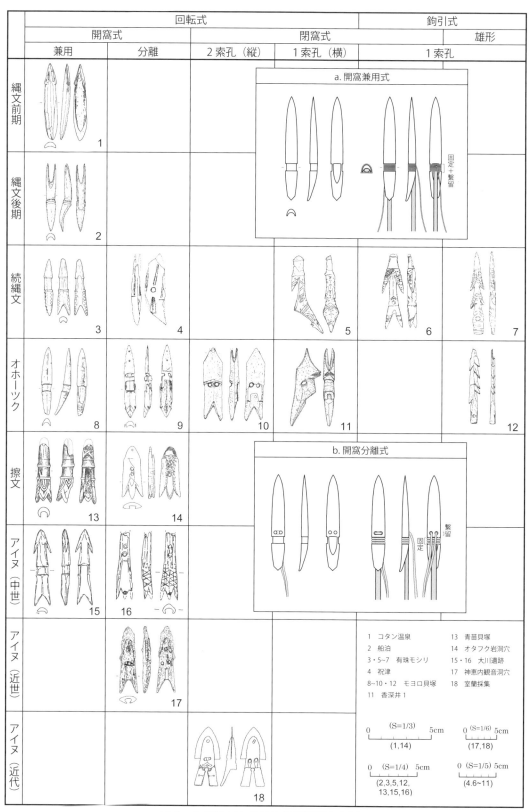

図2　北海道における骨角製銛頭の変遷

2）。鹿角製と海獣骨製があり，石鏃をはめるタイプが前期から作られる。かつては日本海沿岸に分布域が拡大する中期後半に技術的画期を見出す考えが有力だったが，最近では前期における本格的な銛猟の開始が重視される傾向がある[8]。山浦清は北海道の海獣狩猟の起源をアムール川流域の淡水魚漁に求めたが[9]，中間地域の様相が不明であり，北海道での自生の可能性[10]も考えられる。

　続縄文前半期には多様な構造の銛頭が出現するが（3〜7），このうち閉窩回転式（5）については東日本弥生文化の銛頭との関連が注目されている[11]。この時期に特徴的な閉窩鉤引式（6）については，西日本弥生文化に系譜を求める説もあるが[12]，閉窩回転式と在地の銛頭の接触による北海道独自の発生を考える見解が有力である[13]。こうした系統論的なアプローチとは異なる角度から，装飾性の高さや副葬されるという特徴を資源利用や狩猟漁撈活動のもつ社会的意義の変化と結びつける解釈も示されている[14]。

　続縄文後半期の銛頭は開窩兼用式を主とする単調な組成に戻るが，オホーツク文化では多様なタイプが作られる（8〜12）。前田潮はおもにサハリンの資料に関わる部分で自身の分類の修正案を提示した[15]。閉窩回転式・雄形鉤引式の系譜をともに続縄文文化に求めているが，とくに前者については金属器での加工による形態変化を指摘している。オホーツク文化後期になると，開窩式に索孔を導入して繋留機能が分離した開窩分離式が現われる（図2-b）。

　擦文文化の銛頭は開窩兼用式（13）が主であるが，晩期には道東部で開窩分離式（14）が出現し，アイヌ文化期には全道に広がって閉窩式に変化する（15〜18）。索孔の導入はオホーツク文化からの影響だと考えられるが，そのプロセスには不明瞭な部分が残る。前田はサハリン南部での接触を想定するが[16]，山浦は千島を含む広域での人の動きがあったと考え[17]，索孔をもつ銛頭が拡散する時期を「プロト＝アイヌ期」と捉えている。

　こうした銛頭の形態の変化はしばしば獲物の変化と結び付けて解釈されてきたが，特定のタイプの銛頭と特定の獲物が厳密な一対一の対応を示すわけではない[18]。福井は，北海道の海獣・大型魚の組成には時期差よりも地域差が大きいことを指摘した上で，銛頭と獲物との対応関係を推測している[19]。

## 註

1) 金子浩昌・忍澤成視『骨角器の研究』Ⅰ・Ⅱ，慶友社，1986

2) 西本豊弘・新美倫子・大谷茂之「北海道の骨角貝製品」日本考古学協会2014年度伊達大会研究発表資料集，2014

3) 福井淳一「北海道出土骨角器の変遷」『北海道考古学』53，2017

4) 佐藤由紀男「東北北部・北海道への鉄器流通と広域交流」『考古学ジャーナル』766, 2022

5) 澤田純明「館崎遺跡出土焼成骨角器の非破壊的組織形態観察に基づく素材同定（序報）」『福島町館崎遺跡』2017

6) 忍澤成視『貝の考古学』同成社，2011

7) 高橋　健『日本列島における銛猟の考古学的研究』北海道出版企画センター，2008

8) 新美倫子「縄文時代の北海道における海獣狩猟の再検討」『動物考古学』30，2013。高瀬克範『続縄文文化の資源利用』吉川弘文館，2021

9) 山浦　清「北太平洋沿岸における海獣猟の展開」『国立民族学博物館調査報告』132，2015

10) 前掲註8に同じ

11) 設楽博己「側面索孔回転式銛頭考」『海と考古学』六一書房，2005

12) 山浦　清「漁撈具から見た弥生文化と恵山文化」『物質文化』66, 1999

13) 前掲註7に同じ。小杉　康「続縄文前半期における礼文華遺跡の銛頭」『北海道考古学』52，2016。発生過程については意見が分かれる。

14) 前掲註8（高瀬2021）に同じ

15) 前田　潮『オホーツクの考古学』同成社，2002

16) 前掲註15に同じ

17) 山浦　清「プロト＝アイヌ期以降における銛頭の変遷とその背景」『北海道考古学』44，2008

18) 前掲註2に同じ

19) 福井淳一「釧路周辺の銛頭と海獣猟の変遷」海洋考古学研究会第5回研究会，2014

# 玉類の化学分析
## ― ガラス製玉類の流通について ―

■ 髙橋美鈴
■ TAKAHASHI Misuzu

### はじめに

　北海道におけるガラス玉の流通は，続縄文文化期から始まる。擦文時代では装飾品の出土が極端に減少するが，アイヌ文化期になると大量のガラス小玉の北海道内に持ち込まれ，タマサイやニンカリなどのアイヌ民族の文化を代表する装身具に用いられることとなる。

　このように，ガラス玉は時代の流れに伴ない材質や流通量の変化が見られ，社会情勢に併せて製作地および流通経路も複雑に変化していたことが推定される。つまりガラス玉は時代の装いの変化を表すだけではなく，その時代の流通ネットワークを示す重要な資料となりうる。

　近年では，ガラス玉の自然科学分析の手法を用いた材質分析のデータが蓄積され，新たな知見も得られている。本稿では，北海道におけるガラス玉の分析における動向と課題を踏まえたうえで，近年のガラス玉の分析事例を基にガラス玉の流通について述べることとしたい。

### 1　ガラス玉分析の研究動向と課題

#### （1）続縄文文化期

　各時期ごとの北海道における先行研究について整理していきたい。

　まずは，続縄文文化期であるが，同時期となる弥生時代・古墳時代のガラス小玉の分析は長年に亘り盛んにおこなわれており，本州におけるガラス製品の流通経路や産地（製作地）が明らかになっている[1・2]。

　このことから，筆者[3]は，肥塚隆保・田村朋美・大賀克彦によるガラス玉分析値の分類[1]を軸に，続縄文文化期のガラス玉の分類をおこない，続縄文期の材質変遷を本州の基礎ガラス材質と比較し，大きな相違はみられないとしている。また，本州首長墓に埋葬されることが多い黄色や黄緑色のガラス小玉が北海道では見られないことからも，続縄文文化への流入経路は本州由来と推定している。

　また，今井藍子ら[4]は，道央地方の続縄文文化期のガラス玉を対象に，可搬型蛍光X線分析装置を用いた化学組成の非破壊測定による分析を行ない，カリガラス，ソーダ石灰ガラス，アルミナソーダ石灰ガラスの3タイプを確認し，北海道内のガラス流通の地域差を指摘している。

　近年，北海道の発掘調査報告書においても出土ガラス玉の分析報告が積極的に行なわれるなど，ガラス玉分析が一般化し，事例が蓄積されてきている。一方で，当該時期の基礎ガラス材質の分類の細分化が進み，分析者によって分類が異なるなど比較検討が難しいケースもあり，課題となっている。

#### （2）擦文時代～アイヌ文化期

　当該期のガラス玉の特徴として，製作技法および材質的特徴がそれまでに流通していたガラス玉とは異なることが判明している[5]。

　擦文時代末期に位置づけられる根室市穂香堅穴群出土のガラス玉は，加藤晃一ら[6]による材質分析と鉛同位体比分析の報告があり，少なくとも「鉛－ケイ酸塩」ガラスと「石灰－鉛－ケイ酸塩」ガラスが存在し，いずれも朝鮮半島産ガラスを含む複数の大陸産ガラスを混合した再溶融ガラスと推定している。新井沙季ら[7]は，可搬型蛍光X線分析装置による化学組成の非破壊測定によりカリ鉛ガラスとカリ石灰ガラスが存在することを明らかにし，北海道やロシア沿海州出土資料との比較検討からロシア沿海地方との関連を指摘して

いる。いずれの先行研究も，穂香竪穴群出土のガラス玉には複数の種類が存在し，どの種類も起源（または原料産地）は日本列島外にあると想定している点で共通している。

アイヌ文化期の分析事例として，中村和之ら[8]は，北海道平取町内の樽前b火山灰層（降灰年1667年）を挟んだ上下の層から出土したガラス玉の分析を行ない，「鉛ガラス」が1667年以前のアイヌ文化期に存在している点に言及し，この時期がアムール河下流域に元朝・明朝の影響力が及んだ時期と津軽安藤氏などの北奥の勢力の影響が北海道に及んだ時期とも重なることから，鉛ガラスの流通経路として本州の可能性を指摘している。

斎藤亜三子[9]は，アイヌ文化期の伝世品を主としたガラス玉の組成分析および鉛同位体比分析をおこない，$Na_2O$の含有率の少ない乳濁青色のK-Pb-Si系ガラスについては日本産の可能性を，Naの含有率の高い[Na，K]-Si-Pb系の透明青玉については鉛同位体比が日本の神岡鉱山と類似する点を指摘しつつ，大陸資料との比較が必要であるとの見解を示している。

文献史料の分野においては，近世のアイヌ民族が山丹交易によって「青玉」を入手していたとし，北方ルートによってもたらされたことを指摘している[10-12]。とくに，長澤政之[13]は，文化9（1812）年に幕府が白主会所を置き，交易へのアイヌ民族の関与を排除したことで，アイヌ民族への青玉の流通が激減したと推測している。

また関根達人[14]は，18世紀以降，ガラス玉の大型化が進み，色調についてもタマサイ＝青玉という図式が16・17世紀に確立し，18世紀末から19世紀にかけて，再びガラス玉が多彩になったとする。さらに15世紀以前の小型のトンボ玉については，大陸でつくられたものがサハリン経由で持ち込まれたと指摘している。

一方，当該時期における本州以南のガラス玉の状況であるが，10世紀後半に中国からまったく新しいタイプの「カリ鉛ガラス」が流入し，生産技術自体も受容することで，11世紀後半以降，カリ鉛ガラスを中心としたガラスの生産と流通が興隆する。本州におけるガラス玉の流通は，平泉中尊寺金色堂や奥州藤原三代の棺内からも出土しており，分析報告からカリ鉛ガラス（または鉛系のガラス）であることが明らかとなっている[15-17]。

このように，平泉文化との関連からみても本州から北海道にガラス玉が流入した可能性も十分に想定され，周辺地域との交流を明らかにするためにも具体的な産地と流入経路の解明とガラス玉の形態および基礎ガラス材質を結びつけることが重要な課題となる。

## 2　基礎ガラス材質の特徴および変遷

近年の自然科学的分析の成果による北海道における基礎ガラス材質の変遷及び流通について，高橋および田村らの報告[18-20]を基に考察を行なう。

**続縄文文化期**　北海道におけるガラス玉の出現期である後北B式期，$C^1$式期にかけては，淡青色のカリガラスが主となり，後北$C^2$D式期〜北大I式期になるとカリガラスに加え，高アルミナソーダ石灰ガラスが流通し，さらに日本列島では古墳時代中期中頃に流通する植物灰を融剤に用いた植物灰タイプの低アルミナソーダ石灰ガラスも北海道内で見られるようになる[18]。

このような続縄文文化期における基礎ガラス材質の変遷については，本州以南における変遷を追随する形となっていることや，古墳時代中期から多く日本列島に流入する黄色や黄緑色のガラス玉が北海道では出土しないことから，本州から特定のガラス玉のみが北海道にもたらされた可能性が考えられる。

**オホーツク文化期**　続縄文文化期後葉から擦文文化期の初頭はガラス玉の流通が極端に減少し，一部のオホーツク文化の遺跡から出土するに留まる。

オホーツク文化出土ガラス玉で特異な事例として目梨泊遺跡出土のものが挙げられる。

目梨泊遺跡出土のガラス玉には，片側端面の開孔部周辺から孔内壁にかけて皺状に凹凸する特殊な二次的加工痕のみられるものが報告されている[21]。国内での類例はほかになく，目梨泊遺跡のみで確認されているが，筆者らの調査ではサハリ

ンや沿海州での出土を確認しており[22]，大陸から
の流入経路が想定できる。

**擦文文化期・アイヌ文化期**　擦文文化期および
中世アイヌ文化期の分析事例として，根室市穂香
竪穴群，厚真町上幌内２遺跡（図１），オニキシベ
２遺跡が挙げられる。調査結果ではおもにカリ鉛
ガラスとカリ石灰ガラスの流通が認められたが，
これらにわずかに先行してカリ鉛ガラスの流入が
みられ，カリ鉛ガラスは対馬産の鉛鉱石が原料と
して利用されていることが明らかになっている。

　このことから，穂香竪穴群など先行研究で日本
列島外に起源の所在を置いていた擦文文化期およ
び中世アイヌ文化期におけるカリ鉛ガラスについ
ては，本州ルートの可能性が高くなり，平泉文化
との関係も示唆される。

　その後，後続するカリ石灰ガラスが主体とな
り，カリ鉛ガラスの割合は急速に減少する。この
時流通したカリ石灰ガラスに含まれる鉛の同位体
比は日本列島の鉛鉱石とは異なる値を示し，類似
の鉛同位体比を持つ鉱山が存在する中国大陸に，
生産地が存在する可能性が示された[19]。

　16〜17世紀初頭の大川遺跡GP-600（図２）出
土のカリ鉛ガラスは擦文時代末期〜アイヌ文化期
初頭に流通したカリ鉛ガラスと比較すると，PbO
がやや少なく，CaOをわずかに伴なう点で異な
る化学組成の特徴を持つことが判明した。

　以下，擦文時代末期〜中世アイヌ文化期初頭
のカリ鉛ガラスを材質Ⅰ（古），中世〜近世アイ
ヌ文化期のカリ鉛ガラスを材質Ⅰ（新）と呼称す
る。材質Ⅰ（古）と比較すると，材質Ⅰ（新）の
ガラス小玉は，大きさ，形状，色調の面でも特徴
が異なる。すなわち，材質Ⅰ（古）は，少量の銅
または鉄による淡青色または淡緑色透明〜半透明
で比較的大型の丸玉または雫形がほとんどであっ
たが，材質Ⅰ（新）は無色透明で小型の丸玉，ま
たは銅着色の濃青色または緑色透明の大型の蜜柑
玉からなる。

　比較の結果，材質Ⅰ（新）のカリ鉛ガラスにつ
いては，長江流域や江南地方および嶺南地方など
中国南半に類似の鉛同位体比をもつ鉱床の存在が

**図１　上幌内２遺跡出土遺物**
（厚真町教育委員会，佐藤雅彦撮影）

**図２　大川遺跡出土ガラス玉**（余市水産博物館提供）

示唆されている。しかし，色調や形態と相関はな
く，分散的にプロットされることから，異なる鉛原
料が混合された可能性または異なる鉛原料で作られ
たガラスが混合された可能性も想定する必要がある
が中国大陸でも南方地域との関係が想定される[20]。

**まとめ**

　近年の鉛同位体比分析により明らかになった北
海道における基礎ガラス材質の変遷とガラス玉の
流入経路は次のとおりである。

　続縄文文化の後北Ｂ式期に本州から淡青色カ
リガラスを材質とするガラス玉の流入が開始さ
れ，北大Ⅰ式期頃には高アルミナソーダ石灰ガラ
スも加わり，色調を選択したガラス玉の流入が推
測される様になる。

　オホーツク文化では製作技術からサハリンや沿
海州など北方からの流入が考えられる。

擦文時代，中世アイヌ文化期では国内産の鉛を用いたカリ鉛ガラスが北海道に流入し，その後，中国に由来する可能性が高いカリ石灰ガラスに置き換わる。その後，余市町大川遺跡の事例のような，中世とは特徴が異なるカリ鉛ガラスが流通し，材質の変化に合わせて交易ルートにも変化が生じた可能性が考えられる。

このように流通経路と基礎ガラス材質の関係性が明らかになりつつあるものの，ガラス玉製作地と北海道を結ぶ交易の中継地点については，依然として不明な点も多く，今後の課題となる。また，伝世品では後世の繋ぎ直しなども行なわれている可能性も考えられる。

しかし，近年様々な研究手法によるアプローチが行なわれており，ガラス玉の分析報告の蓄積とともに今後の調査研究の発展が期待される。

## 註

1) 肥塚隆保・田村朋美・大賀克彦「材質とその歴史的変遷」『月刊文化財』11，第一法規，2011，pp.13-25

2) Katsuhiko Oga, Tomomi Tamura, 2013. Ancient Japan and the Indian Ocean Interaction Sphere : Chemical Compositions, chronologies, Provenances and Trade Routes of Imported Glass Beads in Yayoi-Kofun Period (3rd Century BCE-7th Century CE), *Journal on Indian Ocean Archaeology*, (9), pp.35-65.

3) 髙橋美鈴「続縄文時代におけるガラス小玉の材質的特徴と変遷」『北海道考古学』第51輯，2015，pp.37-56

4) 今井藍子・柳瀬和也・馬場慎介・中井　泉・中村和之・小川康和・越田健一郎「北海道道央地方で出土した続縄文時代ガラスビーズの考古化学的研究」『X線分析の進歩』48，2017，pp.235-248

5) 髙橋美鈴「北海道内におけるガラス玉の変遷」『考古学ジャーナル』20—3，2020，pp.9-12

6) 加藤晃一・干谷洋平・齋藤健・小笠原正明「擦文遺跡から出土したガラス玉の分析」『考古学と自然科学』53，2006，pp.23-35

7) 新井沙季・中井　泉・中村和之・猪熊樹人「北海道根室市穂香竪穴群・コタンケシ遺跡出土のガラス玉化学組成分析」『根室市歴史と自然の資料館紀要』31，2019，pp.27-35

8) 中村和之・森岡健治・竹内　孝「北海道におけるガラス玉の流入とその背景：北海道平取町から出土した資料を中心に」『北海道大学総合博物館研究報』6，2013，pp.58-65

9) 斎藤亜三子『アイヌ民族のガラス玉に関する考古化学的研究』財団法人アイヌ民族博物館，2003

10) 大塚和義「北太平洋の先住民交易とその歴史的意義」『北太平洋の先住民交易と工芸』思文閣出版，2003，pp.5-16

11) 菊地俊彦「アイヌ民族と北方交易」『北方史の新視座』雄山閣出版，1994，pp97-113

12) 越田賢一郎「ガラスの道」『北東アジアの歴史と文化』北海道大学出版会，2010，pp.431-453

13) 長澤政之「藤野家文書『覚』に見る軽物の流通に関する一考察」『北方島文化研究会』2011，pp.33-38

14) 関根達人「出土資料からみたアイヌ文化の特色」『新しいアイヌ史の構築：先史編・古代編・中世編』「新しいアイヌ史の構築」プロジェクト報告書，2012，pp.168-181

15) 朝比奈貞一・會田軍太夫・小田幸子「中尊寺ガラスの研究と日本の古代ガラスについて」『古文化財の科学』5，1953，pp.1-6

16) 中村和之「中尊寺に残されたガラス玉の非破壊的分析と考察」『平泉文化研究年報』11，2011，pp.67-78

17) 越田賢一郎「12世紀前後における奥州藤原氏と北海道の関係について」『平泉文化研究年報』12，2012，pp.53-63

18) 髙橋美鈴「北海道出土のガラス小玉について—製作技法および基礎ガラス材質の変遷—」『北方島文化研究会』pp.27-35

19) 田村朋美・髙橋美鈴「擦文末期～アイヌ文化期初期におけるガラス玉の起源と流入経路」『北海道考古学』56，2020，pp.1-20

20) 田村朋美・髙橋美鈴「アイヌ文化期の遺跡出土ガラス玉の材質的特徴と時期変遷」『北海道考古学』58，2022，pp.45-66

21) 田村朋美・大賀克彦「目梨泊遺跡出土ガラス小玉の考古科学的検討」『枝幸研究』6，2015，pp.19-33

22) 髙橋美鈴・田村朋美「ロシア沿海地方と北海道内遺跡出土ガラス玉の制作技法および材質的変遷」『日本文化財科学会第33回大会要旨集』2016，p.194-195

# オホーツク文化の集落と社会

▪ 熊木俊朗
▪ KUMAKI toshiaki

## 1 集落と社会を読み解く視点

### (1) 時空間的な変化に対する理解

　オホーツク文化は，前期[1]に道北部の狭い範囲で成立した後，中期で広域に拡散し，後期には地域差が拡大するというように，成立から展開，変容に至る過程で短期間に激しい動きをみせる。そのため，これまでのオホーツク文化の研究では時空間的な変化の問題が多く取り上げられ，集落・生業・儀礼などの諸要素について時期差と地域差が明らかにされてきた。例えば，集落と社会組織に関しては，道北部と道東部の生態環境の差を背景とする適応戦略の違いに目を向けることが，分析の重要な鍵と指摘された[2]。また，遺跡数[3]や住居跡[4]，骨塚からみた動物儀礼[5]に関しては，いずれもオホーツク文化後期の道東部において増大，または発達・複雑化することが示されてきた。単純化を恐れずに言えば，前期・中期の道北部で形成され確立した文化の内容が，後期の道東部でさらに発展し，終末期には縮小の方向へと変容するという理解が，おおむね共有されてきたとみてよいだろう。

### (2) 「特定の遺跡への集中」という視点

　このような時空間的変化の傾向は，近年の研究でも追認されているものの，段階論的なとらえ方のみでは把握しきれない事例や研究成果が提示されていることに，ここでは注目したい。一つは 2009 年に報告された網走市モヨロ貝塚の発掘成果である。発掘された住居跡の一つ，9 号竪穴は中期に属するが，長軸は 12.2 m と大型で，入れ子状に縮小しながら 2 回建て替えられていた。住居内の骨塚も奥壁部のクマ頭骨に加えて，側壁部や開口部にも海獣骨やクマ四肢骨などからなる骨塚が併存していた。これらの特徴は従来，後期

の道東部で出現するとされてきたものだが，モヨロ貝塚では中期から存在していたことが明らかになったのである。また，遺跡内では 129 基の墓が新たに検出されたが，これも後述するモヨロ貝塚の特異性を，より強く印象づけるものであった。

　段階論的な理解と異なるもう一つの論は，「特定遺跡への集中」という事象に注目した高畠孝宗の研究である[6]。高畠は，道内で出土した墓と本州系・大陸系の威信材（鉄製武具・青銅製装飾・玉類など）の分布を検討するなかで，墓と威信材がともに特定の遺跡，具体的にはモヨロ貝塚と枝幸町目梨泊遺跡に集中することを指摘し，両者を交易拠点と評価した。その上で高畠は，中期のモヨロ貝塚への一極集中から，後期の目梨泊遺跡を中心とする複数遺跡への分散へ，という流れも示しているのだが，ここでは「特定の遺跡への集中」という事象そのものにまずは注目したい。この視点をもとに道内のオホーツク文化をみると，墓や威信材以外にも集中が認められる要素を挙げることができる。二点について具体的にみてみよう[7]。

## 2 墓と威信材以外の集中要素

### (1) 住居の建て替え

　集中要素の一つは，住居の建て替えである。オホーツク文化の竪穴住居跡では，壁を入れ子状に縮小したり，古い床面の上層に床面を再度設けたりするかたちで，同一地点で住居を建て替えて住み続ける行為がしばしばみられる（図1）。一方で，そのような建て替えが認められない住居跡も多いが，それは時期差や地域差というよりも，遺跡ごとの違いとしてとらえられる。すなわち，遺跡内の大半の住居跡が建て替えられている遺跡と，建て替えがある住居跡と無い住居跡が混在す

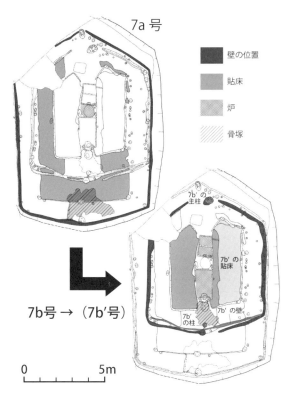

## 7a 号

凡例：
- 壁の位置
- 貼床
- 炉
- 骨塚

7b号 → （7b'号）

7b' の主柱

7b' の貼床

7b' の柱　　7b' の壁

0　　　　5m

図1　「入れ子状縮小」の建て替え例
（トコロチャシ跡遺跡7号竪穴）

7a号を奥壁の骨塚を避けるかたちで縮小し，7b号へと建て替えている。その後，さらに奥壁と貼床の一部を7b'号の位置に改変している。

る遺跡がみられる[8]。前者の遺跡（礼文町香深井1，目梨泊，北見市トコロチャシ跡，モヨロ貝塚，斜里町ウトロ，根室市弁天島）は少数であり，建て替えは特定の遺跡に集中する傾向がある。

　建て替えが集中する遺跡は，全体の規模が大きく，継続期間も長いものが多い。ただし，北見市栄浦第二遺跡のように，遺跡の規模が大きくても建て替えがない住居跡を含む例がある。そのことからすると，建て替えは居住の好適地において「継承」を強く象徴するものととらえてよいかもしれない[9]。ここでは，建て替えが集中する遺跡を，食糧などの資源の占有権が存在し，継承されている排他的・継続的な占有拠点として評価しておこう。

　なお，住居を入れ子状に縮小する例では，奥壁部の古い骨塚を避けて内側に壁を作るものがみられる。継承されたのは資源の占有権だけではな

図2　モヨロ貝塚10号竪穴　奥壁部の骨塚
左手が奥壁側。クマ頭骨を縦方向に配置した列が，5列以上あることが確認できる。トコロチャシ跡遺跡7a号竪穴を上回る規模であった可能性が高いことが読み取れる。
（https://www.l.u-tokyo.ac.jp/moyoro/views/w42.html より）

く，骨塚にまつわる儀礼の記憶や権威なども含まれていたのだろう。

### （2）大規模な骨塚

　集中要素のもう一つは，規模の大きな骨塚である。オホーツク文化の住居跡内の骨塚については，前述した段階論的な大型化・複雑化の傾向が指摘される一方で，「同一土器圏内においてもかなりの幅を持つ」という見方も示されてきた[10]。この「かなりの幅」の実態を確認してみよう[11]。

　奥壁部の骨塚に含まれるクマ頭骨の最少個体数を住居跡ごとにみていくと，最多はトコロチャシ跡遺跡7a号竪穴の110個体となる。ただし，モヨロ貝塚の10号竪穴も，正確な個体数は報告されておらず不明だが，写真から判断する限りこれと同規模か，あるいは上回っていたと考えられる（図2）。これに続くのが北海道大学の調査した目梨泊遺跡の4号竪穴で，これも詳細は不明だが50個体以上の頭骨が含まれていたとされる。以下は北見市常呂川河口遺跡15号竪穴の42個体，目梨泊遺跡5号竪穴の26個体，モヨロ貝塚9c号竪穴の22個体，栄浦第二遺跡23号竪穴の20個体，同8号の16個体，同7号の11個体と続き，ほかはほぼすべて10個体以下となる。

　ここで注目されるのは，上位4位までの規模，なかでもとくに最上位の2例が際だって大きい点

と，トコロチャシ跡遺跡の例にみられるように，同じ遺跡内の狭い時間幅に収まる各住居跡の間でも，規模に極端な差が生じている点である。すなわち，クマ頭骨が40個体を超えるような大規模な骨塚は，トコロチャシ跡，モヨロ貝塚，目梨泊，常呂川河口といった限られた遺跡でのみ形成され，さらにそれは，それらの遺跡の存続期間のなかの限られた1〜2回の時点において，特定の住居にクマ頭骨などを集約させるかたちで行なわれていたと想定できる。

このような特定の住居への集約が各遺跡の存続期間内に1〜2回行なわれていたとすると，その頻度は最高でも100年に1回程度となるが，そのような少ない頻度での行為と考えるのは少し不自然である。おそらく，このような集約は一つの集落内のみで行なわれていたのではなく，複数の集落を含む地域の中で行なわれ[12]，それを納める住居（骨塚）は，その地域の有力な集落を持ち回るかたちで数十年ごとに巡回する仕組みとなっていたのではないだろうか。やや根拠の乏しい想定ではあるが，このような大規模な骨塚は，複数の集落が関係する祭祀の拠点の存在を示すものである可能性が考えられよう。

## 3 拠点集落をめぐる検討課題

### （1）入れ子状の集合からなる構造とその背景

「特定の遺跡への集中」がみられる二つの要素を指摘した。高畠が示した墓と刀剣類[13]を加えた三つの要素について各集落の関係を示すと，図のような入れ子状の集合となる（図3）。数としてはCの住居の建て替え≒継続的占有拠点がもっとも多く，Bの大規模な骨塚≒祭祀拠点がそれに続き，Aの墓と刀剣類≒交易拠点は目梨泊遺跡とモヨロ貝塚の二つに限られる。CとBの集合は重なる部分がある（両者を併せ持つ遺跡がある）が，完全に一致しているわけではなく，Bの分布はAの二つの集落に挟まれたエリア（枝幸町－網走市間）に限られている点は注目される。そして，Aの二つの遺跡はどちらもBとCの要素を併せ持っており，複合的で突出した内容の拠点集落であることがわかる。

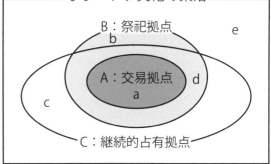

a（A・B・C全ての複合）：モヨロ貝塚・目梨泊
d（BとCの複合）：トコロチャシ跡
b（Bのみ）：常呂川河口
c（Cのみ）：香深井1・ウトロ・弁天島
e：上記以外の集落

図3　オホーツク文化における拠点集落の構造

オホーツク文化の集落と社会にこのような入れ子状の構造が読み取れるのであれば，次の課題は従来の集落論との比較検討となる。上にみた継続的占有拠点，祭祀拠点，交易拠点はそれぞれどのような単位と空間的な拡がりを背景に持つのか，また，それらと例えば大井晴男が提示した「世帯」「地域集団」「地方群」の単位[14]はどのような関係にあるのか，などが問題となろう。さらに，これまで指摘されてきた時空間的な変化の問題，例えば先に引用した，モヨロ貝塚への一極集中から複数遺跡の分散へ，という高畠の指摘との関係なども，重要な検討課題となる。

### （2）拠点集落の消滅と擦文文化

拠点集落に関する課題の二つめは，その消滅と，擦文文化との関係に関する問題である。北海道のオホーツク文化は10世紀になると変容し，道北端部には元地式土器を伴なう文化，道東部ではトビニタイ文化が成立するが，その時点で突出した拠点集落であった目梨泊遺跡とモヨロ貝塚は両者ともに断絶する。同時に，オホーツク文化系統の集団はこの二つの遺跡に挟まれたエリアから撤退し，この一帯は一時的に空白地帯となってしまう（図4）。

オホーツク文化の拠点集落が複数の集落のネットワークを背景に成立していたのであれば，その消滅は，住居の形態や動物儀礼，威信材の副葬と

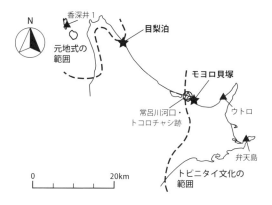

図4　拠点集落の位置とその後の元地式・
トビニタイ文化の展開

いった個々の要素の変容だけではなく，拠点を支えていた社会システム全体の崩壊を示すものとしてとらえられよう。また，拠点形成の上でもっとも重要な核となっていた二つの突出した拠点と，その拠点に挟まれた一帯からオホーツク文化が撤退したことは，この時期のオホーツク文化と擦文文化の関係を考える上でも極めて示唆的である。おそらく，両文化の間には深刻な緊張関係があったために，それまで非常に重要であった拠点を含むエリアから完全に撤退してまで，ここに緩衝地帯を設ける必要が生じたのではないだろうか。

　擦文文化との関係でもう一つ興味深い点は，集落構造に関する比較である。7世紀後葉から10世紀初頭までの擦文集落を検討した榊田朋広は，この時期の集落には日常的な生活の場である「Ⅰ型集落」と，交易の場となる中核的な「Ⅱ型集落」があるとして，前者の近辺に後者を配するのが集落構成の基本になると指摘した[15]。こうした構成は，ここで述べたオホーツク文化集落の入れ子状構造と類似する部分がある。両者の構造の差異やその背景を検討することは，両文化の交易体制や社会システムを比較するための有効な手段となる可能性があろう。

### 註

1)　前期・中期・後期の時期区分は，熊木俊朗「オホーツク文化とは何か」『オホーツク文化―あなたの知らない古代―』横浜ユーラシア文化館ほか，2021, pp.4-8 に従っている。

2)　小野裕子「道北オホーツク海岸の『地域集団』をめぐる問題（下）」『古代文化』48―6, 1996, pp.14-24

3)　右代啓視・赤松守雄「オホーツク文化遺跡の分布とその特性」『「北の歴史・文化交流研究事業」研究報告』北海道開拓記念館，1995, pp.157-179

4)　角達之助「オホーツク文化期における住居址の面積集成」『北方探求』9, 2009, pp.36-42

5)　佐藤孝雄「オホーツク文化の動物儀礼―その地域的・時期的特徴―」『アイヌ文化の成立』北海道出版企画センター，2004, pp.245-262

6)　高畠孝宗「オホーツク文化における威信材の分布について」『海と考古学』六一書房，2005, pp.23-44

7)　熊木俊朗「オホーツク文化の集落」『北海道に残る二万三千の竪穴（くぼみ）』北海道考古学会，2020, pp.11-20

8)　例外的に，建て替えがほとんど認められない遺跡もある。それらの一部は，天野哲也が指摘するように「地域開発のときに前線基地として機能」した遺跡であったのだろう。天野哲也「オホーツク文化前期の地域開発について」『北海道大学総合博物館研究報告』1, 2003, pp.69-80

9)　熊木俊朗「住居の廃絶と建て替え」『オホーツク文化―あなたの知らない古代―』横浜ユーラシア文化館ほか，2021, p.14

10)　内山幸子「オホーツク文化の動物儀礼」『北海道考古学』42, 2006, pp.75-92

11)　前註7）に同じ

12)　本文の想定を裏付けるものではないが，仔グマ頭骨が道南部から礼文島に持ち込まれていたことを明らかにした増田らによる研究は，クマ儀礼に続縄文文化を含む複数の集団が関わっていたことを示したという意味で示唆的である。増田隆一・天野哲也・小野裕子「古代DNA分析による礼文島香深井A遺跡出土ヒグマ遺存体の起源」『動物考古学』19, 2002, pp.1-14

13)　高畠は青銅製装飾などを含む威信材全体を検討対象としたが，ここでは特定遺跡への集中がとくに顕著なものとして，そのなかの刀剣類に注目する。

14)　大井晴男「オホーツク文化の社会組織」『北方文化研究』12, 1978, pp.93-138

15)　榊田朋広「擦文文化前半期の集落群構成と動態」『日本考古学』51, 2020, pp.23-42

# 目梨泊遺跡出土刀剣の意義
## —流氷よせる北溟の「金の刀」—

■ 高畠孝宗
　TAKABATAKE Takamune

## 1　目梨泊遺跡の発見

　北海道の最北，宗谷地方のオホーツク海岸には毎年2月になると一面の流氷が押し寄せる。枝幸町の北端にそびえ立つ「神威岬」には，雪混じりの烈風が吹きつけ，流氷が海を覆うと気温は氷点下30度近くにまで下がる。

　オホーツク文化の人びとは，この過酷な環境の下，北の海とともに暮らしてきた。

　オホーツク文化最大級の集落遺跡である目梨泊遺跡は，神威岬を望む海岸段丘上に立地している。

　5世紀頃に宗谷海峡沿岸域で成立したオホーツク文化集団は，オホーツク海という環境に高度に適応した生活様式を確立し，7世紀には北海道のオホーツク海沿岸から根室半島へと拡大した。目梨泊遺跡はオホーツク文化後期の7世紀後葉以降に成立し，9世紀代まで存続したと考えられる。

　オホーツク文化の人びとは，オホーツク海の資源を生活の糧とし，沿岸漁業や海獣狩猟をおもな生業としながら，独自の動物儀礼体系を作り上げていた。そして，彼らはオホーツク海を舞台とした「交易の民」でもあった。

図1　厳寒期の目梨泊遺跡からみた神威岬

　目梨泊遺跡は，オホーツク文化後期を代表する交易拠点である。神威岬は古代の船乗りにとって恰好のランドマークであり，大きく内湾した渚は船着き場として活用されたことだろう。

　目梨泊遺跡では，昭和62（1987）年から始まった国道改良工事に伴なう発掘調査により，4軒の竪穴式住居跡と，50基の墓壙が発掘された[1]。23万点に及ぶ出土品の中には，大陸製の装身具や本州製の武具が多数含まれており，オホーツク文化の交流・交易の様相を伝える資料として2000年に319点が国重要文化財に指定された。オホーツク文化の資料が重文指定を受けたのは，目梨泊遺跡出土品が初めてである。

### （1）目梨泊遺跡の空間構造と成立過程

　目梨泊遺跡は，オホーツク海へと注ぐ小河川によって開析された複数の舌状台地の上に広がっている。海岸線に近い段丘縁辺部には，「作業場」と考えられる遺構が分布し，それぞれの台地ごとに竪穴式住居が構築されている。1970年代に北海道大学文学部が発掘した住居跡や，未発掘の凹地を含めると集落全体で10数基が存在したようだ[2]。住居跡の周辺には，複数の墓壙が地形ごとにまとまり，9つの「墓域」を形成している。1つの墓域には3〜10基の墓壙が含まれており，一定の血縁関係によって結ばれた集団と推測される。

　オホーツク文化後期は，北海道に展開したオホーツク文化集団が「土着化」し，地域分化が進んだ時期であった。道北の宗谷地方北部には，「沈線文系土器」を使用する集団が広がり，網走地方を中心とする道東には「貼付文系土器」を携えた人々が展開した。目梨泊遺跡では，道北の「沈線文系土器」，道東の「貼付文系土器」のいずれの土器も見つかっているが，集落の主体となっ

図2　被甕をして蕨手刀を副葬した墓（第34号土壙墓）

ているのは「貼付文系土器」を使用する人びとである。目梨泊遺跡は道東のオホーツク文化集団にとっての「フロンティア」と位置付けられよう[3]。

### （2）目梨泊遺跡の墓

オホーツク文化の墓制は，被葬者の頭位を北西方向に向けた仰臥屈葬が一般的である。さらにモヨロ貝塚を中心とする網走地方では，被葬者の顔の上に土器を被せる「被甕」が広く行なわれていた。

一方で，目梨泊遺跡では被葬者の多くが伸展葬にされており，オホーツク文化の墓制で多く見られる屈葬墓は少ない。「被甕」の伝統は道東のオホーツク文化集団と共通するものの，土器の下半部は地表面から露出した状態で安置されており，一種，墓標のような機能を果たしていたようだ。

また，被葬者の頭位方向は真西を中心に南西に多く向けられており，目梨泊集団独自の墓制が形成されたことがうかがえる。

### 2　目梨泊遺跡の刀剣

目梨泊遺跡で出土した刀剣のほとんどは墓壙の副葬品である。50基の墓のうち12基から刀剣類が出土しており，遺跡全体で25点が確認されている。刀剣類のうち，刃長60.6cmを超える「大刀」は1点のみだが，蕨手刀6点をはじめ，大陸製と考えられる「曲手刀」や「鉾」など，多様な刀剣が含まれる。また，鉾3点をのぞく刀剣22点のうち，半数近い10点の鋒の形状が「鋒両刃」になっていた。鋒両刃の刀剣は，北海道内でも類例が少なく，目梨泊遺跡の刀剣類の特徴と言えよう。

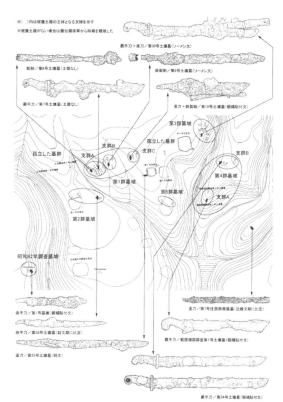

図3　目梨泊遺跡の刀剣分布

### （1）刀剣の分布からみる社会

目梨泊遺跡で確認された9つの墓域から，それぞれ「刀剣の副葬を受ける被葬者」が確認された。刀剣の副葬を受けたのは各墓域1名または2名であり，刀剣を占有する特定の墓域≒血縁集団は存在しない。目梨泊遺跡においては，刀剣は集落内の各血縁集団に慎重に分配されており，特別な財としての刀剣を占有する「首長層」の形成はみられない。刀剣は外部世界とのつながりを視覚的に示す象徴的な財として，各血縁集団が分け合ったのではないか[4]。

### （2）破壊された刀剣

オホーツク文化世界にもたらされた刀剣の多くは，副葬に際して人為的な「破壊行為」を受けている。刀剣は鞘を払って「抜き身」の状態にされ，鞘や刀身に付属する刀装具が分解される。刀身は被葬者に寄り添うように安置されるが，分解された刀装具は，刀身とは別に墓壙中に埋納され

るか，墓壙上面に置かれる。こうした人為的破壊が高じたものが「折り曲げ刀」である。刀身が強い力によって折り曲げられたり，破断した資料がモヨロ貝塚を中心とする網走地方と目梨泊遺跡から見つかっている。

こうした刀剣の人為的破壊は，オホーツク文化の葬送儀礼の一部として行なわれている。外部世界からもたらされた刀剣を「財」として貯え，伝えることなく，一代限りの副葬品として「消費」することに彼らの世界観が表現されている。

## 3 「金の刀」金銅装直刀の意義

2018年夏。枝幸町の博物館施設「オホーツクミュージアムえさし」では，地元の北海道枝幸高等学校の生徒たちと一緒に目梨泊遺跡の発掘調査を再開した。若い世代と一緒に地域の歴史を掘り起こす取り組みの一つである。

調査2日目，参加していた高校生が排土の下層に鉄製品が顔を出していることに気付いた。慎重に周囲を下げていくと大小2本の刀剣が重なり合うように出土した。さらに近くで掘っていたもう一人の高校生が「足金具」を見つけ出した[5]。

### (1) 金銅装直刀の特徴

発掘された刀は長さ49.5cm（刃長38.2cm）の横刀と長さ35.0cmの小刀である（口絵3）。いずれも抜き身の状態だが，横刀は金銅装の鐔が取り付けられており，把には木質と3ヶ所の目釘が残されていた。横刀とは遊離した状態で，2つの足金具も見つかり，翌年の調査でさらに鞘尻金具が出土した。いずれも金銅装で，鐔の両面と足金具の佩き表には「宝相華文」と見られる巧緻な花文が彫金されている。

鞘を構成する木質はほとんどが腐食して失われていたが，足金具に鞘の表面を覆っていた漆塗膜がわずかに残っている。京都芸術大学の岡田文男の分析により，この漆塗膜が錫粉を用いた「蒔絵」になっていることが突き止められた。

金銅装直刀（横刀），小刀のいずれも「鋒両刃」に仕上げられており，類例が少ないため刀剣の型式学的な位置づけは定まっていない。

### (2) 金銅装直刀の歴史的背景

金銅装直刀の年代観は，把に残された木質や漆塗膜の$C^{14}$年代，オホーツク文化の土器編年などから，おおむね8世紀末〜9世紀と推定している。

オホーツク文化世界では8世紀を境に大陸系の武具や装身具が減少し，9世紀に流入する武具は本州製の蕨手刀にほぼ収斂する。これは，オホーツク文化の交易相手が，大陸の靺鞨文化集団から，本州の律令国家とそれに連なる人々へと変化したことを意味している。

一方で過剰なほど装飾性が高いこの刀がどこで制作されたのか，特定するには至っていない。大陸から将来した可能性も含め幅広い検討が必要である。また，この刀の外装が「蒔絵」によって飾られていたことも重要である。国内に残された8〜9世紀代の蒔絵資料はごく限られており，この刀は蒔絵の起源を考えるいとぐちとなり得る。

私たちが「金の刀」と呼んでいる金銅装直刀の歴史的背景を解明するには，さらなる資料分析と研究が欠かせない。「地域の力」によって掘り起こされたこの刀は，古代の北方交流史に新たな知見をもたらす大きな可能性を秘めている。

註
1) 佐藤隆広『目梨泊遺跡』枝幸町教育委員会，1988。同『目梨泊遺跡』枝幸町教育委員会，1994。前田　潮・川名広文・赤沼英男・内山幸子・高畠孝宗『目梨泊遺跡』枝幸町教育委員会，2004
2) 江田真毅・天野哲也・小野裕子「オホーツク文化の研究4 目梨泊遺跡（1）」『北海道大学総合博物館研究報告』8，北海道大学総合博物館，2016
3) 高畠孝宗「オホーツク文化における威信財の分布について」海交史研究会考古学論集刊行会編『海と考古学』六一書房，2005，pp.41-42
4) 高畠孝宗「オホーツク文化における刀剣類受容の様相」『北方島文化研究』9，北海道出版企画センター，2011，pp.26-30
5) 高畠孝宗「枝幸町 目梨泊遺跡出土の金銅装直刀」『北海道考古学』56，2020，p.i。「金銅装直刀」に関する本報告は追加調査の遅れにより未刊だが，令和6年の刊行を予定している。

# 根室，千島列島のオホーツク文化資料
## ―北構保男氏収集考古資料の意義―

■ 猪熊樹人
■ INOKUMA Shigeto

　北構保男（1918-2020）は北海道根室市に在住し，生涯を通じ考古学や民族学の研究を精力的に行ない，多数の著作を残し北海道の考古学の発展に大きく貢献した。戦前から収集してきた根室市内や千島列島をはじめとする考古資料はテンバコ換算で1,700箱にのぼり，2017年に一括して根室市に寄贈された。ここでは寄贈資料の中からおもにオホーツク文化資料を中心に概要をまとめ，北海道，千島列島の考古学研究上の意義について指摘する。

## 1　根室市内のオホーツク文化遺跡出土資料

　北構が収集した資料のうちもっとも量が多いのが根室市内のオホーツク文化遺跡の発掘資料である。北構自身による戦前の小規模調査や東京教育大学（筑波大学），國學院大學，国立歴史民俗博物館などの研究機関との発掘調査によるもので資料の大部分を占める。以下，代表的な遺跡を示し

図1　本論で言及する遺跡と地名

その内容をまとめる。

### （1）弁天島貝塚竪穴群

　根室港に浮かぶ弁天島にあり，オホーツク文化の竪穴住居跡が14軒確認されている。函館で貿易商を営み，明治初期に移民や物資の運搬で根室を訪れていたT.W.ブラキストンは，弁天島に多数の竪穴状の凹みがあることに気づいた。1877年に千島列島調査のため北海道にきたJ.ミルンは，ブラキストンの教示をもとに弁天島で小規模な発掘を行なった。のちにオホーツク式土器と認識される土器，石器，獣骨類がこの時に発掘され，その成果を英国王立人類学協会の学会誌に出土品の図とともに発表した[1]。ミルンの調査はE.モースによる大森貝塚調査の翌年に実施されており，外国人研究者による学術発掘が行なわれた遺跡として有名となり，オホーツク文化研究の嚆矢となった。

　本遺跡では北構らによる一連の調査により，十和田期，刻文期，貼付文期のオホーツク文化の各時期の土器を伴う竪穴住居跡が明らかになっており，オホーツク文化を通じて居住の痕跡がみられる。出土遺物としては，北構が13歳の頃に発見した捕鯨彫刻図針入（口絵写真）がよく知られ，海獣骨や鳥骨を原材にした銛頭，釣針，骨鏃，掘り具（骨斧，骨箆，骨鍬），刺突具といった生業に関わる骨角製品のほか，牙製婦人像やシャチなどの海獣類が鹿角にレリーフされた指揮棒（口絵写真）などオホーツク文化の精神文化を示す遺物が出土している。石器は石鏃，石錘，石斧がみられる。とくに2軒の竪穴住居跡において，1軒あたりの石鏃の出土量が200点を超えていることが特筆される。このほか，大陸の靺鞨文化からもたらされた青銅製小鐸（口絵写真）など，オホーツク文化を特徴づける海洋資源利用，動物儀礼，交易

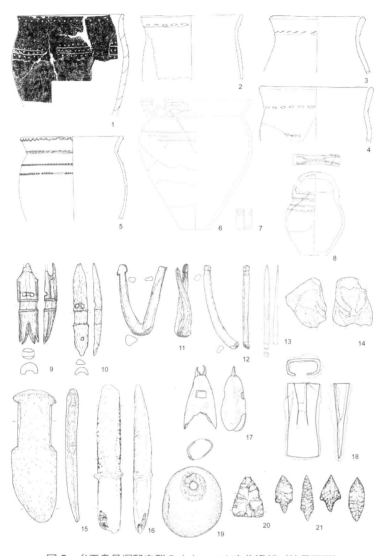

図2　弁天島貝塚竪穴群のオホーツク文化資料（縮尺不同）
1：十和田式土器　2〜4：刻文系土器　5〜8：貼付文土器　9・10：銛　11・12：釣針　13：刺突具　14：骨製クマ座像　15・16：骨斧　17：青銅製小鐸　18：袋状鉄斧　19：石錘　20：銛先鏃　21：石鏃

に関する資料が出土している。

### (2) トーサムポロ・オホーツク竪穴群

　戦前に北構が発見した遺跡で，トーサムポロ沼の湾口に突き出した岬上にある。6ヶ所の竪穴と10ヶ所の貝塚が確認され多くの骨角製品が出土している[2]。オホーツク文化中期の刻文系土器が主体的に出土しており，1981年に山浦清によりこの時期の竪穴住居跡が1軒発掘調査されている。刻文期のみの集落跡はこの地域では珍しく，

根室半島におけるオホーツク文化の広がりを考える上で貴重な遺跡である。

### (3) 温根元竪穴群

　東京教育大学によって発掘調査が行なわれ，オホーツク文化後期の貼付文土器が出土する竪穴住居跡2軒，貝塚1ヶ所が調査された。竪穴住居跡のうち1軒は平面形が六角形で長軸が約13mある大型の竪穴住居跡で，火を受けた痕跡が確認されている。貝塚からは骨角製品が良好な状態で見つかっており，マッコウクジラの歯牙を原材とした牙製婦人像（口絵参照）をはじめ，クマ，アザラシ，キツネ，ヘビ，フクロウなど多様な動物種をモチーフにした彫像が出土している。

### (4) トーサムポロ湖周辺竪穴群

　オホーツク海とつながった海跡湖であるトーサムポロ沼の西岸に立地する。この遺跡は1977年に北構らが主宰した日ソ共同調査が行なわれた。近年では道道の改良に伴なう発掘調査が（公財）北海道埋蔵文化財センターによって行なわれている。オホーツク文化後期の貼付文土器を主体とするが，この遺跡で出土する土器の特徴として，直線＋波線＋直線の3本を一単位とする貼付文が3単位以上重畳していることが指摘されており，トビニタイ土器との関連性が指摘されている[3]。また，竪穴住居跡の平面形が四角形に近く，長軸は5m程度であり，弁天島貝塚竪穴群や温根元竪穴群でみられる長軸が10mを超えるような大型の竪穴住居跡との違いがみられる。包含層からは9世紀後半頃の秋田産とみられる須恵器皿が出土しており，

擦文文化を介した律令国家との交流を示す資料として注目されている[4]。こうしたことからオホーツク文化の終末期にあたる遺跡と考えられる。

## 2 北千島の出土資料

占守島，幌筵島，阿頼度島で出土したオホーツク文化と千島アイヌの資料がみられる。民族学者である林欽吾（1893 - 1965）が発掘などで収集し，林の没後に北構が引き継いだ資料群と北構が知人を通じて収集した骨角製品を主体とする資料群とに大別される。

林から引き継いだ資料に含まれるオホーツク文化資料には，刻文や沈線文が施された土器がみられる。同じ時期に北千島の調査を行なっていた馬場脩が報告した土器も見られる。林は馬場が発掘調査を行なわなかった幌筵島の北部や阿頼度島でも発掘調査を行なっており，北千島のオホーツク文化を検討する上で貴重な資料といえる。オホー

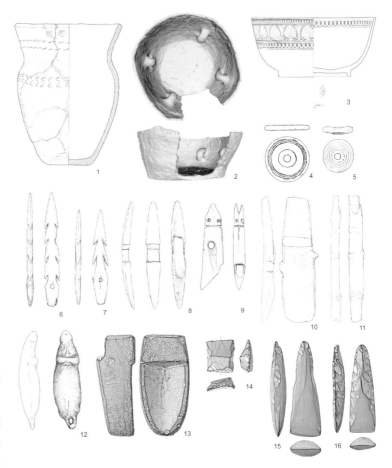

図3　北千島のオホーツク文化，千島アイヌ資料（縮尺不同）
1：刻文系土器　2：内耳土器　3：英国製ボウル　4・5：円盤状歯牙製品　6～9：銛先　10：骨斧　11：中柄　12：ラッコ形垂飾　13：石ランプ　14：ガンフリント　15・16：石斧

ツク文化資料のほか，15～19世紀頃の千島アイヌが使用した内耳土器，石ランプ，骨角製品，金属製品，19世紀にロシア側から供給されたとみられる[5]英国製のボウル，ティーカップなどの陶器も含まれている。

また，北構が知人を通じて収集した資料は骨角製品330点，石器115点が報告され，これらは幌筵島で収集されたと考えられている[6]。骨角製品はおおむねオホーツク文化のものと捉えられており，銛頭，中柄，骨斧，刺突具，動物意匠製品，円盤状製品などがみられる。北海道本島のオホーツク文化と共通しているものも多いが，多段の逆刺を有する銛頭や銛の中柄とされる資料など，北海道

本島で出土事例があまりないものも含まれており，北千島のオホーツク文化の地域性を示している。

## 3 北方四島の出土資料

北構の収集した資料には，北方四島（択捉島，国後島，色丹島，歯舞群島）の資料も含まれている。発掘調査による資料は，1940年に北構が国後島古釜布アイヌ地で発掘したオホーツク文化中期の資料のみで，ほとんどは採集資料である。特徴的な資料としては，択捉島留別で採集された十和田式土器やオホーツク文化の所産とみられ択捉島に分布が集中する傾向がある靴形石器がある。

色丹島の考古資料は，林によって収集された資

料である。林は，1884年に北千島から色丹島に移住させられた千島アイヌの文化や言語を調査するため，1931年から1941年の間に4回色丹島に渡った。一連の調査をまとめた「色丹島のアイヌ族」[7]で紹介されている続縄文文化前半の土器やオホーツク文化の貼付文土器も含まれる。考古資料に加え，千島アイヌの民具も収集しており，シャチの木彫を伴なうイナウやロシア風の衣服など，これまで知られてこなかった民具資料がみられる[8]。

このほか，北構が知人から譲渡された歯舞群島の勇留島で出土した資料には，続縄文文化前半の土器である興津式や下田ノ沢II式の完形品がみられる。戦前を含め歯舞群島での考古学的な調査事例は少なく，遺跡情報を把握する上で貴重な資料といえる。

## 4 まとめ

北構保男が収集してきた資料は，根室市内で発掘されたものを中心に北千島や北方四島の考古資料も含まれる。発掘調査による資料はもとより，採集品や譲渡された資料についても北構自身がほぼすべて注記しており，収集地点などの資料情報が明らかになっている。オホーツク文化研究は北構にとってライフワークであり，根室市内のオホーツク文化遺跡をほぼ調査しているが，この地域はオホーツク文化分布域の南端にあたり，北方四島，千島列島と関連する地域である。とくに，研究人生を通じ関わった弁天島貝塚竪穴群は，オホーツク文化の各時期の遺構やこの文化の特徴を示す遺物も出土していることから，今後，遺跡の内容をまとめ評価する必要がある。また，北千島や北方

四島における出土品については，発掘時の情報を欠いているとはいえ，オホーツク文化の地域性や日本とロシア双方の歴史文化の影響を受けながら，文化継承が途切れてしまった千島アイヌの物質文化について知ることができる。この地域は調査が困難なため，北構が収集した戦前の資料は貴重であり，千島列島と北海道東部の関連性を物質文化から検討する上で意義があると考える。

### 註

1) Milne, J.（1881）. Stone age in Japan；with Notes on Recent Geological Changes which Have Taken Place. *Journal of the anthropological institute of Great Britain and Ireland*, Vol.10, 389－423.

2) 北構保男・須見　洋「北海道根室半島トーサムポロ・オホーツク式遺跡調査報告」『上代文化』第24輯，國學院大學考古学会，1953，pp.31-48

3) 熊木俊朗「第3章第1節 チャシコツ岬上遺跡出土オホーツク土器・トビニタイ土器の編年試案」『チャシコツ岬上遺跡総括報告書』斜里町教育委員会，2018，pp.101-106

4) 鈴木琢也「擦文文化の成立過程と秋田城交易」『北海道博物館研究紀要』1，2016，pp.1-18

5) 鈴木建治「千島アイヌに渡った陶器」『北大史学』55，2015，pp.43-63

6) 北構保男編「北千島幌筵島出土の一括遺物」『アイヌ民族・オホーツク文化関連研究論文翻訳集』北地文化研究会，2008

7) 林　欽吾「(2) 南千島色丹島誌「色丹島のアイヌ族」『千島・樺太の文化誌 北方文化歴史叢書』（新岡武彦編）北海道出版企画センター，1984，pp.172-207

8) 猪熊樹人「北構保男氏旧蔵の千島アイヌ関連資料について」『アイヌのくらし―時代・地域・さまざまな姿』（公財）アイヌ民族文化財団，2021，pp.176-177

# 擦文社会の動態
## —遺跡立地の変化からみる擦文文化の生業—

■ 澤井　玄
SAWAI Gen

擦文文化はおおむね7世紀中頃から13世紀初頭頃にかけて北海道を中心に展開した考古学的文化である。擦文遺跡が時期により形成される地域また立地条件が変化する動態と要因についてはかつて述べたことがある[1]が，本稿ではその類型化を試み（図1）[2]，改めて検討したい。

筆者は擦文文化を土器型式からi～viの6期に細分し，その中でも土器型式が大きく変化する画期をもって前期（i・ii期，7～9世紀）・中期（iii・iv期，9世紀後半～10世紀）・後期（v・vi期，11世紀前半～13世紀初頭頃）に区分した[3]。この画期には遺跡立地にも大きな変化が認められる。人々の居住地選択は基本的には日常の自給的生産活動（＝漁猟・採集・農耕など）が優先されよう。しかし擦文期は周辺の地域勢力や国家権力が北海道に波及する時期であり，遺跡立地の様相は単純ではなくなる。これらも踏まえながら時期ごとの遺跡形成とその生業の変化を瞥見していく[4]。

### 1　前期：形成期（7世紀～9世紀前半）

7世紀中ごろ，道南～道央地域に初期の擦文土器を持つ人々があらわれる。その中で石狩低地帯南部には河川沿いの平坦面に平面プランが方形で壁際にカマドを造りつける竪穴建物が多く残される。これは東北地方北部の農耕集落的要素が色濃く，1遺跡あたりの竪穴数も数十基に上る。7世紀後半から8世紀になると石狩低地帯北部にも南部と同様の立地に，また日本海中部沿岸の余市川河口部に位置する大川遺跡でも竪穴建物が多く検出されるようになる。

この時期の遺跡立地の多くを占めるのはサケ類の遡上する中小河川流域の氾濫原～低位段丘面である。この占地から，サケ漁労と平坦面を利用した農耕が主たる生業であったことがうかがえる。

7～8世紀の北奥（東北地方北部）地域で，竪穴建物が残されるのは太平洋側にほぼ限られる[5]ことから，初期の擦文文化は太平洋側の集団の影響によって成立したと考えられる。

658～660年に阿倍臣の蝦夷遠征・粛慎征討が行なわれる。おそらくこれ以降，日本海沿いの交易ルートが成立し，余市大川を始めとした日本海中～南部沿岸および石狩低地帯北部の遺跡形成の要因となった可能性がある。8世紀前半には日本海側に出羽柵～秋田城が成立し北方域との交易体制が確立する[6]。これにより擦文人は鉄製品などを安定的に入手することが可能となった。

前期（形成期）の遺跡は，広い低位平坦面を有するサケ遡上河川沿いに集中し始め，生業は農耕とサケ漁労が主たるものであった。

### 2　中期：拡大期（9世紀後半～10世紀）

9世紀後半（iii期）になると，竪穴遺跡は引き続き石狩低地帯に多いが，日本海北部沿岸に拡大する。そして10世紀後半（iv期）頃には日本海北部沿岸の竪穴が急増する。この地域の小平町高砂・苫前町香川三線・同町香川6・天塩町天塩川口・幌延町音類竪穴群などは，中～大規模河川の河口を1～2km遡った舟泊に好適な場所を選択し，大規模竪穴群遺跡を形成している。高砂・香川は農耕に適した低位面にあり，農耕と舟泊の双方をにらんだ占地といえる。

その北方にある天塩川口・音類は，気候的はより寒冷で，海岸砂丘あるいはその内陸部で農耕には適さない土地である。一方，舟泊としては好適であり，舟運の便が想定される。

さらに，現在の深川市～旭川市域の石狩川中流

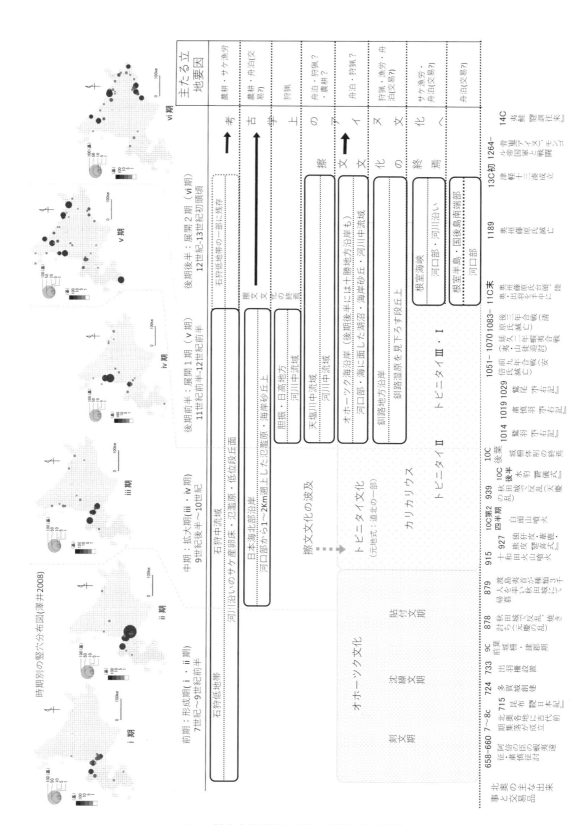

図1　擦文文化遺跡の立地の変遷とその類型

102

域の広大な氾濫原付近には竪穴を伴う擦文遺跡が連続しており，これは明らかに農耕を志向している。その上流の上川盆地の石狩川および支流域の擦文遺跡はサケ産卵床付近にあり，これはサケ資源を目的に形成されたであろう。

このように，中期（拡大期）には，前期に続き日本海沿岸の石狩低地帯から，①石狩川中流域，また②日本海北部沿岸へと居住地域が拡大し，占地は氾濫原・サケ産卵床に加え河川河口近くの舟泊に好適な地点にも拡大する。

この時期はオホーツク文化が擦文文化の影響を受けトビニタイ文化に変容する。10世紀の文献に見える独狩皮・葦鹿・熊皮・水豹などはトビニタイ文化人が獲得したものが擦文人経由で都にもたらされたのかもしれない。

またサハリンにもこの時期の擦文土器が出土しており，さらに行動圏が拡大していった。

## 3　後期：展開期

### (1) 展開1期（v期11世紀前半～12世紀前半）

この時期には竪穴が残される地域が一気に拡大する。中期（拡大期）に日本海を北上した分布域は，道北の天塩川流域，オホーツク海沿岸一帯に広がり，そして釧路・十勝地方にも拡大する。さらに近年の調査により胆振東部・日高地方の河川に沿った内陸部にも遺跡が多く残されることが判明してきた[7]。

オホーツク海沿岸では河川河口部に竪穴が数十から千を超える大規模竪穴群が北部から南部まで連続して多数形成される。これらは河口部，河口部の湖沼沿いや海岸砂丘の内陸側（おそらく海岸に並行する旧河道沿い）に立地する。遺跡周辺は農耕には不適な土地であり，海上・陸上の動物資源の活用は遺物の出土も少なく現状では判然としないが舟泊として絶好の立地である。

この立地を考えるうえで注目されるのは，北海道の東側において大～中規模河川の中上流部にも，竪穴数としては少ないが遺跡が複数確認されるようになることである。これはサケ資源類の可能性もあるが，おそらくは鳥獣狩猟が主目的の占

地と考えられる。北見幌別川支流・渚滑川・湧別川・常呂川・釧路川・十勝川支流の居辺川などの中流域にも遺跡が確認されている。『小右記』には11世紀前葉に鷲羽・鷲尾・粛慎羽の記載が現れる。これらの内陸部での遺跡形成は毛皮・矢羽獲得が主目的であったと考えられる。オホーツク海沿岸の大規模竪穴群遺跡は舟泊として好適な占地を行なっており，上記の交易品の集積・積出港として機能したと考えられ，竪穴の中には倉庫として使用される例も多かったのではないか。

加えて，この時期には太平洋側でも遺跡の増加がみられる。とくに釧路地方では釧路湿原の縁辺段丘上に多数の遺跡が残される。これは湿原・丘陵・河川など異なる環境の境界に占地することで多様な資源の獲得を目指したものと考えられる。サケ類の捕獲も可能だが，陸獣・鳥類の捕獲を重視した可能性が高い。

このように，後期：展開1期は，前期・中期の立地に加え，①とくにオホーツク海側の河口・海岸砂丘・海に面した湖沼など沿岸部，②河川の中流域・③湿原の縁辺などに占地が広がる。食料自給的な農耕の重要性が薄れ，内陸資源の獲得と舟泊的性格の濃い大規模竪穴群が展開する。擦文人の生業の中で，交易物の獲得・生産およびその集荷出荷拠点としての意味合いが強くなった時期と理解できる。

### (2) 展開2期（vi期12世紀～13世紀初頭）

この時期になると北海道の西側では土器の出土量が大きく減少する。石狩低地帯ではこの時期の土器もみられるが竪穴数は大幅に減少し，道南・日本海北部沿岸・石狩川中流域では土器・竪穴ともにほぼ見られなくなる。北海道西部では12世紀前半（後期：展開1期）をもって擦文文化は終焉を迎えるといってよいだろう。

一方で北海道東部には依然として多くの遺跡が残される。とくに根室海峡部から釧路・十勝の太平洋沿岸部で竪穴群が増加する。なかでも本州から見ると最遠にある根室海峡に面する地域で数百から数千の竪穴群が多数形成され，またサケ遡上河川流域にも遺跡が密集する。この立地は明らか

に従来のサケ漁労とは次元の異なる量を漁獲する専業的な集団により形成されたものだろう。自家消費を超え，干鮭として域内交易品に，さらには擦文期には構造船も使用されていたことから本州方面へも移出された可能性がある。加えて，サケ類を狙うヒグマなどの陸獣，オオワシ・オジロワシなどの大型猛禽類も飛来したと考えられ，これらの鳥獣類も狩猟対象になったであろう。また，根室半島は狭小であるにもかかわらず，根室海峡側の河川・湖沼周辺に大規模竪穴群が複数所在する。これも舟泊＝交易的機能を重視した立地である。

さらに根室海峡に面する国後島の南端部にも方形の竪穴が密集する地点が複数存在する[8]。知床半島と根室半島に挟まれる国後島南部も対岸の北海道根室海峡沿いの擦文遺跡の立地と同一であり，擦文文化圏と理解することができ，同時期の所産と考えられる。

11世紀末になると，奥州藤原氏が東北地方一円を勢力下に納めた。「奥大道」が津軽地方に及び，また舟運も発達する中で北方との交易活動もより活発となった。藤原基衡が雲慶に送った「鷲羽百尻」「水豹皮六十枚」といった産物が交易品として本州にもたらされるようになる。そして13世紀には津軽十三湊などの本州北部の港湾が機能し始める。これらの交易活動によって北海道東部にまで鉄鍋が供給され，土器文化は終焉を迎える。その対価として本州側には，矢羽・海獣陸獣皮・干鮭類が供給されたであろう。

後期：展開2期は，北海道の西側の多くの地域で擦文文化は終焉を迎える一方で，①東側では多数の（とくに竪穴群）遺跡が形成される。展開1期の立地に加え，②とくに根室海峡を取り囲む一帯には多数の竪穴群遺跡が残される。域内交易のみならず本州での干鮭・獣皮・矢羽根などの需要の高まり・舟泊としての機能を重視した立地と考えられる。

## まとめにかえて

ここまで擦文文化の遺跡立地を類型化し，その動態を概観してきた。擦文人が求めたものはおもに立地面からの検討により以下のように推定される。

前期：農耕・サケ資源。本州方面との一定の交易はみられるが，全体としてはそれぞれの河川流域単位での自給的な色合いが濃い。

中期：農耕・サケ資源・舟泊。舟泊的な立地の遺跡が出現し，擦文文化圏内の域内交易が活発化。

後期1期：サケ資源・舟泊・獣皮類・矢羽類。

後期2期：舟泊・獣皮類・矢羽類・サケ資源集中的大量捕獲（北海道西側では擦文文化終焉）。本州方面との交易の本格化により各種資源の獲得に乗り出した。

以上の通り，本州からの影響で成立した擦文文化は，時代を経る中でその関係性を強め，最終的には本州との交易品獲得のために北海道東部へ進出していったことが示唆された。

本稿では触れられなかった事項も多く，また今後はこの仮説が正鵠を射ているか，資料のさらなる蓄積・再検討，また関連諸分野との連携などにより考察を深めていく必要がある。

### 註

1) 澤井　玄「11〜12世紀の擦文人は何をめざしたか―擦文文化の分布域拡大の要因について―」『アイヌ文化の成立と変容―交易と交流を中心として【上】―エミシ・エゾ・アイヌ―』2008

2) もちろん土器・遺跡立地などの変化は漸移的なものであるが，本図では大きな傾向を示すため模式化して表している。

3) 澤井　玄「北海道内の七〜一三世紀の土器編年について」『北東アジア交流史研究―古代と中世―』塙書房，2007

4) 近年　榊田朋広が擦文期前半の擦文集落群を分析し，その構成と動態について詳述している。榊田朋広「擦文文化前半期の集落群構成と動態」『日本考古学』51，日本考古学協会，2020

5) 齋藤　淳「集落・竪穴建物動態から見た北奥古代史」『北奥羽の古代社会　土器変容・竪穴建物と集落の動態』高志書院，2019

6) 蓑島栄紀『古代国家と北方社会』吉川弘文館，2001

7) 厚真町教育委員会『上幌内モイ遺跡』2005など

8) 澤井　玄「国後島の大規模竪穴群と擦文文化」『北東アジアの歴史と文化』北海道大学出版会，2010

# 北海道の窪みで残る竪穴群

■ 内田和典
■ UCHIDA Kazunori

北海道らしい遺跡を代表するものとして窪みで残る竪穴群[1]やチャシ跡が挙げられる。窪みで残る竪穴群は，およそ13世紀以前とされる住居・建物の痕跡が，現在でも地表面から窪みとして多数観察できることに大きな特徴がある。この特徴に注目して，平成18・19年度には，北海道・北見市・標津町が共同で，国史跡常呂遺跡（約2,700軒）と国史跡標津遺跡群（約2,500軒）を，「北海道東部の窪みで残る大規模竪穴住居跡群」として，日本の世界遺産暫定一覧表への記載に申請した[2]。その結果は，7,000年にわたる人類と自然との調和の過程を示す考古学的遺跡として価値は高いとされながらも，顕著な普遍的価値を持つことへの証明が不十分であるとされ，世界遺産暫定一覧表への記載に向けて，いくつかの課題が指摘された。その課題を抜粋すると，①顕著な普遍的価値を持つことへの証明が不十分，②世界的評価への位置付に対する検討，③アイヌ文化への連続性を視野にいれた主題設定や資産構成のさらなる検討，④同種の考古学的遺跡との比較，を含めた調査研究の必要性が指摘された。

こうした課題に対して，北海道教育委員会では，総合調査として，竪穴群の基礎情報（文献調査や北海道教育委員会が管理する包蔵地カードの精査）の整備や，道内竪穴群の現状把握と記録化を目的とした現地調査を実施して，窪みで残る竪穴群の全体像の把握と，その本質的価値の説明に向けた取り組みを進め，その内容を周知している[3]。一方，個別調査として，（公財）北海道埋蔵文化財センターによる重要遺跡確認調査では，道内の竪穴群の詳細な調査（測量・発掘など）が実施されている。また，北見市[4]や標津町[5]では，定期的に竪穴群に関する講演会や展示を実施し，教育機関などと連携した継続的な調査研究や普及活用事業を充実させた取り組みが進められている。

本論では，北海道の窪みで残る竪穴群について，その本質的な価値がどこにあるのか，また保存活用に向けた現状と課題を整理し，今後の保存活用の方針を見通すことにする。

## 1　窪みで残る竪穴群の特徴

現在，北海道では12,290ヶ所（令和3年4月1日現在）の埋蔵文化財包蔵地が登録されている。その内，1,609遺跡[6]において窪みで残る竪穴が

**図1　窪みで残る竪穴**
（道指定史跡十勝オコッペ遺跡・筆者撮影）

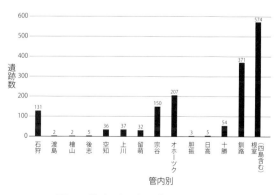

**図2　管内別竪穴を有する遺跡数**

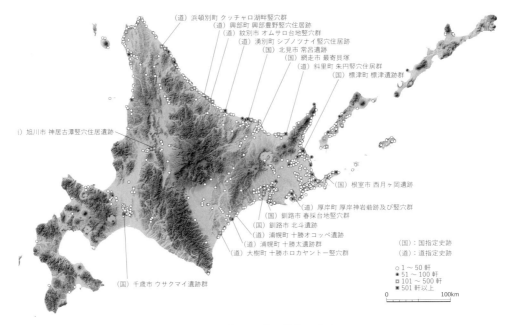

図3　窪みで残る竪穴の分布

存在する（図1・2）。道内全体の遺跡数の約1割で竪穴の窪みの存在が知られていることになる。これらの内50軒以上のまとまりをもつ竪穴の多くは，オホーツク海沿岸域や島の，海岸，河口部，湖沼などの段丘や砂丘などに集中する。また，北海道の内陸部でも，石狩低地帯・石狩川上流域，釧路・根室管内の内陸河川沿いに様々な規模の竪穴群が分布する（図3）。

　窪みで残る竪穴は，立地，平面形態，地表面からの深さ，発掘調査などの研究成果から総合的に判断して，擦文文化期とされるものが多い[7]。ただし，発掘調査されていない多くの竪穴群では，詳細な時期が必ずしも判明しているわけではない。数十～数百を超える竪穴が密集する場合には，一時期の住居数や，その分布配置についての同時性を踏まえた基礎的な情報もよくわからないこともあり，既往調査成果を基にして，おおよその時間的位置づけを行なわざるを得ない。住居形式の確認や竪穴が立地する微地形の把握と合わせて，各自治体の事情（費用・体制）を鑑みながら竪穴の内容や時期を特定するための調査が進められる必要がある。

## 2　竪穴はいつまで使用されていたのか？

　北海道では，擦文文化期を最後に，12世紀後半から13世紀前半に竪穴住居が利用されなくなり，平地住居へ移行すると一般的に理解されている。しかし，標津町ポー川河岸3遺跡の近年の発掘調査成果によれば，13世紀中葉よりも新しい時期の可能性がある窪みで残る竪穴が確認された[8]。北海道において13世紀以降に竪穴住居の使用が低調であったとしても，中・近世アイヌ文化期の歴史的文脈の中でどのように使用され続けたのか，平地住居を含めた集落を構成する諸要素（住居以外の施設）との関連を明らかにするような調査が，竪穴を介したアイヌ文化への連続性を解明する上でも求められる[9]。また，19世紀末～20世紀初頭に樺太・千島で竪穴住居の利用が観察されている[10]。北海道およびその周辺における自然・社会的環境を含めた，竪穴住居（建物）の利用について，長期的かつ系統的変化への追及も必要であろう。

## 3　窪みで残る竪穴は　どこまで分布するのか？

　竪穴住居は，定住・定着性の高い先史・古代の

東北アジア各地域で選択された住居形式とされる。北海道やその周辺域での竪穴住居や集落は、漁労・海獣狩猟を中心にした生業や、北方域に特有の産物を介した交易と深い関係にあったと考えられる。

　北海道と同様に窪みで残る竪穴群は、サハリン、千島列島、カムチャッカ半島、アムール中・下流域、沿海地域などでも確認されている。とくに、北海道と同規模の竪穴群は、サハリンや南千島に集中している。三つの地域の竪穴群を比較すると、北海道の竪穴群は、存続期間の長さ（縄文時代から擦文文化期）や規模の大きさが際立つとされる[11]。

　一方、日本国内では、東日本を中心に確認されている。とくに、青森県・岩手県・秋田県の北東北が中心となり、一部の遺跡は県史跡にも指定されている[12]。また、西日本でも数は少ないが日本海側で散見される[13]。北海道以外の国内の竪穴群の時期は、縄文・弥生・古墳時代のものは少ない。青森・岩手・秋田の北東北を中心とした竪穴群は、奈良・平安時代が中心となり、空堀で囲まれた集落で、山頂部に位置するなど「高地性集落」や「防御性集落」と呼ばれる事例が多い[14]。その規模は、20〜30軒程度のものが大半であり、100軒を超える竪穴群は非常に少ない。また、竪穴の窪みそのものも北海道のものと比較すると浅い傾向にある。国内の類似遺跡との比較でも、北海道の竪穴群は、存続期間や規模といった点が特徴的である。

## 4　なぜ窪みは残るのか？

　竪穴住居が現在も「窪み」で残されていることこそが、この遺構が持つ本質的な価値の一つである。それではなぜ窪みが現在も残され、価値が顕在化されているのか、という単純かつ素朴な疑問への応答が求められる。遺跡が形成される過程での自然的・人為的な面から多角的に考える必要がある。想定される各要因として、自然的な面では、寒冷気候下での腐植土の発達の遅さや、竪穴が立地する周辺の堆積環境として窪みを埋めつくすような変化が、現代に至るまでの間、長期に及んで生じていないことが挙げられる。また、人為的な面からは、窪みを破壊するような開発が長期

図4　クロップマーク（興部豊野竪穴群 A・筆者撮影）

にわたって行なわれなかった（保護された）ことも大きな要因である。なお、北海道東部の一部の遺跡では、過去に草地化が実施される中で、消滅または埋め戻されてしまった竪穴の窪みもある。この場合、草地においてクロップマーク（図4）が確認されることもあり、竪穴住居の有無を判断する上での有効性が認められる[15]。窪みで残る竪穴の個数・分布を把握する上でも注目される現象である。

## 5　「群」としての保存活用に向けて

　竪穴住居が窪みとして残され、「群」となる過程を、住居・集落のライフヒストリーと合わせ、保護の対象とされるまでの一連の過程を図5に示した。一般的に、竪穴住居や集落は、まず住居・集落を形成するために選地が行なわれ、住居の構築・使用・廃絶へと至り、住居が埋没して、窪みとして残される過程が見出される。さらに「場」として繰り返し利用され、窪みが群として形成されていく。集落としての場の機能や歴史的文脈が失われた後に、自然環境や人為行動による影響を受けつつ、数百年〜数千年の時を経て形成された窪みを、我々は「遺跡」として取扱い、埋蔵文化財包蔵地に登載して保護の対象としている。

　道内の窪みで残る竪穴群は、各遺跡内における個々の竪穴のまとまりである「群」と、遺跡間関係における広域的な「群」としての視点がある。窪みで残る竪穴群の保存活用を進めるにあたり、この二つの「群」としての視点が必要である[16]。

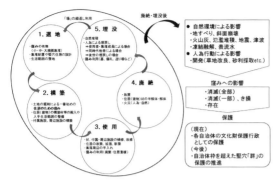

**図 5　窪みで残る竪穴群とその保護**

窪みで残る竪穴群は，詳細時期が不明なものが多く，民有地であるため維持管理や活用が難しい遺跡もある。そのため，個別の竪穴（群）だけでは本質的価値を見出しにくい場合でも，地域や自治体の枠を超えた広域的な「群」の中で，歴史的な意義づけを行なうことで保存活用への途も開かれる。

また，道内だけでなく，道外，とくにサハリンや千島とのダイナミックな交流活動の描き出しも，窪みで残る竪穴群の本質的価値を明らかにする上で欠かせない。これらの地域は，現在の政治・社会情勢に大きく左右されざるを得ないため，国を超えた保存活用の枠組みを構築することは容易ではない。しかし，大学や博物館などによる国際共同調査に加えて，竪穴群の保存活用についての広域的かつ包括的なあり方を文化財行政の上でも模索し続けなければならない。

**註**

1)　本論では，窪みで残る竪穴（群）を，竪穴住居・建物を含めた総称とする。

2)　経緯については，北海道教育委員会編『北海道の竪穴群の概要』2018 に詳しい。

3)　前掲註 2 に同じ

4)　菊池徹夫・宇田川洋『オホーツク海沿岸の遺跡とアイヌ文化』北海道出版企画センター，2014

5)　根室管内 1 市 3 町（根室市・標津町・別海町・羅臼町）連名による『「鮭の聖地」の物語〜根室海峡一万年の道程〜』が，令和 2 年 6 月に日本遺産に認定され，標津町の国史跡標津遺跡群伊茶仁カリカリウス遺跡はそのストーリー構成の文化財の一つとされた。

6)　遺跡数は，道教委で管理する埋蔵文化財包蔵地

カードを基に筆者集計。また，根室に含めた四島の遺跡数は，択捉・5 遺跡，国後・45 遺跡，色丹・15 遺跡，歯舞・2 遺跡である。四島の遺跡数は，右代啓視ほか「千島列島における人類活動史の考古学的総合研究（Ⅰ〜Ⅳ）」『北海道博物館研究紀要』1〜4，2016〜2019 と Самарин, И. А. и Шубина, О. А. *Памятники истории и культуры Южно-Курильского района.* 2013. を基に竪穴の位置や数を集計。

7)　澤井　玄「土器と竪穴の分布から読み取る擦文文化の動態」『古代蝦夷からアイヌへ』吉川弘文館，2007 や榊田朋広「擦文文化前半期の集落群構成と動態」『日本考古学』51，吉川弘文館，pp.23 - 42 などを参照。

8)　「市町村における発掘調査成果（令和 3 年度）」https：//www.dokyoi.pref.hokkaido.lg.jp/hk/bnh/92695.html（令和 4 年 11 月 30 日閲覧）

9)　擦文文化期の集落においても，住居以外の建物の評価は確定しがたい。広田良成「擦文文化期の竪穴状建物址」『北方言文化研究』3，pp.17 - 34 や澤井玄「国後島の大規模竪穴群と擦文文化」『北東アジアの歴史と文化』北海道大学出版会，pp.315 - 334 を参照。

10)　馬場　脩『樺太・千島考古・民族誌』1・3，北海道出版企画センター，1979

11)　高瀬克範「北千島・カムチャッカのアイヌ遺跡」『2019 年度地域の文化財普及啓発フォーラム 北海道の古代集落遺跡 次第・発表要旨』北海道文化遺産活用活性化実行委員会，2019，pp.11 - 12

12)　北海道以外で 100 軒を超える窪みで残る竪穴群で，県指定されているものとして，秋田県美郷町飯詰竪穴群（約 100 軒），岩手県野田村中平遺跡（100 軒以上）などがある。

13)　鳥取県米子市・大山町にある妻木晩田遺跡でもその存在が古くから知られている。中原斉「異能の先駆的考古学者・倉光清六」『古代文化』71 - 1，古代学協会，2019，pp.103 - 109

14)　三浦圭介ほか編『北の防御性集落と激動の時代』同成社，2006。工藤雅樹『古代蝦夷の考古学』吉川弘文館，2000 など

15)　興部町豊野竪穴群（A）でクロップマークの調査が実践された。北海道立埋蔵文化財センター『重要遺跡確認調査報告書』17，2022 を参照

16)　藤本英夫「北海道埋蔵文化財の課題」『日本歴史』311，吉川弘文館，1974，pp.97 - 103

# 本州との交流

■ 鈴木琢也
SUZUKI Takuya

## はじめに

　擦文文化（A.D.8～12世紀頃）は，続縄文文化（B.C.4～A.D.7世紀頃）の伝統を受けつぐ狩猟・採集・漁労に加え雑穀栽培にも生業の基盤をおく文化であり，本州で盛行する稲作農耕を受け入れず，古代国家の直接的な支配にも属さない文化であった。このことにより，かつて擦文文化は孤立，停滞した文化として捉えられることもあった。

　しかし，このようなイメージは21世紀における研究の伸展により大きく転換されつつあり，北海道の豊かな自然資源を利用し本州との活発な交流を行なう，外に開かれた文化であったとする解釈が多くみられる[1]。さらに，本州との交流を背景として，擦文文化の生業体系，土器，住居，墓などの文化様相総体がそれまでと大きく変化していくことに着目し，このような擦文文化の成立と展開を北海道における歴史的な画期として位置づける研究もみられるようになっている[2]。

　本稿ではこのような研究動向をふまえ，擦文文化の交流に焦点をあてた21世紀の研究を概観し，それらの研究によりどのような歴史的理解が進んできたのかということについて考えてみたい。はじめに擦文文化の交流に関わる近年の代表的な研究を概観したうえで，著者の考える擦文文化の対外交流のあり方の変化をふまえ，8～9世紀，10～11世紀，12～13世紀の三段階に区分して研究の現状を整理していくこととする[3]。

## 1　擦文文化の対外交流に関わる代表的な研究

　ここでは，擦文文化の対外交流，とくに本州との交流に関する代表的な研究をみていくが，はじめに少し視野をひろげて，工藤雅樹による古代蝦夷に関する研究をみてみたい[4]。この研究は東北地方の蝦夷を中心に扱ったものであるが，同様の視点から交流に焦点をあて，擦文文化の社会のあり方についても言及している。このなかで工藤は，本州方面からもたらされた鉄製品をはじめとする様々な移入品は擦文社会にとって必需品であり，擦文文化の人々はこれらを入手するための代替物として海獣・陸獣の毛皮類，ワシ・タカ羽，コンブなど北の世界の特産品を大量に用意する必要があった。したがって，擦文文化は自給自足の文化などではなく，本州方面との活発な交流関係があった文化であり，この交流関係なしに存在しえない文化であったと指摘している。

　また，上記の工藤の見解をより具体化したものとして，瀬川拓郎による一連の研究がある[5]。瀬川は石狩川水系流域（旭川・上川地方）におけるサケ漁に特化した生業体系をモデルに，9世紀後葉には社会を維持するために本州産製品が不可欠となるなかで，対価となる交易品（サケ，ワシ羽など）の生産に特化した生業体系の確立と集落展開がみられるとし，これを近世まで継承される交易適応した自然利用システムである「アイヌ・エコシステム」として位置づけた。そのうえで9世紀後葉以前の多様な生態系に適応した分散・非集中型の生業体系を「縄文エコシステム」として対置させ，9世紀後葉に北海道における歴史的な構造転換，社会の変化があったと述べている。

　一方，文献史学の立場から史料の検討により，擦文文化の対外交流を考察したものとして蓑島栄紀による代表的な研究がある[6]。蓑島は史料にみられる毛皮類やワシ羽，コンブなど北方社会の側から古代国家の社会にもたらされた各種の「も

の」の生産・交易のあり方を具体的に追究し，古代日本において北方産の「もの」が当時の王権の世界観・支配秩序を表現しただけでなく，王権そのものの維持・再生産のうえで重要な役割を担ったとしたうえで，そのような需要があったからこそ，古代国家と擦文文化の交易が活発化し，また北方産の「もの」（北の財）の生産・交易が擦文文化の社会・文化の本質を左右する重大な要素として規定的な意味を有したと述べている。

このように，本州との交流が擦文文化の社会のあり方に大きな影響を及ぼしたという論点がクローズアップされるようになったことが，近年の擦文文化の交流に関する研究の大きな特徴といえよう。このような研究の動向をふまえ，先述のように擦文文化を8〜9世紀，10〜11世紀，12〜13世紀の三段階に大きく区分し，本州との交流の実態や，その交流の展開に伴なう擦文文化の社会の変化に関わる具体的な研究をみていくこととする。

## 2  8〜9世紀の交流に関する研究

この時期の交流に関する研究では，擦文文化の成立に関わり，北東北からの文化的影響を想定し，その影響がどの地域からもたらされたのかという地域間交流の評価が課題とされてきた。この地域間交流については，土師器と初期擦文土器の検討から主要な交流のルートとして太平洋ルートを想定する説[7]，あるいは須恵器などの検討から8世紀後半〜9世紀には日本海ルートが主要になったと想定する説[8]がみられる。また，文献史料の検討などから，7〜8世紀の交流の様相について北海道から東国までを視野に入れた太平洋沿岸交通を想定する説[9]，8世紀後半に秋田城を拠点とした日本海交易体制が成立したとする説がある[10]。

そして，これらの交流ルートの研究をふまえ，擦文文化の成立に影響を及ぼしたのは北東北太平洋側の集団あるいは日本海側の集団とする二つの考え方が並立しているのが現状である。また，北東北との地域間交流に加えてオホーツク文化との交流を考慮して北東北土師器文化，擦文文化，オホーツク文化の相互関係をふまえた交流の実態を

追究することも，これからの課題とされている。

一方，8〜9世紀は本州で求心性の強い古代国家が成立し，地域支配が東北地方に拡大された時期であり，このような古代国家と北海道の擦文文化との関係が課題とされてきた。とくに文献史学では秋田城の設置以前と以後の朝貢・交易システムの転換をとりあげて擦文文化と出羽国の古代国家勢力などとの関係が論じられ，擦文文化の成立と展開に古代国家勢力がどのような影響を与えたのかという研究がなされてきた[11]。

考古学では，須恵器，横走沈線文系土器，鉄製品，文献史料からみた交流の状況を考察し，8世紀後半〜9世紀には北海道石狩低地帯の擦文文化集団と，出羽国の古代国家勢力および日本海沿岸域の北東北土師器文化集団との間で日本海ルートを通じた活発な交流が展開していたことを指摘した研究がある[12]。また秋田城の性格をめぐる総合的な考察をもとに須恵器の流通などをふまえ，秋田城は最北の城柵として北海道を含む北方地域との交流・交易を担う古代国家の「北の窓口」として位置づけられると指摘し，擦文文化集団と出羽国の古代国家勢力の関係に言及した研究もある[13]。

この時期に関する考古学の研究においては擦文文化集団と北東北土師器文化集団との地域間交流がクローズアップされてきたが，21世紀には古代国家との関係に踏みこんだ考察が試みられるようになり，その影響が擦文文化の社会のあり方にどのような影響を及ぼしたのかという研究もなされるようになったことが注目されよう。

## 3  10〜11世紀の交流に関する研究

この時期には擦文文化遺跡の拡散[14]に連動するように，本州産製品の分布が北海道全域に拡がっていくという現象がみられる。このことをふまえ，この時期の本州との地域間交流や交易の実態を明らかにすることが大きな課題とされてきた。このようななかで，本州産製品の擦文文化集団への流通を考察した研究には，鉄製品[15]，須恵器[16]，銅鋺[17]，木製品・漆器[18]などを扱ったものがある。これらの研究によると，とくに鉄製

品や須恵器（青森県五所川原産）などは，この時期に北海道全域に分布が拡大していくとされ，日本海，太平洋の両ルートによる流通の展開が想定されている。また，北海道と北東北における擦文土器の地域的な分布から，太平洋・陸奥湾沿岸ルートを通じて「北海道中央部・北部」と交流する「A 陸奥湾周辺地域」，日本海沿岸・岩木川ルートを通じて「北海道南西部・西部」と交流する「B 岩木川・米代川流域」に大別して交流の展開を想定した研究もなされている[19]。

一方，擦文文化から本州への具体的な交易品を考察した研究には，毛皮類，鷲羽，コンブなどを扱ったものがある[20]。これらの研究ではおもに文献史料の記載をもとに上記の品々を擦文文化から本州への交易品と推定し，それらの本州における利用状況などについても考察している。

上記のように，この時期に擦文文化と本州の人々との交流が活発化していくということはおおむね共通認識になっていると考えられるが，流通した交易品の推定や交流ルートの評価などについて様々な見解がみられるのが現状であろう。

さらに，このような交流の活発化に関わる研究をふまえ，擦文文化集団との交流に北東北土師器文化集団がどのように関わっていたのかということも課題とされてきた。このようななかで，9世紀後半〜11世紀の東北地方北部において竪穴建物の増加（人口の増加）がみられること，鉄製品，須恵器，塩などの生産活動が活発化し，青森市新田(1)遺跡のような交流拠点が成立することをふまえ，それらの文化的・経済的な発展を背景に擦文文化集団と青森県域の北東北土師器文化集団との交流が活発化したとする研究がなされている[21]。また，文献史料の検討から10世紀以降，陸奥・出羽守などとして東北地方に派遣された軍事貴族あるいは安倍氏・清原氏勢力が擦文文化との交流に関与していたとする研究もみられる[22]。これらの研究では，北海道から北東北に搬入された北方地域の特産物（毛皮類，鷲羽など）が安倍氏・清原氏勢力，軍事貴族などを経由し，「都」の古代国家勢力へ貢納されていたことが想定されている。

このように，文化的・経済的な発展をみせる北東北土師器文化集団あるいは安倍氏・清原氏および軍事貴族などとの関係を重視して，擦文文化集団との地域間交流の様相を考察していくことが課題とされ，その交流の活発化が擦文文化の拡散といった社会の変化にどのように関わっているのかという論点もクローズアップされている。

## 4　12〜13世紀の交流に関する研究

12世紀以降，それまで擦文文化の中心地であった石狩低地帯において，遺跡（竪穴建物跡）の分布が少なくなるとされている[23]。この要因について，この時期に竪穴建物にかわり平地建物が採用されて建物跡（住居跡）が認識されにくくなったこと，擦文土器にかわり木器，漆器など腐朽・消失しやすい遺物が主体になったことにより，見かけ上遺跡が減少したようにみえるとし，実際には大量の物資が安定して供給されていたとする見解がある[24]。一方，石狩低地帯において12〜14世紀前半の本州産製品の分布が少なくなることなどを根拠に，この時期には交流の拠点地域が石狩低地帯から北海道南西部・西部・南部などの海岸や河川の湊に適した地域（本州との交流の窓口）に移り変わていき，交流の様相が変化したと指摘する研究もみられる[25]。

さらに，この時期の研究では，擦文文化集団と平泉藤原氏勢力との交流および本州集団の北海道進出の実態を把握することが課題とされている。このことについて，厚真町宇隆1遺跡から出土した常滑陶器壺は，12世紀における常滑陶器最大の消費地である平泉と北海道南部太平洋沿岸域との交流を示すものとされ[26]，一方で平泉無量光院跡から擦文土器が出土していることからも，12世紀に擦文文化集団と平泉藤原氏勢力との交流が展開していたことが想定されている[27]。そして，このような交流の展開に伴ない本州集団が北海道に進出しはじめ，その影響をうけて擦文文化の社会が変化していく可能性も指摘されている[28]。

12〜13世紀は，擦文文化が考古学上の文化区分でいうアイヌ文化へと移行していく時期と考え

られており，この社会の変化に本州との交流の展開がどのように関わっていたのかを追究することは極めて重要な課題といえよう。

## おわりに

　上記の諸研究をみても明らかなように，本州との交流が擦文文化の社会変化の要因や背景に深く関わる重要な要素であると強調されるようになったことが，21世紀における擦文文化の対外交流研究の大きな特徴といえる。また，近年は交流という視点だけではなく，それを支えた集落動態や生業を含めた擦文文化の社会全体像の復元を試みる研究がなされつつあることも注目されよう[29]。

　今後は，擦文文化に古代国家，東北地方諸勢力，北東北土師器文化などの影響が及ぶ諸段階と，それに伴なう交流システムの変化を具体化し，擦文文化の社会の変化との関係をより明確にしていくことが重要な課題の一つになるのではないだろうか。

### 註

1） 瀬川拓郎『アイヌ・エコシステムの考古学』北海道出版企画センター，2005。蓑島栄紀『古代国家と北方社会』吉川弘文館，2001。同『「もの」と交易の古代北方史』勉誠出版，2015

2） 鈴木琢也「擦文文化の成立過程と秋田城交易」『北海道博物館研究紀要』1，2016。前掲註1（瀬川2005）に同じ

3） 鈴木琢也「古代の北方交流と擦文文化」『「北海道の古代集落遺跡Ⅲ」記録集』北海道文化遺産活用活性化実行委員会，2023

4） 工藤雅樹『古代蝦夷』吉川弘文館，2000。同『古代蝦夷の英雄時代』平凡社，2005

5） 前掲註1（瀬川2005）に同じ

6） 前掲註1（蓑島2001・2015）に同じ

7） 八木光則『古代蝦夷社会の成立』同成社，2010。瀬川拓郎『アイヌの世界』講談社，2011

8） 鈴木琢也「北日本における古代末期の北方交易」『歴史評論』678，2006。宇部則保「蝦夷社会の須恵器受容と地域性」『海峡と古代蝦夷』高志書院，2011

9） 新井隆一「北海道式古墳と七・八世紀の太平洋沿岸交通」『貝塚』63，2007

10） 前掲註1（蓑島2001）に同じ

11） 前掲註1（蓑島2001・2015）に同じ

12） 前掲註2（鈴木2016）に同じ

13） 伊藤武士「古代城柵秋田城跡と北方世界」『チャシコツ岬上遺跡国史跡指定記念シンポジウム「オホーツク文化と古代日本」資料集』斜里町立知床博物館，2019

14） 澤井玄「土器と竪穴の分布から読み取る擦文文化の動態」『古代蝦夷からアイヌへ』吉川弘文館，2007

15） 鈴木琢也「擦文文化における物流交易の展開とその特性」『北海道開拓記念館研究紀要』33，2005。笹田朋孝『北海道における鉄文化の考古学的研究』北海道出版企画センター，2013

16） 鈴木琢也「擦文文化期における須恵器の拡散」『北海道開拓記念館研究紀要』32，2004

17） 関根達人「平泉文化と北方交易（2）―擦文期の銅鋺をめぐって―」『平泉文化研究年報』2008

18） 清水香「擦文・アイヌ文化期の出土木製品における移入品について」『北海道考古学』51，2015

19） 斉藤淳「北奥出土の擦文土器について」『青森県考古学』16，2008

20） 関口明『古代東北の蝦夷と北海道』吉川弘文館，2003。鈴木信「続縄文文化～擦文文化の渡海交易品目」『北海道考古学』39，2003。前掲註1（蓑島2015），前掲註15（鈴木2005）に同じ

21） 三浦圭介「北奥の巨大防御製集落と交易・官衙類似遺跡」『歴史評論』678，2006。斉藤利男「北方世界のなかの平泉・衣川」『歴史評論』678，2006。鈴木琢也「北日本における古代末期の交易ルート」『古代中世の蝦夷世界』高志書院，2011

22） 前掲註21（斉藤2006，鈴木2011）に同じ

23） 前掲註14に同じ

24） 越田賢一郎「擦文文化からアイヌへ」『新版北海道の歴史・上』北海道新聞社，2011

25） 鈴木琢也「平泉政権下の北方交易システムと北海道在地社会の変容」『歴史評論』795号，2016

26） 八重樫忠郎「東北の経塚と厚真町の常滑壺」『歴史評論』795，2016。鈴木琢也「擦文文化と奥州藤原氏」『Arctic Circle』116，2020

27） 鈴木琢也「平泉無量光院跡出土の擦文土器」『北海道博物館研究紀要』7，2022

28） 前掲註25に同じ

29） 榊田朋広「擦文文化前半期の集落群構成と動態」『日本考古学』51，2020

# トビニタイ文化の理解の進展

■ 小野哲也
■ ONO Tetsuya

　トビニタイ土器群は，おおむね 10 世紀以降，北海道東部に分布した，擦文土器とオホーツク土器の融合型式として知られている。この土器群に関わる考古学的文化，トビニタイ文化については，近年，大西秀之や榊田朋広により，詳細な検討がなされてきた[1・2]。本稿では，両氏の成果を頼りに手探りで進めてきた，史跡標津遺跡群保存活用業務の中で直面した問題と，その解消に向けた検討過程を紹介することで，表題について述べたい。

## 1　トビニタイ文化の理解の現状

　標津町では令和元年度から，史跡標津遺跡群の保存活用計画策定のため，過去 40 年以上にわたる調査研究成果を踏まえた遺跡群の本質的価値再整理作業を行なってきた[3]。この作業では有識者からなる検討委員会を設け，遺跡群の価値説明文章の作成を進めた。ここで避けることが出来なかったのが，トビニタイ文化の説明であった。史跡標津遺跡群の中核的遺跡伊茶仁カリカリウス遺跡から，オホーツク土器とトビニタイ土器との間を埋める，カリカリウス土器群とも称される土器群が出土しており，この遺跡は，オホーツク文化と擦文文化が正に接触した場として捉えられているからである[4]。しかしこの検討過程で，トビニタイ文化に対する意見が委員の間で割れた。トビニタイ文化として文化設定することの是非について，委員相互で見解が異なったためである。ただこの見解の相違はいまに始まったことではなく，1979 年に藤本強によりトビニタイ文化が設定されて以来続くものである[5]。

　トビニタイ文化の文化設定を肯定する立場は，トビニタイ土器群に関わる土器以外の要素に着目している。住居址，葬制，遺跡の立地，石器・骨角器の内容などでオホーツク文化とは同一視できず，また擦文文化に由来する要素も土器と一部の住居形態しかなく，いずれからも分離できる独自の文化様相を示すことを根拠としている[6]。

　一方，トビニタイ文化の文化設定を否定する立場は，オホーツク文化が擦文文化に「同化吸収」され衰退していくという，河野以来続く解釈に基づくもので[7]，その「同化吸収」過程の様相としてトビニタイ土器を捉えてきた[8]。その根拠の一つが，これまでの土器編年研究の成果により，ト

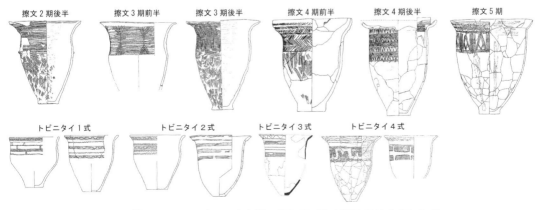

擦文 2 期後半　　擦文 3 期前半　　擦文 3 期後半　　擦文 4 期前半　　擦文 4 期後半　　擦文 5 期

トビニタイ 1 式　　トビニタイ 2 式　　トビニタイ 3 式　　トビニタイ 4 式

図 1　榊田によるトビニタイ土器の編年案（註 9 榊田 2016 を基に作成）

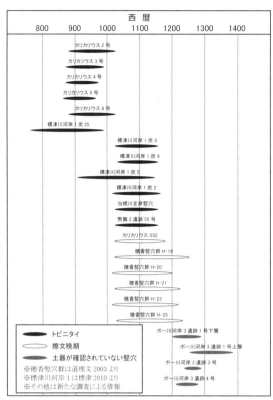

図2　トビニタイ・擦文晩期竪穴の年代測定結果

（図内）

西暦

800　900　1000　1100　1200　1300　1400

カリカリウス2号
カリカリウス3号
カリカリウス4号
カリカリウス5号
カリカリウス8号
標津川河岸1炭25
標津川河岸1炭8
標津川河岸1炭4
標津川河岸1炭5
標津川河岸1炭2
当幌川左岸竪穴
幣舞2遺跡55号
カリカリウスS52
穂香竪穴群H-19
穂香竪穴群H-20
穂香竪穴群H-21
穂香竪穴群H-23
穂香竪穴群H-25
ポー川河岸3遺跡1号下層
ポー川河岸3遺跡1号上層
ポー川河岸3遺跡3号
ポー川河岸3遺跡4号

トビニタイ
擦文晩期
土器が確認されていない竪穴

※穂香竪穴群は道埋文2003より
※標津川河岸1は標津2010より
※その他は新たな調査による情報

ビニタイ土器よりも擦文土器の方が長く存続することである。いわゆる擦文晩期の存在である。

## 2　トビニタイ土器群の終末と擦文晩期

擦文土器とトビニタイ土器の編年は，近年榊田により詳細な検討がなされ，擦文土器は9つ，トビニタイ土器は4つの時期にそれぞれ区分し対比が行なわれた[9]。それによれば，擦文土器はトビニタイ土器よりも1型式分長く存続するとされている（図1）。一般に擦文晩期と呼ばれている土器の一部がこれに相当する。

図2は近年の史跡標津遺跡群などの調査過程で蓄積された，トビニタイ土器や擦文晩期の土器を伴なう遺構の年代測定結果をグラフ型式で整理したものである[10]。トビニタイ土器がおおむね12世紀半ばまでの範疇で収まるのに対し，擦文晩期の土器はそれよりも長く，13世紀前半の範囲まで延びており，トビニタイ土器よりも長く存続した可能性を示している。また近年の標津町内の遺

跡調査では，土器が確認されていない竪穴が複数見つかっており，これらの年代はいずれも13世紀初頭以降の範囲に位置する。そのため，擦文晩期の年代的位置はおおむね12世紀代後半の半世紀程の範疇に収まるのではないかと考えている。

やはり擦文土器は，トビニタイ土器よりも長く存続した可能性が高いと考えられる。

## 3　トビニタイ土器群は「同化吸収」過程か

トビニタイ土器群について，藤本はこの土器群に関わる諸要素の特徴の多様性を，オホーツク文化の資源獲得システムが何らかの要因で崩れ，新たなシステムを作るべく模索している段階として評価し，トビニタイ文化として独自の文化設定を行なった[11]。一方，山浦清や澤井玄は，トビニタイ土器群はオホーツク文化が擦文化して崩壊・変容する過程に過ぎないとし，少なくともその一部は擦文土器として捉えられるとした[12,13]。

これら異なる見解がある中，榊田はトビニタイ土器群について，藤本のいう資源獲得システムの模索がどのようなものであったかは別として，その模索段階にあっても土器型式が安定して展開するだけの社会的関係が保たれていたと指摘した[14]。

安定した土器型式が展開したと指摘されているトビニタイ土器群は，擦文文化に「同化吸収」され，崩壊・変質していくオホーツク文化の衰退過程として捉えて良いものであろうか。史跡標津遺跡群の本質的価値再検討の過程では，この点に疑問を感じたため，価値説明ではあえてトビニタイ文化という表現を用いることとした。

## 4　標津遺跡群再調査による新知見

史跡標津遺跡群の保存活用計画作成のため，標津遺跡群でのこれまでの調査で得られた資料を対象に各種再調査を行なった。その中にはトビニタイ文化に関する内容も含まれているため，ここでその一部を紹介する。

一つは黒曜石の原産地推定調査である。標津遺跡群にもたらされた黒曜石の原産地を通時的に比較するため，各時期からサンプルを選び，調査を

行なった。その結果，縄文時代，続縄文時代初頭では置戸産を中心に，白滝産の黒曜石を若干含む構成であったものが，後北C2‐D期，トビニタイ期では置戸産，白滝産のほかに，十勝産が含まれるようになり，とくにトビニタイ期では十勝産がもっとも多くなることが明らかとなった（図3)[15]。北海道東部では，置戸産，白滝産の黒曜石を主体とする中で，太平洋側地域では縄文時代の頃から十勝産を一定数含む傾向にある[16]。標津遺跡群では続縄文時代後半以降，黒曜石流通の面では太平洋側地域とのつながりを強めていったことが読み取れ，トビニタイ文化集団もそのつながりに加わったことがわかる。

次に，鉄器の供給元についても探るため，鉄器流通実態把握に向けた，出土鉄器の成分組成調査を行なった。調査にあたっては，トビニタイ文化の前段として，6~9世紀の北海道出土鉄器の供給地域について調査を行なっている。その結果，8~9世紀の石狩低地帯の擦文文化集団と，オホーツク海側のオホーツク文化集団とでは，それぞれの鉄器組成の組み合わせが完全には一致せず，オホーツク文化集団の使用した鉄器は，石狩低地帯の擦文文化集団を介さずに，独自のルートで鉄器を入手していた可能性を指摘した。その入手先の1つとして，東北地方の三陸沿岸や福島県域が想定された[17]。

この結果を踏まえ，トビニタイ文化に伴なう鉄器についても組成調査を行ない，図上にプロットしたものが図4である。トビニタイ文化の鉄器も，おおむねオホーツク文化貼付文期の鉄器組成と類似する領域にプロットされ，ほぼ同時期の石狩低地帯の擦文文化集団が使用した鉄器の成分組成とは完全には一致していない[18]。

大西はトビニタイ文化集団への鉄器供給元として，石狩低地帯の擦文集団を想定していた[19]。しかし鉄器の成分組成の調査から見えてきたことは，トビニタイ文化集団はオホーツク文化貼付文期と同様，石狩低地帯とは異なる独自のルートで鉄器を入手していた可能性が高い。

この時，トビニタイ文化形成の前段として，オホーツク文化集団が接触した擦文文化は，どのよう

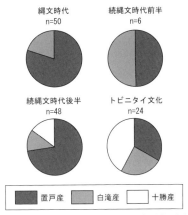

図3　標津遺跡群出土黒曜石原産地推定結果

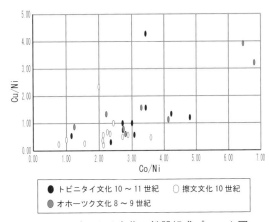

図4　トビニタイ文化の鉄器組成プロット図

な性格の集団であったのかが問題となる。伊茶仁カリカリウス遺跡では北海道東部では僅少な擦文中期前半頃に相当する擦文土器が見つかっている。この土器を残した担い手がどのような存在であったのかは，今後検討が必要な課題と考えている。

## 5　トビニタイ文化への理解深化とその展望

トビニタイ文化への理解を深めていくことで，今後何が展望できるであろうか。

トビニタイ土器が存続する時期，胆振・日高では馬蹄形圧痕文を有する土器が，渡島半島の日本海側では松前町札前遺跡出土資料に代表される口縁部の横走沈線を特徴とする土器が盛行し，擦文文化圏の中にも小地域的な特色ある土器が各地で出現する[20]。オホーツク文化が多様化してトビニタイ文化へと変容するのと同様に，擦文文化圏

においても多様な擦文文化の姿が現われるのである。この状況は，一つの擦文文化に収斂され，「アイヌ文化」に移行するとされてきた河野以来の解釈に再考を促すものと考える。

　近年，胆振・日高地域では「アイヌ文化期」の遺跡発掘調査事例が増加し，シカ送り場を推測させる事例など，従来の「アイヌ民族誌」では想定できない遺構がみつかっている[21]。そこから見えつつあるのは，「アイヌ民族誌」に囚われない，多様な「アイヌ文化」の姿である。宇田川が「原アイヌ文化」と表現し[22]，山浦が「プロト＝アイヌ期」と評した[23]，擦文土器終焉後の文化は，一つの「アイヌ文化」ではない可能性がある。

　この時，擦文文化圏の一角で異彩を放つトビニタイ文化は，北海道内各地で，それぞれの環境に応じて展開した，多様な「アイヌ文化」の成り立ちを探る上で，わかりやすい糸口になり得ると考えている。大規模な開発行為の少ない北海道東部では，埋蔵文化財発掘調査件数も少なく，考古学的検討を重ねるのに不可欠な資料の蓄積は不十分である。しかし代わりに良好な保存状態の遺跡が数多く残されている。これら遺跡を対象に，例えば枝幸町での地元高校と連携した地域主体の発掘調査や[24]，村本周三・榊田による今日的視点からの遺跡分布再検証のような調査研究を重ねていくことができれば，多様な「アイヌ文化」のそれぞれの輪郭が見えてくるかもしれない[25]。

## 註

1）　大西秀之『トビニタイ文化からのアイヌ文化史』同成社，2009
2）　榊田朋広「トビニタイ文化研究の現状と課題」『異貌』28，2010
3）　標津町教育委員会で現在作成中の『史跡標津遺跡群・天然記念物標津湿原保存活用計画』
4）　標津町教育委員会『史跡標津遺跡群伊茶仁カリカリウス遺跡発掘報告書』1982
5）　藤本　強「トビニタイ文化の遺跡立地」『北海道考古学』15，1979
6）　前掲註5に同じ
7）　河野広道「先史時代史」『斜里町史』斜里町，1955
8）　山浦　清「オホーツク文化の終焉と擦文文化」『東京大学文学部考古学研究室研究紀要』2，1983
9）　榊田朋広『擦文土器の研究』北海道出版企画センター，2016
10）　いずれも竪穴炉跡から回収した炭化物の年代測定結果で，$2\sigma$年代幅を図上に落としたもの。伊茶仁カリカリウス遺跡と幣舞遺跡は，小野が個人研究で実施した調査結果。ポー川河岸3遺跡は現在標津町教委で継続調査している調査結果で，2021年北海道考古学会研究大会報告掲載資料と同じ。標津川河口左岸1遺跡，穂香竪穴群の結果はそれぞれ既刊報告書掲載データ。
11）　前掲註5に同じ
12）　前掲註8に同じ
13）　澤井　玄「「トビニタイ土器群」の分布とその意義」『古代』93，1992
14）　前掲註9に同じ
15）　後北C2-D期の情報は，高倉純・金成太郎・杉原重夫「北海道東部の続縄文時代における黒曜石利用―釧路・根室地域の遺跡を対象とした原産地推定分析にもとづいて―」『文化財科学』64，2011より
16）　例えば，㈶北海道埋蔵文化財センター『根室市別当賀一番沢川遺跡』2019
17）　小野哲也・赤沼英男・目時和哉「6〜9世紀における北海道出土鉄器の供給地域について」『北海道考古学』54，2018
18）　トビニタイ文化鉄器は新たに調査した伊茶仁カリカリウス遺跡，伊茶仁ふ化場第1竪穴群遺跡，古道6遺跡出土資料の情報。擦文文化鉄器は㈶北海道埋蔵文化財センター『千歳市オサツ2遺跡（2）』報告資料，1996。オホーツク文化鉄器は前掲註17より
19）　前掲註1に同じ
20）　瀬川拓郎『アイヌの歴史 海と宝のノマド』講談社，2007
21）　厚真町教育委員会『ニタップナイ遺跡（1）』2009
22）　宇田川洋『北海道の考古学』北方新書版，北海道出版企画センター，1995
23）　山浦　清「プロト＝アイヌ期以降における銛頭の変遷とその背景―下北半島出土の銛頭を出発点として―」『北海道考古学』44，2008
24）　北海道教育庁生涯学習推進局文化財・博物館課「市町村における発掘調査成果（令和3年度）」2021
25）　村本周三・榊田朋広「トビニタイ文化期の遺構・遺物出土遺跡について」『セツルメント研究』9，2018

# 北海道における ZooMS による動物利用研究の現状と可能性

■ 江田真毅
■ EDA Masaki

ZooMS は近年急速に発展している新しい遺跡資料の同定法である。小稿ではこの方法を概説するとともに，北海道における ZooMS による動物利用研究の現状と可能性について論じる。

## 1 ZooMS とは

ZooMS（ズームス）は Zooarchaeology by Mass Spectrometry の略称である[1]。直訳すれば「質量分析計による動物考古学」となる。しかし，質量分析計を用いた動物考古学研究でも，窒素や炭素，酸素などの安定同位体分析や放射性炭素年代測定，脂質分析などはその範疇に含まれない。ZooMS が分析対象とするのは I 型コラーゲンを中心とするタンパク質である[2]。また同じくタンパク質を分析する研究でも，資料中に含まれるタンパク質を網羅的に同定するショットガンプロテオミクスとは一線を画す。ショットガンプロテオミクスでは資料中に含まれるタンパク質の種類と由来生物の同定を目指すのに対して，ZooMS では資料中の特定のタンパク質に基づいて未知資料の種・分類群の同定を目指すためである。

ZooMS は 2010 年以降イギリスを中心にヨーロッパで急速に発展してきた。形態での識別が困難な部位が多いヤギとヒツジの骨の判別から始まり，その後哺乳類や魚類，両生類，爬虫類，鳥類の出土資料の同定に有効なことが示されてき

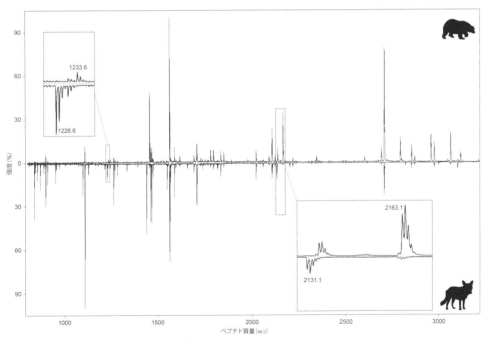

図1 MALDI-TOF MS で得られたヒグマ（上）とキツネ（下）の
トリプシン切断コラーゲン断片のスペクトル
ヒグマとキツネではいくつかの異なるピークがあることが知られている。

た[3]。その分析手順は大まかに①分析対象となるタンパク質（骨資料であればⅠ型コラーゲン）を遺跡資料から抽出する，②トリプシンなどのタンパク質分解酵素でタンパク質を切断する，③質量分析計で測定して切断されたペプチドのスペクトル（図1）を得る，④得られたスペクトルを種（あるいは分類群）が分かっている試料のスペクトルと比較して出土資料を同定する，というものである。ZooMSのための質量分析にはマトリックス支援レーザー脱離イオン化法・飛行時間型質量分析計（matrix-assisted laser desorption/ionisation time-of-flight mass spectrometry：MALDI-TOF MS）が用いられることが多い。また既知スペクトルとの比較は，各分類群のスペクトルに特異的に出現するピーク（バイオマーカー）の有無によっておこなわれる。このため，種，属，科など，どの分類階級で資料を同定できるかは，分類群間のアミノ酸配列の違いの有無と比較データの蓄積の有無に依存する。コラーゲンタンパクのアミノ酸配列の進化速度は分類群間で異なることが知られている。もっとも比較データの蓄積がある大型哺乳類では亜科や属単位での同定に留まることが多い一方，小型哺乳類では多くの場合属単位や種単位での同定が可能となっている[4]。また研究の蓄積は少ないものの，魚類ではアミノ酸配列の進化速度が速く，種単位での同定ができる可能性が高いと考えられている。

　DNAの塩基配列に比べて進化速度が遅いため近縁な種間の同定はできないという欠点はあるものの，この方法の長所として①骨中のコラーゲンが変性しにくいため，分析成功率が高い，②抽出資料を直接計測するため，コンタミネーションの危険性が少ない[5]，③分析に必要な骨粉の量（約1mg～）が極めて少ないため，資料の破壊を最小限にできる，④DNA解析に比べて安価に分析できる，が指摘されている[6]。これらの長所から，断片化した骨を古代DNA解析の対象とする際，ZooMSをプレスクリーニングに用いることも多い。たとえば，デニソワ洞窟出土のネアンデルタール人（Homo neanderthalensis）の母とデニ

ソワ人（H. denisova）の父の子と推定された骨は，ZooMSで同定されたHomo属の骨に対して古代DNA解析が実施された成果である[7]。

## 2　北海道におけるZooMSによる動物利用研究の現状

　北海道の遺跡から出土した資料をZooMSによって同定した例は寡聞にして聞かない[8]。一方，北海道に所在する北海道大学総合博物館において，私たちはZooMSを用いた研究を実施してきた。日本の野生キジ科鳥類からニワトリ（Gallus gallus domesticus）を識別するバイオマーカーを見出した研究は，ZooMSが鳥骨の同定にも応用できることを世界に先駆けて明示したものと言える[9]。また，このバイオマーカーを利用した唐古・鍵遺跡（奈良県田原本町・弥生時代）から出土したキジ科幼鳥の骨の分析では，その骨がニワトリのものであり，当時からニワトリの継代飼育がおこなわれていた可能性を指摘した[10]。さらに学会大会での成果発表に留まっているものの，「鵜を抱く女」とも呼ばれる土井ヶ浜遺跡（山口県下関市・弥生時代）の1号人骨に共伴した鳥骨をZooMSで分析し，その骨がフクロウ科鳥類と考えられることを明らかにしてきた[11]。

　これらの鳥類を対象とした研究のほか，私たちは北海道を含む日本産哺乳類のZooMSによる同定のための比較データの蓄積も進めている。これは，これまでZooMSがおもにヨーロッパの動物，とくに哺乳類を対象に発展してきており，日本の遺跡から出土した哺乳類の同定にはデータの蓄積が不足しているためである。ヨーク大学・生物考古学研究所（BioArch）のホームページでは，これまでに発表された論文中で言及されたバイオマーカーが集成・公開されている[12]。このリストをみると，どの種のデータがあるか，そしてどの種とどの種がZooMSで判別できるかを確認できる。北海道に生息する（あるいは生息した）哺乳類をみると，ヨーロッパに同一種が生息するヒグマ（Ursus arctos）やキツネ（Vulpes vulpes），イヌ（Canis familiaris），シンリンオオカミ（Canis lupus）

表1　ZooMS による日本産哺乳類の同定の鍵となる I 型コラーゲンのおもなピーク（バイオマーカー）
（ヨーク大学・生物考古学研究所のホームページから一部抜粋して作成）

| 和　　名 | 学　　名 | α1 508–519 | α2 978–990 | α2 484–498 | α2 502–519 | α2 292–309 | α2 793–816 | α1 586–618 | α2 757–789 | 追加ピーク |
|---|---|---|---|---|---|---|---|---|---|---|
| ヒト | *Homo sapiens* | 1105.6 | 1235.6 | 1477.7 | 1580.8 | 1619.8 | 2115.1 | 2869.4 | 2973.4 | 2899 |
| ハツカネズミ | *Mus musculus* | 1105.6 | 1194.6 | 1453.7 | 1592.8 | | 2159.1 | 2911.4 | 2947.4 | |
| ドブネズミ | *Rattus norvegicus* | 1105.6 | 1203.6 | 1453.7 | 1592.8 | | 2143.1 | 2899.4 | 3003.4 | |
| クマネズミ | *Rattus rattus* | 1105.6 | 1203.6 | 1453.7 | 1592.8 | | 2143.1 | 2899.4 | 2973.4 | |
| ヒグマ | *Ursus arctos* | 1105.6 | 1233.6 | 1453.7 | 1566.8 | 1609.8 | 2163.1 | 2853.4 | 2973.4 | |
| キツネ | *Vulpes vulpes* | 1105.6 | 1226.6 | 1437.7 | 1566.8 | 1609.8 | 2131.1 | 2853.4 | 2999.4 | 1548.8 |
| シンリンオオカミ | *Canis lupus* | 1105.6 | 1226.6 | 1453.7 | 1566.8 | 1609.8 | 2131.1 | 2853.4 | 2999.4 | 1649.8 |
| イヌ | *Canis familiaris* | 1105.6 | 1226.6 | 1453.7 | 1566.8 | 1609.8 | 2131.1 | 2853.4 | 2999.4 | 1576.8 |
| トド | *Eumetopias jubatus* | 1105.6 | 1221.6 | 1453.7 | 1566.8 | | 2121.1 | 2853.4 | | |
| オットセイ | *Callorhinus ursinus* | 1105.6 | 1221.6 | 1453.7 | 1566.8 | 1652.8 | 2121.1 | 2853.4 | | |
| セイウチ | *Odobenus rosmarus* | 1105.6 | 1221.6 | 1453.7 | 1566.8 | 1652.8 | 2121.1 | 2853.4 | 3019.4 | 1639 |
| ゴマフアザラシ | *Phoca largha* | 1105.6 | 1221.6 | 1453.7 | 1566.8 | | 2171.1 | | | |
| ゼニガタアザラシ | *Phoca vitulina* | 1105.6 | 1221.6 | 1453.7 | 1566.8 | 1652.8 | 2171.1 | | | |
| ワモンアザラシ | *Pusa hispida* | 1105.6 | 1221.6 | 1453.7 | 1566.8 | | 2171.1 | 2853.4 | | |
| クラカケアザラシ | *Histriophoca fasciata* | 1105.6 | 1221.6 | 1453.7 | 1566.8 | | 2171.1 | | | |
| アゴヒゲアザラシ | *Erignathus barbatus* | 1121.6 | 1221.6 | 1453.7 | 1566.8 | 1652.8 | 2171.1 | 2853.4 | | |
| ウマ | *Equus ferus caballus* | 1105.6 | 1198.6 | 1427.7 | 1550.8 | 1649.8 | 2145.1 | 2883.4 | 2999.4 | 3242 |
| ウシ | *Bos taurus* | 1105.6 | 1208.6 | 1427.7 | 1580.8 | 1648.8 | 2131.1 | 2853.4 | 3033.4 | |
| シロナガスクジラ | *Balaenoptera musculus* | 1079.6 | 1205.6 | 1453.7 | 1550.8 | 1652.8 | 2105.1 | 2883.4 | 3023.4 | |
| ナガスクジラ | *Balaenoptera physalus* | 1079.6 | 1205.6 | 1453.7 | 1566.8 | 1652.8 | 2135.1 | 2883.4 | 3023.4 | |
| イワシクジラ | *Balaenoptera borealis* | 1079.6 | 1205.6 | 1441.7 | 1550.8 | 1652.8 | 2135.1 | 2883.4 | 3023.4 | |
| ザトウクジラ | *Megaptera novaeangliae* | 1079.6 | 1205.6 | 1453.7 | 1566.8 | 1652.8 | 2135.1 | 2869.4 | 3023.4 | |
| コククジラ | *Eschrichtius robustus* | 1079.6 | 1205.6 | 1453.7 | 1566.8 | 1652.8 | 2135.1 | 2899.4 | 3023.4 | |
| マッコウクジラ | *Physeter macrocephalus* | 1079.6 | 1205.6 | 1453.7 | 1550.8 | 1652.8 | 2133.1 | 2883.4 | 3039.4 | 3055 |
| シロイルカ | *Delphinapterus leucas* | 1079.6 | 1205.6 | 1443.7 | 1550.8 | 1652.8 | 2121.1 | 2883.4 | 3067.4 | |
| イッカク | *Monodon monoceros* | 1079.6 | 1205.6 | 1443.7 | 1550.8 | 1652.8 | 2089.1 | 2883.4 | 3067.4 | |
| シャチ | *Orcinus orca* | 1079.6 | 1205.6 | 1453.7 | 1566.8 | 1652.8 | 2119.1 | 2883.4 | 3023.4 | |
| オキゴンドウ | *Pseudorca crassidens* | 1063.6 | 1205.6 | 1453.7 | 1566.8 | 1638.8 | 2119.1 | 2883.4 | 3023.4 | |
| ハナゴンドウ | *Grampus griseus* | 1063.6 | 1205.6 | 1453.7 | 1566.8 | 1638.8 | 2119.1 | 2883.4 | 3023.4 | |
| マイルカ | *Delphinus delphis* | 1079.6 | 1205.6 | 1453.7 | 1566.8 | 1638.8 | 2119.1 | 2883.4 | 3023.4 | |
| スジイルカ | *Stenella coeruleoalba* | 1079.6 | 1205.6 | 1453.7 | 1566.8 | 1638.8 | 2119.1 | 2883.4 | 3023.4 | |
| カマイルカ | *Lagenorhynchus albirostris* | 1079.6 | 1205.6 | 1453.7 | 1566.8 | 1638.8 | 2119.1 | 2883.4 | 3023.4 | |
| ネズミイルカ | *Phocoena phocoena* | 1079.6 | 1205.6 | 1453.7 | 1550.8 | 1652.8 | 2119.1 | 2883.4 | 3023.4 | |
| イシイルカ | *Phocoenoides dalli* | 1079.6 | 1205.6 | 1453.7 | 1550.8 | 1652.8 | 2119.1 | 2883.4 | 3023.4 | |

ではデータがある（表1）。そしてクマ科のヒグマとイヌ科のキツネ・イヌ・シンリンオオカミの識別のほか，キツネ，イヌ，シンリンオオカミの識別も可能であることがわかる。また，北海道周辺に生息するアザラシ科の5種（アゴヒゲアザラシ（*Erignathus barbatus*），クラカケアザラシ（*Histriophoca fasciata*），ゴマフアザラシ（*Phoca largha*），ゼニガタアザラシ（*Phoca vitulina*），ワモンアザラシ（*Pusa hispida*））は完全に網羅されている。これらの種のうち，アゴヒゲアザラシとワモンアザラシはほかの3種と識別可能とされているものの，ほかの3種を識別できるバイオマーカーは確認されていない。一方で，たとえばエゾシカ（*Cervus nippon yesoensis*）を含むニホンジカ（*C. nippon*）やタヌキ（*Nyctereutes procyonoides*），ラッコ（*Enhydra lutris*）は分析されていない。また鯨類のうち大西洋のヒゲクジラ類は広く分析されており，いくつかのバイオマーカーからザトウクジラ（*Megaptera*

*novaeangliae*）やコククジラ（*Eschrichtius robustus*），シロナガスクジラ（*Balaenoptera musculus*）などが他種と識別できることになっている。しかし，日本周辺に生息するヒゲクジラ類の種同定を考えた場合，ミンククジラ（*Balaenoptera acutorostrata*）やニタリクジラ（*B. brydei*）など6種ではデータがない。さらに，日本周辺に生息するハクジラ類についても未分析の種が多い。ZooMS による動物利用研究を北海道を含む日本列島で推進するためには，これらの現生比較試料の分析が必要である。またとくに陸生哺乳類についてはヨーロッパに同一種が生息する種についても，同じバイオマーカーが確認されることを遺跡資料への適用前にきちんと確認しておく必要があるだろう。

## 3　北海道における ZooMS による動物利用研究の可能性

火成岩由来の酸性土壌が多い日本の遺跡では，

一般に骨は残りにくい。その中にあって北海道には比較的骨の保存状態の良好な遺跡も多い。一方で、断片化した「同定不能骨片」としてしか扱えないような骨しか出土しない遺跡もある。ZooMSをこれらの同定不能骨片に適用することで、このような遺跡においても利用された動物の種や分類群を明らかにできる可能性がある。また北海道沿岸部の遺跡では、鯨類を中心とした海棲哺乳類の骨が多数出土する。これらの骨の多くは断片化しており、「鯨類骨片」あるいは「海獣骨片」としか同定できないことが少なくない。前述のように日本周辺に生息する鯨類の同定のためのバイオマーカーの精査にはまだ時間を要するものの、ZooMSを利用することでこれらの骨の種あるいは属や科を単位とした同定が可能となると期待される。これらの分析から利用された鯨類が明らかになることは種名リストの拡充に留まらない。鯨類各種の季節的回遊ルートや利用海域、集団性の有無の違いに関する知見を考え合わせることで、これらの骨を遺棄した人々の生業の季節性や洋上での活動・漁撈技術の推定にも大きく貢献すると考えられる。

遺跡から出土する動物骨のうち、第一・第二頸椎を除く椎骨や肋骨はこれまであまり分析対象とされることがなかった。これは、四肢骨に比べて1個体あたりの数が多く、同定のためには異なる部位の椎骨や肋骨の形態差と種間・分類群間の形態差を検討する必要があることがおもな原因と考えられる。しかし、遺跡形成者の動物の利用や解体を考えると、遺跡に椎骨や肋骨を持ち込む種・分類群と持ち込まない種・分類群があった可能性も考えられる。たとえば、同じ海棲哺乳類でも脂肪の多いアザラシ類とより筋肉質のアシカ類では利用目的が異なり、解体の場や解体の方法が異なった可能性はないだろうか。ZooMSによる同定は骨の部位を選ばない。遺跡に持ち込まれた椎骨や肋骨を同定することで、遺跡形成者の生業や種・分類群による利用方法の違いなどをより深く掘り下げることができる可能性がある。

北海道の遺跡では、続縄文期やオホーツク文化期を中心に縄文時代や擦文文化期、アイヌ文化期でも様々な骨角器が利用されていたことが知られている。これらの骨角器の原材は、形態観察からでは哺乳類骨、海獣骨、鯨骨、あるいは鳥骨といった同定しかできないことも多い。ZooMSを用いることで、骨角器の原材もより詳細に同定できることが知られている。たとえば、barbed pointと呼ばれるオランダの中石器時代の骨角器をZooMSで分析した研究では、この骨角器の原材がアカシカ（*Cervus elaphus*）とヒト（*Homo sapiens*）の骨であったことを明らかにしている[13]。ZooMSは古代DNA解析に比べて少量のサンプルで分析が可能な点を特徴とする。小さなガジリ程度の損傷で得られる数mgの骨粉があれば分析が可能であるものの、骨角器からのサンプリングには抵抗のある方が多いものと思われる。しかし、電子顕微鏡レベルでも顕著な損傷が確認できないとされる弱アルカリ性の試薬（重炭酸アンモニウム）に骨を浸ける方法や、プラスチック製の消しゴムで骨の表面を優しくこする方法、あるいはしばらく骨を入れておいたビニール袋の内面に付着した微細な骨粉を利用する方法も考案されている[14]。実際、私たちは香深井1遺跡（礼文島・オホーツク文化期）出土の「同定不能哺乳類骨片」の表面を消しゴムでこすってサンプリングし、いくつかの骨を種レベルで同定することに成功している。出土資料中のコラーゲンを分析することから「非破壊」ではないものの、一般的な考古資料の扱いである資料の水洗いや、実測時・写真撮影時の引っ付き虫などでの固定、あるいはビニール袋への収納と同程度の「微破壊」であれば許容範囲とみなされる方が多いのではないだろうか。今後、ZooMSによって様々な骨角器の原材が明らかになることで、これまで見過ごされてきた骨角器の器種と原材となる種・分類群の関係性や、北海道周辺に生息しない動物の骨が骨角器の原材となっていたことが明らかになるなどの成果が期待できる。

## おわりに

小稿では、最近10年ほどの間にヨーロッパを

中心に急速に発展した新しい動物骨の同定法である ZooMS についてその特徴を紹介するとともに，北海道における ZooMS による動物利用研究の現状と可能性について論じた。ヨーロッパや北米では ZooMS が急速に普及してきているのに対して，北海道を含む日本ではいまだほとんど利用されていない。小稿が北海道や日本における ZooMS の普及に少しでも貢献できれば望外の喜びである。なお，本稿は科学研究費補助金（15K12439，18K18521，20H01367，21KK0209）の助成を受けた研究成果の一部である。

## 註

1) Buckley, M., *et al.* 2010. Distinguishing between archaeological sheep and goat bones using a single collagen peptide, *J. Archaeol. Sci.* 37, 13‑20.

2) 早くから卵殻タンパクによる卵殻の種同定でも ZooMS という名称は用いられてきている（Stewart, J.R.M., *et al.* 2013. ZooMS：Making eggshell visible in the archaeological record, *J. Archaeol. Sci.* 40, 1797-1804.）。一方，Richter *et al.*（2022）は ZooMS を単離したコラーゲンタンパク，とくにⅠ型コラーゲンによる未知資料の種・分類群の同定のための手法とし，卵殻タンパクやケラチンによる同定はペプチドマスフィンガープリンティングと呼んでいる（Richter, K.K., *et al.* 2022. A primer for ZooMS applications in archaeology, *PNAS* 119, e2109323119.）。Fiddyment *et al.*（2015）は文書資料である犢皮紙（とくひし）を対象に消しゴムを用いてサンプリングする自らの方法を eZooMS と名付けており（Fiddyment, S, *et al.* 2015. Animal origin of 13th-century uterine vellum revealed using noninvasive peptide fingerprinting, *PNAS* 112, 15066-15071.），Richter *et al.*（2022）でも犢皮紙のほか動物考古学資料ではない羊皮紙や皮革などのⅠ型コラーゲンに基づく同定も ZooMS の研究例として紹介している。ZooMS が Zooarchaeology by Mass Spectrometry の略称であることを考えると非考古学資料の分析を ZooMS とするのは違和感があるものの，ここではこの問題に深入りするのは避けることにする。

3) Buckley, M, *et al.* 2010. Distinguishing between archaeological sheep and goat bones using a single collagen peptide, *J. Archaeol. Sci.* 37, 13-20.
　Richter, K.K., *et al.* 2022. A primer for ZooMS applications in archaeology, *PNAS* 119, e2109323119.

4) Richter, K.K, *et al.* 2022. A primer for ZooMS applications in archaeology, *PNAS* 119, e2109323119.

5) 分析感度の高さから，近年ではコンタミネーションの危険性にも注意が払われるようになってきている（Hendy, J., *et al.* 2018. A guide to ancient protein studies, *Nat. Ecol. Evol.* 2, 791-799.）。

6) 前掲註 1 に同じ

7) Slon, V., *et al.* 2018. The genome of the offspring of a Neanderthal mother and a Denisovan father, *Nature* 561, 113‑116.

8) ショットガンプロテオミクスを用いた研究では，礼文島・浜中 2 遺跡出土のイヌ新生獣の肋骨の分析からイヌの乳に由来するタンパク質を検出し，このイヌが死亡直前に母乳を摂取したことを推定した例がある（Tsutaya, T., *et al.* 2019. Palaeoproteomic identification of breast milk protein residues from the archaeological skeletal remains of a neonatal dog, *Sci. Rep.* 9, 12841.）。

9) Eda, M., *et al.* 2020. ZooMS for birds：Discrimination of Japanese archaeological chickens and indigenous pheasants using collagen peptide fingerprinting, *J. Archaeol. Sci. Rep.* 34, 102635.

10) Eda, M., *et al.* 2023. The earliest evidence of domestic chickens in the Japanese Archipelago, *Front. Earth Sci.* 11. https://doi.org/10.3389/feart.2023.1104535

11) 江田真毅，泉洋江，川上和人，沖田絵麻，「「鵜を抱く女」が「抱く」鳥は何か？コラーゲン分析と形態解析からの検討」日本文化財科学会大会，2019，pp.78‑79

12) https://www.york.ac.uk/archaeology/centres-facilities/bioarch/facilities/zooms/

13) Dekker, J., *et al.* 2021. Human and cervid osseous materials used for barbed point manufacture in Mesolithic Doggerland, *J. Archaeol. Sci. Rep.* 35, 102678.

14) Fiddyment, S., *et al.* 2015. Animal origin of 13th-century uterine vellum revealed using noninvasive peptide fingerprinting, *PNAS* 112, 15066-15071.
　van Doorn, N., *et al.* 2011. A novel and non-destructive approach for ZooMS analysis：Ammonium bicarbonate buffer extraction, *Archaeol. Anthropol. Sci.* 3, 281-289.
　McGrath, K., *et al.* 2019. Identifying archaeological bone via non-destructive ZooMS and the materiality of symbolic expression：Examples from Iroquoian bone points, *Sci. Rep.* 9, 11027.

# ゲノムからみたオホーツク文化人の形成

■ 佐藤丈寛
■ SATO Takehiro

## はじめに

オホーツク文化の担い手がどのような人々だったのかについて，その起源を遺伝学的に調査した初期の研究では，ミトコンドリアDNA（mtDNA）が分析された[1・2]。これらの研究において，オホーツク文化人の間ではハプログループY1と呼ばれるタイプがもっとも高頻度で観察された。ハプログループY1の分布は現代人の中でもサハリンやアムール川下流域などの限られた地域に居住する集団にしかみられないタイプであることから，オホーツク文化人はおもにアムール川下流域に起源をもつ集団であると結論付けられた。しかしながら，オホーツク文化人にはY1のほかにも，縄文人に高頻度で観察されるハプログループM7a，N9bをもつ個体や，ハプログループAの中でもカムチャツカ半島に居住するコリヤークと共通するタイプをもつ個体も観察されており，単純にアムール川下流域にのみ起源をもつというよりも複雑な形成過程を経て成立した集団である可能性も示唆されていた。

mtDNAは，系統推定に有用となる多様性の高い領域がHVR IとHVR IIという短い領域に限られることに加えて，DNA分子が1つの細胞内に複数コピー存在することから，古い時代の骨に残存する劣化したDNAからでも比較的検出しやすいという特性をもつため，15年ほど前までは古代DNA研究の主要な分析対象であった。一方でmtDNAは約30億塩基対あるヒトゲノム中のごく一部の領域に過ぎず（mtDNAの全長は約15,000塩基対），異なる系統の集団の混合を統計学的に評価できないという欠点があった。このことが理由で，mtDNAのデータのみではオホーツク文化人の複雑な形成過程を証明することは不可能であった。

その後，DNAの塩基配列決定技術が飛躍的に進歩したことにより，古い時代の骨に残存するDNAからでも（あくまでも保存状態が良ければの話であるが）ヒトゲノム全体の塩基配列を決定することが可能になり，複雑な集団史をより詳細に明らかにすることが可能となった。日本列島から出土した古人骨についても，礼文島船泊遺跡出土の縄文人・船泊23号（F23）の高精度ゲノムなどが報告されている[3]。

本項では，2013年に礼文島の浜中2遺跡から出土したオホーツク文化終末期（${}^{14}$C年代測定によると約900年前）の人骨NAT002のゲノム解析から推定されたオホーツク文化人の形成過程について紹介する。尚，本項で紹介する内容は，2021年に『Genome Biology and Evolution』に掲載されたものの一部である[4]。

読者の中には，NAT002というたった1個体のゲノムからオホーツク文化人集団全体の遺伝的特徴を理解するのは不可能だと思われる方もいるかもしれない。しかし，一人のゲノムはその両親から半分ずつ受け継いだものであり，両親もそのまた両親からゲノムを半分ずつ受け継いでいる。さらに時代を遡れば，祖先の数はねずみ算式に増えることになる。つまり，一人のゲノムは無数の祖先から少しずつ受け継いだ無数のゲノム断片の集合であるため（図1），NAT002一人のゲノムから，オホーツク文化人集団全体の遺伝的特徴を推し量ることは十分可能である（ただし，これにはNAT002が一般的なオホーツク文化人であるという前提が必要になる）。一方で，mtDNAは母親からしか受け継がれないため，1個体のmtDNAハ

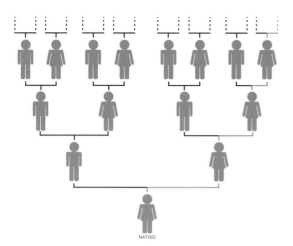

**図1　個人のゲノムが祖先から
受け継がれる様子を表した模式図**

1人（ここでは NAT002）のゲノムは、1世代前の祖先（つまり両親）2人から半分ずつ受け継がれたものであり、2世代前の祖先（祖父母）4人から4分の1ずつ、さらには3世代前の祖先（曾祖父母）8人から8分の1ずつ受け継がれたものである。NAT002 が生きていた時代（約900年前）は、オホーツク文化の開始期から700年ほど経過した時代なので、1世代30年と仮定すると、オホーツク文化開始期から23世代ほどが経過したことになる。つまり、NAT002 のゲノムは、オホーツク文化開始期の $2^{23}$ = 8,388,608 人の祖先の遺伝的特徴を反映していると考えることができる（この祖先の数はあくまでのべ人数であり、実際には祖先の重複があったと考えられるため、必ずしも800万人以上の人々がオホーツク文化の形成に関わったというわけではない）。一方、NAT002 の mtDNA は灰色の線で示された系譜の情報しか反映しない。

プロトタイプは、その個体の母方の祖先一人の遺伝的特徴しか反映せず（図1）、このことが先述した mtDNA 研究の欠点にも繋がる。

## 1　NAT002 の遺伝的特徴

　NAT002 と北東アジアの各集団との遺伝的親和性をアウトグループ $f_3$ 統計量[5] という値で評価した。アウトグループ $f_3$ 統計量とは、アウトグループ（ここではアフリカのムブティ族を使用）と分岐後に、対象の個体または集団（ここでは NAT002）と比較対象となる集団との間で共有される遺伝

的浮動の総量を示す値である。この値が大きいほど、対象の集団または個体と比較対象の集団は遺伝的親和性が高いと評価することができる。図2にアウトグループ $f_3$ 統計量の計算結果を示す。これを見ると、NAT002 はニヴフやウリチといったサハリンおよびアムール川下流域の集団、礼文島船泊遺跡の縄文人 F23 やアイヌと高い親和性をもつことがわかる。

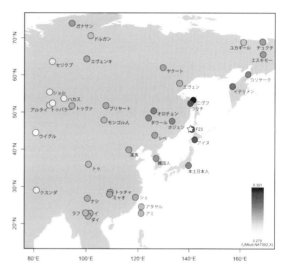

**図2　アウトグループ $f_3$ テストの結果**
星印は NAT002 の出土地点を示す。色が濃い集団ほど
NAT002 に遺伝的親和性が高いことを表している。
（Sato *et al.* 2021 の Fig.2 より改変）

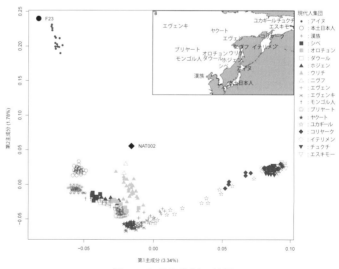

**図3　主成分分析の結果**
右上の地図は比較に用いた現代人集団の地理的分布を示す。
（Sato *et al.* 2021 の Fig.3 より改変）

次に，EIGENSOFT[6] というソフトウェアパッケージを用いた主成分分析により，NAT002と北東アジアの様々な集団との遺伝的関係性を二次元平面図で表した（図3）。ここでも，NAT002はニヴフやウリチの近くにプロットされ，mtDNAの解析から示唆されていた，オホーツク文化人がおもにアムール川下流域に起源をもつ集団であることを支持する結果となった。

しかし，図2においてNAT002はニヴフやウリチの近くにプロットされてはいるものの，完全には重なってはおらず，両者の間にはわずかな遺伝的差異があることも示唆された。そこで，この差異に寄与した集団を明らかにするために，D統計量[5] という，集団間の混合を評価する値を計算した（図4-a）。ここでは，0から逸脱するD統計量の値をもつ集団ほど，NAT002とニヴフの遺伝的差異の形成に寄与した集団（またはその集団と強く関連する集団）とみなすことができ，図4aの上の方に示されている集団（つまりD統計量の値が大きく正の値を示す集団）ほど，NAT002のゲノムにより多く存在し，ニヴフのゲノムにより少なくしか存在しない遺伝要素をもつ集団であることを示している。逆に，大きく負の値を示す集団は，ニヴフのゲノムにより多く存在し，NAT002のゲノムにより少なくしか存在しない遺伝要素をもつことを意味する。これを見ると，北海道の縄文人（F23）や縄文人の遺伝要素を色濃く受け継いでいるアイヌ，次いでイテリメンやコリヤークといったカムチャツカ半島の集団が高いD統計量を示しており，NAT002はアムール川下流域集団を主要な祖先としつつ，縄文系集団やカムチャツカ半島の集団の遺伝要素も併せもつ混合個体であることが示唆された。このことを確認するために，qpAdmモデリング[7] という手法を用いて，NAT002のゲノムがどのような祖先要素の混合で成り立っているかを検証した。アムール集団の代表としてオロチョンを，カムチャツカ集団の代表としてイテリメンを，縄文集団の代表としてF23を使用したところ，NAT002のゲノムはアムール系統の祖先要素 64.9±8.0%，

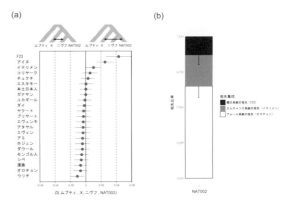

図4　Dテストの結果(a)とqpAdmモデリングの結果(b)
(a) NAT002はニヴフに比べて縄文系集団やカムチャツカ集団の遺伝要素を多くもつことを示す。(b) NAT002のゲノムは，縄文系統，カムチャツカ系統，アムール系統の混合として説明することが可能であることを示す。(Sato *et al.* 2021 のFig.6より改変)

カムチャツカ系統の祖先要素 21.9±6.4%，縄文系統の祖先要素 13.2±4.3% の混合として説明することが可能であった（図4-b）。尚，ニヴフやウリチは，アムール系統の遺伝要素に加えて縄文系統の遺伝要素も併せもつことから，ここではアムール系統の代表にオロチョンを使用している。

これらのことから，オホーツク文化人はアムール集団，カムチャツカ集団，縄文系集団の3系統の混合集団であると考えられ，これはmtDNA分析[2] から示唆されていたオホーツク文化人の複雑な形成過程をより強固に支持する結果であると言える。

## 2　集団混合の年代推定

ゲノム中のある一つの祖先集団に由来するブロックを "local ancestry tract" と呼び，この情報から集団混合イベントの大まかな年代を推定することが可能である[8,9]。NAT002は，アムール集団，カムチャツカ集団，縄文系集団の3系統の混合個体であるため，NAT002のゲノムの各領域はこれら3系統の祖先集団にそれぞれ由来する3種類の local ancestry tract に分類することができる（図5）。個々の local ancestry tract は世代を経るごとに減数分裂時の組換えによって短くなっていくため，その長さの分布から集団混合が

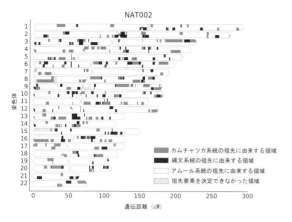

**図5　NAT002 の各染色体上に観察される
3系統の祖先集団に由来する local ancestry tract**

横軸は遺伝距離をセンチモルガンで表したもの。
（Sato *et al.* 2021 の Supplementary Figure S16 より改変）

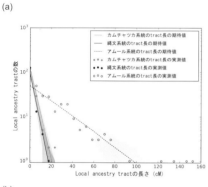

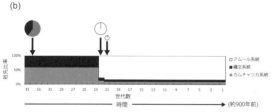

**図6　NAT002 のゲノム中に観察された local ancestry
tract の長さの分布(a)とオホーツク文化人の形成過程
における集団混合の起源と規模(b)**

(a) 黒，灰，白の3つの直線は，カムチャッカ系統と縄文
系統が 1,950 年前に混合し，さらに 1,600 年前にアムー
ル系統が混合した場合における，NAT002 のゲノム中に存
在する local ancestry tract の長さと数の期待値。赤，青，
緑の点は，実際に NAT002 のゲノム中に観察された local
ancestry tract の長さと数。(b) NAT002 の 35 世代前
から 34 世代前にかけて縄文系統とカムチャッカ系統が混合
し，NAT002 の 22 世代前から 21 世代前にかけてアムー
ル系統が混合したことを示す。（Sato *et al.* 2021 の Fig.7 よ
り改変）

起こった年代を推定することができる（図6）。

　NAT002 の local ancestry tract の長さの分布
から，上記3系統の集団のうち，まずカムチャッ
カ集団と縄文集団の混合が NAT002 の 35 世代
前に起きたと推定された。1世代の長さを 30 年
と仮定し，NAT002 が今から 900 年前の個体で
あることを考慮すると，この集団混合は今から
1,950 年前頃に起きたことになる。1,950 年前頃は
続縄文時代に相当するが，この時代にカムチャッ
カ半島から北海道へのヒトの移住を示す明確な考
古学的証拠は今のところ得られていないようであ
る。しかし，古人骨の mtDNA 研究では，縄文
時代にはみられなかったハプログループ G1b が
続縄文時代になると観察されるようになることが
指摘されている[10]。ハプログループ G1b は北東
アジアに広範囲にわたって分布するが，とりわけ
カムチャッカ半島の集団に高頻度でみられるハプ
ログループである。縄文時代から続縄文時代に
かけての mtDNA ハプログループ構成の変化は，
カムチャッカ半島から北海道へのヒトの移住を反
映しているのかもしれない。さらに最近の研究[11]
では，択捉島の続縄文時代の遺跡から出土した人
骨がカムチャッカ集団に類似するゲノムをもって
いたことが明らかとなった。このことから，カム
チャッカ集団の系統に属する人々が続縄文時代に
択捉島まで至っていたことは確実であり，さらに
その先の北海道本島まで至っていたとしても不思
議はない。

　カムチャッカ集団と縄文系集団の混合の後，さ
らにアムール集団が混合するのは，local ancestry
tract の長さの分布から NAT002 の 22 世代前と
推定され，同様に年代に直すと今から 1,600 年前
頃となる。これは考古学的証拠から考えられるオ
ホーツク文化の開始時期とおおむね一致する。こ
のことは，従来の仮説通り，アムール川下流域か
らオホーツク海南岸一帯へのヒトの移住がこれら
の地域でオホーツク文化が栄える契機となったこ
とを支持している。

## おわりに

　以上，NAT002 のゲノム情報から推定される
オホーツク文化人の形成過程について紹介した。
冒頭で説明したように，NAT002 のゲノムは多
くの祖先から少しずつ受け継がれて形成されたも
のであるため，NAT002 のゲノムから得られた
情報はオホーツク文化人全体の成り立ちを反映
していると考えておおむね差し支えない。ただ
し，これには NAT002 が一般的なオホーツク文
化人の一人であるという前提が必要であり，仮に
NAT002 がオホーツク文化圏外からの移住者で
あった場合には話が変わってくる。

　NAT002 の頭蓋骨形態は典型的なオホーツク
文化人の特徴を示しており，NAT002 の生前の
食性を反映する炭素／窒素同位体比も同じ礼文島
から出土したほかのオホーツク文化人骨と同様
の値を示す[12] ことから，NAT002 は一般的なオ
ホーツク文化人の一人と考えるのが妥当と思われ
る。しかしながら，炭素／窒素同位体比に関して
は，移住に伴なう食性変化があった場合に，移住
からの経過時間が長いとコラーゲンのターンオー
バーによって新しい食性のみが結果に反映されて
しまうため[13]，NAT002 がオホーツク文化圏内で
生まれたことまでは証明することができない。オ
ホーツク文化人の成り立ちについてより強固な証
拠を得るには NAT002 だけでなくほかのオホー
ツク文化人骨複数個体のゲノム情報を取得するこ
とが必要になる。

### 註

1）　Takehiro Sato, *et al.* Origins and Genetic features of the
Okhotsk people, revealed by ancient mitochondrial DNA
analysis. *Journal of Human Genetics*, 52 - 7, Springer
Nature, 2007, pp.618 - 627

2）　Takehiro Sato, *et al.* Mitochondrial DNA
haplogrouping of the Okhotsk people based on analysis
of ancient DNA：An intermediate of gene flow
from the continental Sakhalin people to the Ainu.
*Anthropological Science*, 117 - 3, 日本人類学会, 2009,
pp.171 - 180

3）　Hideaki Kanzawa - Kiriyama, *et al.* Late Jomon male

and female genome sequences from the Funadomari site
in Hokkaido, Japan. *Anthropological Science*, 127 - 2, 日
本人類学会，2019，pp.83 - 108

4）　Takehiro Sato, *et al.* Whole - Genome Sequencing of a
900 - Year - Old Human Skeleton Supports Two Past
Migration Events from the Russian Far East to Northern
Japan. *Genome Biology and Evolution*, 13 - 9, Oxford
University Press, 2021, evab192

5）　Nick Patterson, *et al.* Ancient Admixture in Human
History. *Genetics*, 192, Oxford University Press, 2012,
pp.1065 - 1093

6）　Alkes L. Price, *et al.* Principal components analysis
corrects for stratification in genome - wide association
studies. *Nature Genetics*, 38, Springer Nature, 2006,
pp.904 - 909

7）　Wolfgang Haak, *et al.* Massive migration from the
steppe was a source for Indo - European languages in
Europe. *Nature*, 522, Springer Nature, 2015, pp.207 - 211

8）　Simon Gravel. Population Genetics Models of Local
Ancestry. *Genetics*, 191 - 2, Oxford University Press,
2012, pp.607 - 619

9）　Brian K. Maples, *et al.* RFMix：A Discriminative
Modeling Approach for Rapid and Robust Local -
Ancestry Inference. *American Journal of Human
Genetics*, 93 - 2, Cell Press, 2013, pp.278 - 288

10）　Noboru Adachi, *et al.* Mitochondrial DNA analysis of
Hokkaido Jomon skeletons：remnants of archaic maternal
lineages at the southwestern edge of former Beringia.
*American Journal of Physical Anthroplogy*, 146 - 3,
Wiley, 2011, pp.346 - 360

11）　Vyacheslav Grigorievich Moiseyev, *et al.* Origins of
indigenous peoples of Sakhalin and Hokkaido according
to new cranial metric and genetic data. *Camera
praehistorica*, 2 - 3, Peter the Great Museum of
Anthropology and Ethnography, 2019, pp.137 - 146

12）　Yuka Okamoto, *et al.* An Okhotsk adult female
human skeleton（11th/12th century AD）with possible
SAPHO syndrome from Hamanaka 2 site, Rebun Island,
northern Japan. *Anthropological Science*, 124 - 2, 日本
人類学会，2016，pp.107 - 115

13）　Robert E. M. Hedges, *et al.* Collagen turnover in the
adult femoral mid - shaft：modeled from anthropogenic
radiocarbon tracer measurements. *American Journal of
Physical Anthroplogy*, 133 - 2, Wiley, 2007, pp.808 - 816

# 擦文・アイヌ文化期の住居建築材における木材利用

■ 千原鴻志
■ CHIHARA Koji

## はじめに

遺跡から出土する木材は，過去の木材利用を考える上で重要な手掛かりになりうる。1990年代以降，北海道では擦文文化～アイヌ文化期の出土木材の樹種識別の事例が蓄積しており，その一部は2012年に出版された『木の考古学』[1]に反映されている。それ以降も，札幌市K39遺跡人獣共通感染症研究拠点施設地点[2]（続縄文文化）や北見市常呂川河口遺跡[3]（道東のアイヌ文化期）など，これまで木製品の出土事例が少なかった地域・時期の遺跡においても分析が行なわれるようになった。

本稿では，擦文文化～アイヌ文化期における住居建築への木材利用に関する近年の研究を紹介し，今後研究されるべき課題についても考察する。まず1・2で，擦文文化の焼失竪穴住居跡出土炭化材に関する近年の研究を紹介する。3・4では住居（チセ）を中心に，近世以降のアイヌ文化における木材利用を考える上で課題となる点を提示する。

## 1 焼失竪穴住居跡出土炭化材の分析手法

竪穴住居が焼失し，その建築材が炭化することで遺跡発掘時まで遺存したものを焼失竪穴住居跡出土炭化材と呼ぶ（以下，出土炭化材と略す）。

これまで出土炭化材の分析として，A.解剖学的特徴に基づく樹種識別，B.出土位置に基づく建築部材としての用途の推定，C.木口面の観察による原木径級・加工方法の推定，D.年輪数・平均年輪幅の測定が実施されてきた。以下，これら4種の手法について説明する。

### (1) A.解剖学的特徴に基づく樹種識別

出土炭化材を走査電子顕微鏡などで観察し，解剖学的特徴に基づいて樹種を識別するという手法で，北海道の多くの遺跡で行なわれてきた分析方法である。

三野紀雄は，道内各地の遺跡で出土炭化材の樹種識別を実施し，その結果から竪穴住居の建築材に使われた樹種が地域によって異なることを示した[4]。たとえば，道央・道北の日本海側ではトネリコ属（ヤチダモなど）が多用されているが，道央・道東の太平洋側ではコナラ属コナラ亜属コナラ節（ミズナラ・カシワなど，本稿ではコナラ属と記す）が多く検出され，オホーツク海沿岸部のオホーツク文化と擦文文化の遺跡では，モミ属（トドマツ）やコナラ属が多数検出された。

### (2) B.出土位置に基づく建築部材としての用途の推定

竪穴住居における炭化材の出土状態を分析することで，その炭化材が住居建築の中でどの部材（柱，垂木など）に利用されたのかを推定する手法である。守屋豊人らは幣舞2遺跡など釧路市内の遺跡においてこの手法を適用し，部材推定の結果と炭化材の樹種識別の結果を照らし合わせることで，部材ごとの樹種選択について考察した[5]。

### (3) C.木口面の観察による原木径級・加工方法の推定

出土炭化材の木口面を観察することで，原木径級（どの程度の直径の樹木から採材されたか）について推定することができる。たとえば，K39遺跡人文・社会科学総合教育研究棟地点で出土炭化材の樹種識別を行なった佐野雄三らは，試料採取時に炭化材の髄（幹の中心）の有無や年輪の曲率の大きさを観察した。その結果，髄が見られた材や年輪の曲率が大きいため髄近くの材と判断されたものが多数確認され，この住居では小径木が選択

的に利用された可能性が示唆された[6]。

木材の加工法を木口面の形状から推定することも可能である。具体的には，丸木のまま利用したか，それとも軸方向に割裂加工して割材（板材・角材など）として利用したかを推定できる。この手法はいくつかの遺跡で実践されている。たとえば，三野紀雄は千歳市ママチ遺跡の出土炭化材の樹種識別の報告において，樹種とともに「形状」として，加工方法に関する判断（「割材」「小径丸太」など）を試料ごとに記載した[7]。

### (4) D. 年輪数・平均年輪幅の測定

炭化材の年輪数や平均年輪幅を測定することで，原木の樹齢（最低でも何年生以上であるか）や，生育環境・材質をある程度推察することが可能である。北海道では出土炭化材の年輪数を計測した事例は乏しく，管見では後述の大島2遺跡の事例を除くと，恵庭市柏木川4遺跡の出土炭化材の分析事例[8]のみである。

以上，北海道で行われた出土炭化材の分析を紹介した。しかし，樹種識別（A）以外の分析，特に炭化材の木口面の観察（C）や年輪に関する計測（D）は，一般的なものとはいえず，実施された事例は限られている。その理由として，これらの分析が実施できる炭化材は遺存状態がある程度良好なものに限られることや，分析者が試料採取の段階から関わる必要があることが考えられる。しかし，過去の木材利用の詳細を復元するためには，炭化材が持つ多様な情報を取得する必要があり，分析事例の増加が望まれる。

## 2　擦文文化の竪穴住居における木材利用：北見市大島2遺跡の事例

ここでは，上記のA〜Dの分析を実施した事例として，筆者が関わった北見市大島2遺跡の研究[9]を紹介する。

大島2遺跡は常呂川河口付近の高位段丘に位置する集落遺跡で，擦文文化の竪穴住居跡が多数確認されている。2010年度から本格的な発掘が開始され，4軒の焼失竪穴住居（1号〜4号）につ

いて2冊の発掘調査報告書[10]が公刊されている。4軒とも擦文文化後期〜晩期（11〜12世紀）のものと推定されており，建築材とみられる炭化材が多数検出された。これらのうち，発掘者により部材の推定（B）ができたものについては，走査電子顕微鏡を用いた樹種識別（A），木口面の観察による原木径級・加工法の推定（C），年輪数・平均年輪幅の計測（D）を実施した。

これらの分析を行った結果，大島2遺跡における住居建築への木材利用について，いくつかの特徴を明らかにすることができた。ここでは，その中でも以下の2点を紹介する。

### (1) 用途に応じた木材の選択利用

原木径級・加工法の推定が可能な炭化材の大半は，成木の割材か小径の丸木材に分類された（原木の直径が10cmより大きいと考えられるものは「成木」，それ以下は「小径」とした）。成木の割材は垂木材や屋根材などに，小径の丸木材はスノコ状の構築物などにそれぞれ多用され，径級・加工法による用途の違いが見られた。

また，1号竪穴では垂木材に小径の丸木材が多用されていたが，より大型の住居である4号竪穴の垂木材には成木の割材が多用されていた。4号竪穴は1号竪穴より多くの垂木材が必要であったため，少数の原木から規格がそろった材を得られる成木の割材が垂木材に採用された可能性がある。

興味深いことに，成木の割材と小径の丸木材では，多用された樹種が異なっていた。成木の割材にはコナラ属とトネリコ属が大半を占めた。一方，小径の丸木材は，約3分の2がヤマナラシ属（ドロノキかヤマナラシと推定）であった。

### (2) 壮齢〜高齢のコナラ属材の多用

大島2遺跡で多用されたコナラ属材は，年輪数が50以上のものが過半数を占めた。また，平均年輪幅は小さく約0.58mm（34点の平均値）であった。

年輪幅が狭いことは成長が遅いことを意味するので，大島2遺跡ではコナラ属樹木の成長を促成するような人為的な森林管理が行なわれたとは考えにくい。遺跡周辺の天然生林から50年生以上のコナラ属の立木を採取していたと推察される。

## 3 アイヌ文化期における住居建築への木材利用の変化

大島2遺跡で見られた成木の割材にコナラ属とトネリコ属を多用する傾向はほかの擦文文化の遺跡でも確認されている。先述したママチ遺跡や柏木川4遺跡では，割材とみなされた炭化材の多くがコナラ属であった。また，以前筆者は，佐野雄三らの分析結果からK39遺跡では割材にトネリコ属が多用されていることを指摘した[11]。擦文文化では，割材に特定の樹種を好んで利用するような樹種選択があったのかもしれない。

一方，18世紀以降のアイヌ文化の住居（チセ）では，これとは異なる木材利用が行なわれていたと考えられる。小林孝二は，二風谷遺跡などで発掘された1667年以前のものと考えられる住居跡からは割板材が検出されているが，18世紀以降の絵画資料に記録されているチセには割板材や大径木材が使用されていないことを指摘した[12]。アイヌの住居建築では，17〜18世紀頃を境として成木の割材・板材を利用しなくなった可能性がある。

住居建築への樹種選択についても，擦文文化と近世・近代のアイヌ文化の間で変化があったのだろうか？瀬川拓郎は，擦文文化の竪穴住居と近代のアイヌの住居ではどちらもトネリコ属，コナラ属，ヤナギ属が用いられていることを指摘し，「用材の樹種選択については，擦文時代とアイヌ期で変わるところはないようである」と述べている[13]。この指摘の通り，住居建築に利用される樹種そのものについては擦文文化と近代のアイヌ文化の間に大きな違いは見られない。しかし，樹種選択の基準については両者で異なっていた可能性がある。擦文文化の竪穴住居で確認された成木の割材に特定の樹種を多用する傾向が，近代のチセでは見られなくなるからである。『アイヌ民族誌』（1969年）によると，チセでは柱材にはハシドイなどの腐りにくい樹種が好まれ，ほかの基骨材は真直な木ならば樹種を選ばなかったが，ドロノキなどの腐朽しやすい樹種は忌避された[14]。通直性・耐久性を重視する樹種選択が行なわれていた

と推察される。割材が利用されなくなったことで，樹種選択の基準も変質したのではないだろうか。

今後は，中世〜近世のアイヌ文化期の出土木材から，建築材の径級・加工法や樹種選択がどのように変化していったのかについて調査する必要がある。

## 4 近世のアイヌ文化の木材利用における和人の影響

和人の木材利用がアイヌ文化に与えた影響も今後検討されるべき問題である。これまでの擦文・アイヌ文化期の木材利用に関する研究では，移入木製品が着目されてきた[15]。移入木製品とはスギやヒノキアスナロなどの遺跡周辺に自生しない樹種を素材とする木製品で，和人が製作した結物・曲物などが交易によって流入したものと考えられている。また結物・曲物を再加工した板材やイクパスイなども出土していることから，自製品の素材となる針葉樹の板材が移入木製品から採取されていたと見られている。

その一方で，近世後期の段階では，アイヌが北海道に自生する針葉樹から板材を製作し，それを和人に売っていた事例がみられる。たとえば『東行漫筆』（1809年）には各地のアイヌが和人に出荷した交易品が記録されているが，その中には「屋根柾」（ホロヘツ：幌別，現登別市）や「椴柾」（子モロ：根室）なども含まれている[16]。「屋根柾」は屋根に用いる柾目板を，「椴柾」は針葉樹であるトドマツの柾目板をそれぞれ指していると考えられる。先述した通り，屋根に板材を用いるという習慣はこの時期のアイヌにはなく，またトドマツの板材を多用した形跡も見られない。「屋根柾」や「椴柾」は，和人のニーズに合わせて生産された交易品であった可能性がある。

針葉樹の割材・板材の生産・交易を検討することで，近世後半におけるアイヌの木材利用の新たな側面が見えてくる可能性がある。

## おわりに

本稿ではまず焼失竪穴住居跡出土炭化材に関す

る近年の研究を概観し，擦文文化では割材の多用を前提とした樹種選択が行なわれていた可能性を指摘した。時代や地域ごとの木材利用の特徴を明らかにするためには，出土炭化材から様々な情報を引きだすような分析を今後も継続して各遺跡で行なう必要がある。

　また，18世紀以降のアイヌ文化の木材利用について，住居建築に割材が使われなくなる一方で，和人向けに建築用の針葉樹板材が販売されたことも指摘した。文献史料が増加する18世紀以降の木材利用を明らかにするためには出土木材の研究と文献史学の協働が求められる。

## 註

1)　伊東隆夫・山田昌久編『木の考古学―出土木製品用材データベース』海青社，2012

2)　渡邊陽子・佐野雄三「（4）樹種識別結果」小杉康ほか編『北大構内の遺跡』XXII，北海道大学埋蔵文化財調査センター，2016

3)　花里貴志・守屋豊人・渋井宏美・渡邊陽子・武田　修・佐野雄三「北見市常呂川河口遺跡から出土したアイヌ文化期の木質遺物の樹種同定」『北海道大学演習林研究報告』71―1，2019

4)　三野紀雄「北海道の先史時代におけるいわゆる里山の形成について①―住居材料としての樹木利用の地域的・時代的な差異―」『北海道浅井学園大学生涯学習システム学部研究紀要』2，2002，pp.187-201など

5)　守屋豊人・花里貴志・渡邊陽子・佐野雄三・石川　朗「釧路市幣舞2遺跡，材木町5遺跡の焼失住居址から発見された木質試料の樹種識別」『釧路市立博物館紀要』37，釧路市立博物館，2017，pp.29-40

6)　佐野雄三・渡邊陽子「竪穴住居址HP1およびHP11より出土した炭化材の樹種同定」小杉康ほか編『K39遺跡人文・社会科学総合教育研究棟地点発掘調査報告書』Ⅱ，北海道大学，2005

7)　三野紀雄「炭化した木質遺物の樹種同定」北海道埋蔵文化財センター『千歳市ママチ遺跡3』北海道埋蔵文化財センター，1987

8)　植田弥生「恵庭市柏木川4遺跡竪穴住居跡出土炭化材の樹種同定」海道埋蔵文化財センター『恵庭市柏木川4遺跡（2）―A・C地区―』北海道埋蔵文化財センター，2005

9)　千原鴻志・佐野雄三・熊木俊朗「北見市大島2遺跡の擦文文化の竪穴住居建築材にみられた木材利用法の樹種間差」『木材学会誌』68―3，日本木材学会，2022，pp.117-123

10)　熊木俊朗 編『擦文文化期における環オホーツク海地域の交流と社会変動―大島2遺跡の研究（1）』，東京大学大学院人文社会系研究科附属北海文化研究常呂実習施設，2016。熊木俊朗 編『アイヌ文化形成史上の画期における文化接触―大島2遺跡の研究（2）』，東京大学大学院人文社会系研究科附属北海文化研究常呂実習施設，2021

11)　Koji Chihara, Wood Cultures in Pre-Modern Hokkaido Island: A Comparative Study Between Central Japan, Studia i Materiały Ośrodka Kultury Leśnej 18, 2019, pp.69-89

12)　小林孝二『アイヌの建築文化再考』北海道出版企画センター，2010

13)　瀬川拓郎「擦文時代住居の上屋について」『アイヌ民族博物館研究報告』5，アイヌ民族博物館，1996，pp.57-67

14)　アイヌ文化保存対策協議会編『アイヌ民族誌』第一法規，1969

15)　手塚　薫『アイヌの民族考古学』同成社，2011。清水　香「擦文・アイヌ文化期の出土木製品における移入品について」『北海道考古学』51，2015，pp.57-76

16)　荒井保恵「東行漫筆」秋葉　実編『北方史史料集成』1，北海道出版企画センター，1991

# 漆器研究の進展

■ 清水　香
SHIMIZU Kaori

## 1　アイヌ文化における漆器

擦文からアイヌ文化期への変容として，容器は土器から木・漆製品に代わり，中でも漆器類は祭具や副葬品の主体となる。和産物の漆製品（刀剣類［鞘］，漆椀類，天目台，耳・角盥，行器，曲物・結物・箱物など）（図1）は日用品，あるいは祭祀・儀礼（祭具），宝物（威信財）として社会的な機能を有する重要な資料であるが[1]，研究は極めて少ない。これは，漆器研究が消費地に残された資料を対象とし，時代や製作・流通に関する多様な情報と廃棄までの過程に対する解釈が困難であることが要因と考えられる。

## 2　漆製品の分類・分析

漆製品は木地，下地，塗膜，加飾，付属金具（銅・真鍮など）からなり，樹種選択から当時の自然植生，木地の生産・流通，工具の発達，下地，塗膜・加飾，このほか布着せ，付属金具や意匠といった複数の分類基準や観点がある。したがって，関連する学問分野は考古学，民俗学，人類学，歴史学，自然科学，美術・工芸史など多岐にわたる。文献史料では取引台帳や，金銀（箔）の幕府による統制（限定的な生産，倹約令），色漆や加飾色材の生産・流通（天然鉱物の採掘・科学的に合成），職人の移動による技術の普及などがみられ，出土資料では漆椀の形状やセット関係（銘），塗りや施文の色・意匠，木地の樹種と塗り・文様の相関，塗膜分析で判明した下地や塗膜・加飾の構造や組成，成分や施文方法についても各時代や地域による傾向が認められる[2]。珪藻土の下地（輪島塗）のような限られた地域で産する材料が江戸時代から現在まで継続して使用されるもの

の，時代や産地の特徴を明確に判断できる指標（特徴）を提示できる段階ではない。しかし近年，漆塗膜の微量サンプルによる理化学分析（クロスセクション解析，Py-GC/MS，蛍光X線分析，分光分析，放射性炭素年代測定，同位体分析など）や（図2）X線CT・三次元計測技術の発展・普及によって，年代や産地，形状や構造，文様といった各要素を数値的に捉え，比較することが可能となった。漆器の産地や流通の解明には，消費地に残された出土資料の分析（考古学・自然科学）や文献史料調査，現在まで受け継がれた製作地における聞き取りや伝世資料（民具），漆工芸（技術・修復）調査など，学際的な研究が求められる[3]。なお，時代と共に変化した漆器の生産や流通，社会的な機能を解明する目的で，分類基準や産地の指標となるデータベースの構築が検討されている。

新たな知見として，中世では文様[4]，近世では樹種を指標とする分類[5]，理化学分析では漆塗膜のPy-GC/MS[6]や朱の硫黄同位体比分析[7]があげられる。小石川一丁目遺跡では，漆塗膜のPy-GC/MSにより17世紀以降の出土漆器に使用される漆の成分にウルシオール（日本・中国）以外に，チチオール（タイ・

図1　「蝦夷島奇観」
より家器寶械図
（東京国立博物館蔵）

図2　クロスセクション解析
（透過像・反射像・反射偏光像：本多貴之）

図3　フォトグラメトリによる3Dモデル作成

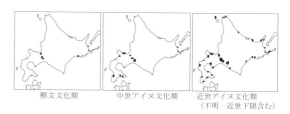

図4　漆製品出土遺跡
（清水2015，図8-10を引用・改変）

ミャンマー）が初めて確認されたことから，中近世の漆器産地で，中国やタイ・ミャンマーなどの輸入樹液が使用された可能性が高まった。また，中世から近世の文献史料によれば，中国・日本産の天然・人造朱の朱座を通した販売や抜荷としての流通が認められる。出土漆椀の赤色顔料は，中世では塗り・文様共に朱（水銀朱：HgS）が主体，近世では塗りはベンガラ（Fe$_2$O$_3$），水銀朱は一部挽物（盃）の塗りや文様で確認されるのみとなる。朱の産地（製法）や流通に注目して塗膜の硫黄同位体比による比較を試みた結果，中世・近世・近代で数値に偏りがみられ，各産地（辰砂）および天然・人造朱の分析結果が年代および製作地の指標となることを確認できた事例となった。このほか，形状・文様については，3Dモデルや統計分析（類似性の根拠を可視化・数値化）による形状・文様の相関の検討がある（図3）。これは同一工人の特定といったミクロな分析が可能となる精度を持った情報であり，国内外の出土遺物や収蔵資料の調査へと拡大することで研究の大きな進展へとつながる。

## 3　漆器の移入時期と受容の実態

　本州産漆器の受容について（図4），学際的な調査・研究が進められるなかで，擦文文化期の出土漆器（漆椀）を対象とした放射性炭素年代測定により，札幌市K36遺跡（タカノ地点）第1号竪穴住居跡（床面）の12世紀後半〜13世紀半ば[8]，千歳市ユカンボシC15遺跡のIB4層（擦文文化期）では13世紀後半から15世紀前半という年代が示された[9]。近年の発掘調査で中近世のアイヌ文化における墓制の変遷が明らかになった厚真町でも

漆椀は13世紀以降に副葬品に選択されることから，移入の画期は13世紀頃とみられる。北海道に移入した漆器が物質・精神文化（価値観）をどのように変容させたのか，この問いを消費地に残された漆器類から復元できる。

　アイヌ墓の副葬品として，17世紀前半頃に箔絵（金）の椀が道南・噴火湾沿岸地域を中心に分布する。これらは内面赤，外面黒色で口縁に赤色漆による雲形，四割菱や短冊形の箔および漆絵を持つ秀衡椀，南部箔椀，会津塗などと呼称される椀に類似する装飾特徴を持つ（図5）。これらの生産地や変遷は明らかではないが[10]，おもにアイヌ墓と江戸遺跡でみられ，産地とされる東北地方ではほとんど出土していない（図6）。北海道から出土する東北系箔椀は，南部藩の贈答品として全国に点在する箔椀（赤・黄・緑色文様）およびアイヌ墓の副葬品にのみ見られる箔椀（赤色文様），秀衡椀を模したと考えられる類似製品があり，これらは17世紀代の出土資料としては極めて装飾的である。アイヌ文化の宝物に関して，文献史料によれば17世紀から19世紀半ばまでを通じた宝は他地域からの移入品で蒔絵の漆器類や細工を施した刀剣といった美しい装飾品だったという[11]。東北系箔椀は一般的なつくりでありながら[12]，外面の半分以上に金の切箔や多色を用いた漆絵が施されている（高台内・外含む）。装飾性が高い蝦夷刀は武器としての機能は劣るものの，アイヌに宝物（威信財）として受容されており，東北系箔椀は器としての機能よりもその装飾性によって求められた可能性がある。一部の遺跡から出土する希少で類例のない資料，内外面黒色塗りで赤色（単色）文様が主体となる13世紀から15世紀において，博多遺跡，鎌倉（由比ヶ浜南遺跡・佐助ヶ谷遺

福島県若松城下城東町遺跡　　　　　　　北海道木古内町札苅遺跡

図5　東北系箔椀（南部箔椀）（左），類似資料（右）

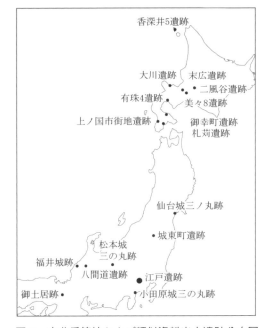

図6　東北系箔椀および類似資料出土遺跡分布図

跡など）や沈没船（新安海底遺物）の金箔・多色文様の椀・皿，15・16世紀代の上ノ国町勝山館跡の箔絵，千歳市末広遺跡の金・黄色で魚・水草，鳥を描いた，管見の限り類例がない小振りの椀，さらに17世紀の東北系箔椀が持つ価値や社会的な機能が，モノの産地・流通と関連していると捉えられる。とりわけ蒔絵・箔絵を持つ椀類や行器，角・耳盥，天目台などの高級漆器は出土数が極端に少ない傾向があり，これらは財産として伝世，移動することから，出土資料で実際の数量を捉え難い器種とみなせる。なお，アイヌ文化で伝世する可能性が高い宝物の漆器類は，幕末・近代以降には必需品との交換や収集家や古物商などに渡ったという記録が残されている。

## 4　献酒用具の成立

　アイヌ文化の献酒儀礼で用いられる捧酒箸【イクパスイ】と台盃（漆椀・天目台）【トゥキ】の成立に関して，13世紀代に漆椀が副葬品としてみら

れ，15世紀以降，和人との交流が活発な地域で，捧酒箸，漆椀，天目台，膳・折敷（盆）が出土，漆椀と膳・折敷（盆）は17世紀には定着，余市など一部の地域では祭具・献酒用具が副葬品として選択された可能性がある。東北地方北部の13世紀後半から15世紀代のカワラケ減少から10世紀後半以降の粗製漆器（渋下地）普及[13]，土器・陶磁器が主体の西日本でも漆器の普及が推測され[14]，北東北では青森県尻八館跡（中世）から出土した漆塗りのカワラケによって日常食器や饗宴器が共に漆器であること，使い捨ての土師器皿の使用になじまない食習俗などが指摘されている[15]。アイヌとの交易を担っていた集団が居住する東北地方には平安時代から漆器を製作し，漆工芸に秀でた平泉，天台寺の僧侶による浄法寺塗および漆の産地である二戸などがあり，国産品の漆器をアイヌ民族が受容した要因として示唆される。古代から中世の国家（朝廷）や地方の豪族（武家政権），寺院（寺社勢力）にとって，喫茶や茶の湯といった儀礼に使用される用具は権力を示す威信財として機能しており，御目見・交易の場における儀礼や宴として（図7），公家や武家の公式作法（式三献など）や東北在地の酒宴の形式，そこで和人側が用意した道具や器がアイヌ文化に受容され，献酒儀礼の用具として成立した可能性がある。なお，中世の印判（スタンプ文）ならびに近世の東北系箔椀の年代観から判断すれば，中近世の漆器類の移入は本州における流通とほぼ同時期であると推測される。

　中世日本に威信財として受容された外国からの移入品（唐物）は，日本独自の価値基準（価値観）で政治的・社会的に機能していた。アイヌ文化における漆器類は価値の形成に関係しており，今後，モノの価値について，交流・交易相手の価値観が継続，または戦略的に作られた，あるいは積極的な受容によって定着したのか検証する必要がある（図8）。献酒儀礼で台盃に伴う捧酒箸はアイヌの祭祀・儀礼具として自製され，民具は線刻や削り掛け，具象的な彫刻に塗りや文様，漆による塗り・加飾がみられる。アイヌ文様（彫刻）と塗りを持つ製品は刀剣類鞘と捧酒箸が主体であり，いずれもアイ

図7 『蝦夷国風図会』より「藩主謁見之図」（市立函館図書館蔵）

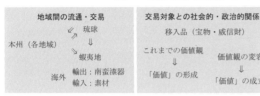

図8 漆製品の流通・交易，交易対象との社会的・
政治的関係概念図

ヌの祭具として日本文化とアイヌ文化の境界にある
ものと位置づけられる。アイヌ文化の祭具・副葬品
となった漆器の背景には，関係地域の祭祀・儀礼，
酒宴の用具，交易戦略（価値基準）などの影響があ
る。しかし，伝統的なアイヌ文化として知られる精
神文化や世界観，信仰・儀礼は普遍的な思想が根
源にありながら，周辺地域との交易活動に適応する
過程で異文化を組み込みつつ独自性を保っていた。
これは移入品を受容し今日のアイヌ文化へと変容す
る中でも，日本文化とは明らかに異なる価値観を継
承したアイヌ文化の特徴として捉えられる。

註

1) 宇田川洋「アイヌ文化の形成過程をめぐる一試
論—威信財もしくはikor的存在を考える—」『国
立歴史民俗博物館研究報告』107，国立歴史民俗
博物館，2003，pp.217-249。『アイヌ葬送墓集成
図』北海道出版企画センター，2007 など

2) 沢口悟一『日本漆工の研究』丸善，1933。上村
和直「京都「八条院町」をめぐる諸問題—出土漆
器を中心として—」『研究紀要』8，京都市埋蔵文
化財研究所，2002，pp.69-118。北野信彦『近世出
土漆器の研究』吉川弘文館，2005。四柳嘉章「漆
Ⅱ」『ものと人間の文化史』131—2，法政大学出版
局，2006。清水 香「江戸遺跡から出土した緑色系
漆椀の基礎研究」『東京大学構内遺跡調査研究年報』
10，東京大学埋蔵文化財調査室，2017，pp.273-
311。浅倉有子 編『アイヌの漆器に関する学際的研
究』北海道出版企画センター，2019 など

3) 清水 香「アイヌ文化期における漆椀の基礎的
研究」『物質文化』95，物質文化研究会，2015，
pp.103-134。「アイヌ文化の木製品」『季刊考古
学』133，雄山閣出版，2015，pp.45-49。前掲註
2浅倉2019，国立歴史民俗博物館『国立歴史民俗
博物館研究報告』225，2021 など

4) 大平理紗「中世漆器の漆絵意匠—中世前期の洛
中産漆器椀・皿から—」『古代文化』70—4
（615），古代学協会，2019，pp.1-22 など

5) 前掲註2（清水2017）に同じ

6) 本多貴之「小石川一丁目遺跡出土漆製品分析」
『小石川一丁目遺跡（第三分冊）』春日・後楽園駅
前地区市街地再開発組合，2022，pp.153-193

7) 清水 香・南 武志・高橋和也・本多貴之「漆
器に使用した朱の産地に関する実証的研究」『日
本考古学協会第87回総会研究発表会要旨』日本
考古学協会，2021，pp.36-37

8) 清水 香・米田 穣・尾嵜大真・大森貴之・
本多貴之・増田隆之介「擦文・アイヌ文化におけ
る漆椀の実年代—総合的な分析による交流史の復
元—」『アイヌの漆器に関する学際的研究』北海
道出版企画センター，2019，pp.93-112

9) 清水 香・米田 穣・尾嵜大真・大森貴之・本多貴之・
増田隆之介・西脇対名夫・田口 尚・三浦正人
「擦文文化期の遺跡から出土した漆椀—アイヌ文
化における漆椀の受容について—」『日本考古学
協会第86回総会研究発表要旨』2020，pp.36-37

10) 荒川浩和 編集・解説『漆椀百選』上，光琳社出
版，1975 など

11) 岩崎奈緒子『日本近世のアイヌ社会』校倉書房，
1998

12) 前掲註2（北野2005）に同じ

13) 三浦圭介「日本海北部における古代後半から中
世にかけての土器様相」『シンポジウム土器からみ
た中世社会の成立』日本中世土器研究会，1990，
pp.29-42。仲田茂司「東国中世の漆器」『考古学
研究』46—1，考古学研究会，1999，pp.72-90

14) 前掲註2（四柳2006）に同じ

15) 吉岡康暢1997「"カワラケ"小考」『国立歴史民
俗博物館研究報告』74，1997，pp.125-129

# 出土遺物と民具のデンプン粒分析

■ 上條信彦
KAMIJO Nobuhiko

北海道域では低湿地遺跡調査や浮遊選別法，土器圧痕のレプリカ法の推進によって，植物利用の実態が明らかになりつつある。そのなかで野生植物の食料化や農耕技術の定着に関する課題として，植物の加工処理技術の解明は重要である。とりわけ道具の使い方（機能）や使い道（用途）の推定は，不可欠である。

こうした道具の使い方や使い道を解明する方法として使用痕観察や付着物分析は有効な手段である。本章では出土遺物を解釈するためのアイヌ民具研究の意義と，付着物分析法のひとつである残存デンプン粒分析の有効性について述べたい。

## 1 民具からのアプローチ

北海道域では，アイヌ「民族」を分析対象とし，アイヌ民族が残した考古資料と，現存する民具や記録類を比較する基礎分析も広義的に民族考古学とされている。先史を対象とする場合，民族考古学は古くから民族誌の知識を過去の物質資料の解釈に援用されてきた。ただし，同一地域であれば，類似しているからといって簡単に過去の復原が可能というわけではない。検討すべき文化の背景となる歴史的経路や環境生態などとその相関関係を考慮したうえで，地域や時代を超えて比較可能な過去，および現在の人間行動に関わる社会的・文化的・生活的構造連関をシステムとして抽出し，出土遺物や現象・経験則の説明と解釈につなげていかなくてはならない。例えば90年代以降，佐藤宏之らによって狩猟技術を中心とした機能的システム連関に関する研究が進められてきた。

植物加工技術についてみると，アイヌ民族が使った道具から得られる情報は，自然環境的条件が共通するため，アイヌ民族の植物利用そのもの

の解明とともに，地域や時代を超えて適用可能な植物利用技術の解明にもつながる。

道具の使い方と使い道を注目すると，民具には道具を使い込んだことによる使用の痕跡（使用痕）が現われる。出土遺物の使い方や使い道の解釈には，使用実験の結果と比較される場合が多い。ただし，植物加工に用いられる道具の多くは，製作から廃棄までの過程が極めて長い。場合によっては世代を超えて使い続けられる場合もある。そのため，なかなか短期間の実験では難しい。また実験の場合，仮説をもつ実験者の意図が加わりやすい課題もある。その点，民具の観察は，実験使用痕研究では得にくいデータを得られやすい。

視点はまったく異なるが，道具の使用者は高齢化が進んでおり記録化が急務である。民俗学者によっても度々取り上げられてきたが，民俗学では行動の記録が主目的のため，道具の詳しい説明が少ない。そのなかで，過去と連絡する一つの手段として民具学の視点は有用である。民具学とは，人間の生態学的観点から民具を通じ民衆の生産・生活に関する技術の発達を解明し，文化の始源，普及，定着，複合の姿を追究する学問である。しかしながら，痕跡や付着物といった考古学的な仮説をもとに，民具学的検討が実践された例は少ない。実地観察したとしても，個々の民具と使用に関する情報が紐づけされている例は多くはない。使用者がほとんどいなくなっている現在，民具学においても，形態以上の属性である痕跡や付着物という視点から行動方式を探らなくてはならなくなっている。

## 2 残存デンプン粒分析の有効性

デンプン粒はその植物の種類により大きさ，形状，形成核の位置が異なる。高分子物質であり，非水

溶性で土壌酸性度に強く，微生物分解されなければ長く残る。とくに，残りやすい硬い皮がなく，かつ土器圧痕の検出も限られるイモ類や鱗茎の利用を調べる際に役立つ。またこの分析法は，道具の付着物を調べるので，その使い道を直接的に解釈しやすい。

デンプン粒分析の方法は種々あるが，礫石器など大型品の場合，機材が携帯でき，かつ第三者により再分析できるスポット法が多用される。具体的には，接触による汚染が少ない，遺物の表面に残る小さなくぼみや傷を探し，その箇所に，マイクロピペットで精製水を注入，洗浄しながら試料を採取する。デンプンは水より重いので，遠心分離した後にプレパラートを作成する。偏光顕微鏡を用いて直交ニコルで観察すると，複屈折性があるため十字模様（偏光十字）が現われる。

日本においても磨石や石皿からのデンプンの検出例が相次いでいる。北海道域は全国的に見て残存デンプン粒分析が盛んである。一方，検出デンプンの付着が当時の使用だけでなく，土壌からの混入などの可能性といったタフォノミーの課題，検出デンプンの同定法といった課題が挙げられる。

こうした点に対し，北海道域では，植物考古学に関するバックデータが豊富であり，候補となる利用植物を絞りやすい。また，付着デンプン粒のタフォノミーの評価法も開発されており，試料採取箇所や分析法に注意することにより信頼性の高いデータ提供に努めている。

北海道域では，伊達市北黄金貝塚[1]を皮切りに，同・若生貝塚[2]，函館市垣ノ島遺跡[3]，続縄文人骨の歯石（有珠モシリ遺跡ほか3遺跡）[4]，17世紀の作物栽培土壌（カムイタプコプ下遺跡）[5]の例がある。結果，北黄金（縄文前期）の台石からクルミ属，若生（縄文前期）の北海道式石冠からエゾエンゴサクあるいはユリ科のデンプンが検出された。またデンプンのほか植物の茎や根に多く含まれるシュウ酸カルシウムの針状結晶も見出された。これらから，北海道式石冠が鱗茎加工に用いられた可能性がある。そのほか，北海道式石冠は，その膨大な出土数の割には，ほかの磨石類に

比べ検出率が低いことから，デンプン質食料以外の加工を含む多用途的な道具と推測する。続縄文人骨の歯石からはナラ類や鱗茎，イネ科のデンプンが検出され，農耕化の議論で注目される。

## 3　民具の残存デンプン粒分析

上記出土資料を直接的に調べるほかに，残りにくい木製品の使い道を推定するためにも民具の残存デンプン粒分析は有効な手段になる。

竪臼や竪杵は弥生時代，九州北部を皮切りに本州へ浸透する。そして遅くとも擦文期には北海道域でも導入されたとみられる。竪臼と竪杵の列島での展開は，民俗例や銅鐸などの図像から，水稲農耕技術に付随する脱穀具として解釈されてきた。しかし，民族例には雑穀類の調整や豆類の脱粒，さらには野生植物の加工にも使われる例がある。確かに大陸の水稲農耕技術とともに導入され主たる使い道はイネの脱穀・調整であった可能性は高い。しかし，水稲農耕が困難な地域を含めた列島内での展開において，単に同形態の道具の有無から農耕技術の定着を推し量るのは早計といえよう。

とくに北海道域における竪臼と竪杵の起源は，弥生時代以降の本州と考えられる一方で，鱗茎や魚介類の加工にも用いられる。民具において，どのような作業によって，どの程度デンプンが残るかの議論はない。したがって，出土木製品への応用を図るためにも，まずは十〜数百年レベルにおける民具付着デンプンの残存性を探ることも必要だろう。

## 4　アイヌ民族の臼・杵

アイヌ期の竪臼・竪杵については，記録や伝承，聞き取りなどによってうかがい知れる。また近代以降，書籍や絵葉書のなかに粟搗きの姿を見ることができる。おもな使い道にはアワ・キビ・ヒエの脱穀・調整，オオウバユリなどの鱗茎の敲砕を中心に，植物の粉砕・製粉，動物の調理加工などがある。臼の形には胴部が抉れるくびれ臼（図1-1）と寸胴臼の二種がある。また口径と高さによって，大・小型品に区分される。アイヌ語では大型品を「ポロニス」，小型品を「ポンニス」として区別され

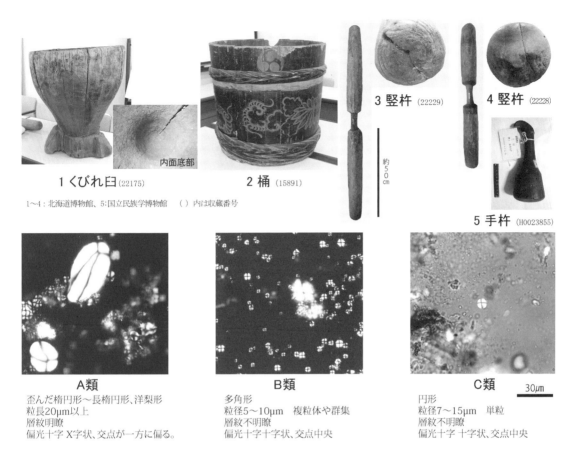

1 くびれ臼 (22175)　　内面底部　　2 桶 (15891)　　3 竪杵 (22229)　　4 竪杵 (22228)

約50cm

5 手杵 (H0023855)

1～4：北海道博物館、5：国立民族学博物館　（　）内は収蔵番号

| A類 | B類 | C類 |
|---|---|---|
| 歪んだ楕円形～長楕円形、洋梨形 | 多角形 | 円形 |
| 粒長20μm以上 | 粒径5～10μm　複粒体や群集 | 粒径7～15μm　単粒 |
| 層紋明瞭 | 層紋不明瞭 | 層紋不明瞭 |
| 偏光十字 X字状、交点が一方に偏る。 | 偏光十字十字状、交点中央 | 偏光十字 十字状、交点中央 |

30μm

図1　アイヌ民具と検出デンプン

る。そのほか，素材の木口が側面側に向く横臼が
ある。横臼は高さが低いため，座って作業する坐
り臼となる。杵には竪杵（図1-3・4）と，横杵があ
る。横杵は和人が餅つき用に導入した。図1-3と
図1-4のように竪杵にも長・短がある。

　そのほか，オオウバユリの敲砕には，樹皮とたた
き棒，横臼と手杵（図1-5），桶とマサカリのセット
例もある。桶（図1-2）は，鱗茎の敲砕のほかデン
プンの抽出，沈殿，貯蔵に用いられる。碾臼や踏み
臼はほとんど普及しなかった。

## 5　アイヌ民具の残存デンプン粒

　北海道博物館，二風谷アイヌ文化博物館，国立
民族学博物館の資料を分析した結果，すべての館
資料からデンプンを検出した[6]。検出デンプンの特
徴からA～C類に三区分した（図1下段）。

　臼形態ごとに差があり，餅つき用の寸胴臼にはデ

ンプンはなく，坐り臼からはデンプンA類が確認
された。くびれ臼にはデンプンA類とC類が混在
するものが多い。またデンプンA類またはB類の
みでC類を伴わない例がある。

　杵の場合，長さ100cm以上，先端が丸く突き出
たものにデンプンA類，長さ85～90cm，先端が平
坦なものにデンプンC類が確認された。そのほか，
長さ80cm前後の杵は先端形に関係なくデンプンA
類とB類が混在する。手杵からはデンプンB類，
桶からはデンプンA類を検出した。割れ目が多く
劣化が進行した資料でもデンプンが見つかる。こ
れらの傾向は，各所蔵館を通じて共通する。

## 6　残存デンプン粒からみたアイヌの敲砕具

　このように複数種のデンプンが検出されたこと
から，植物加工において対象物が複数あったと推
測できる。そこで，アイヌ民族の利用植物のなかか

ら，おもな植物18種の標本を作成して比較した。

その結果，デンプンA類は，その特徴がほかの植物にあまり見られないことから，ユリ科植物とほぼ断定できる。デンプンB類は，アワを主とする穀物，デンプンC類はエゾエンゴサク・コウライテンナンショウなど多種である。

さて，今回の調査では臼と杵双方ともデンプンA類とB類が混在していた。したがって，アイヌ民族が用いた臼と杵の使い道には穀類の脱穀・調整のほかに，ユリ科鱗茎の敲砕，という少なくとも二つの使い道があったと理解される。また間接的ではあるが，餅つきの用途も推定された。

さらに，一部の臼と長さ100㎝以上の長い杵からは，デンプンA類のみが検出された。これはオオウバユリ加工の使用年代や地域差を反映しているとみられる。

桶からはデンプンA類が検出された。オオウバユリの加工工程には敲砕の次にデンプンの抽出がある。抽出では，砕かれた鱗茎を桶に入れた水の中で揉んでデンプンを沈殿させる。例えば『明治初期アイヌ風俗図巻』（西川北洋筆，函館市中央図書館蔵）には，①台の上で粗く敲砕，②水を入れた桶の中での敲砕，③水を入れた桶の中でデンプン抽出，の様子が見て取れる。図巻の桶に注目すると，③の工程のみ，分析資料と同じ黒漆塗の桶が用いられている。よって，分析した桶はおもにオオウバユリのデンプン抽出，沈殿，保管に用いられたと推察される。

またデンプンB類が検出された手杵は，サハリンアイヌのものである。おもに肉類や魚介類の加工に用いられるが，分析の結果を考慮すると穀物の加工にも用いられたことがわかる。

最後に，擦文期〜アイヌ期の出土杵と比較してみる。出土杵には110〜130㎝の長形のほか，長さ60㎝前後の短形もある。一方で民具に多い長さ85〜90㎝の中間タイプが少ない。長形品は穀類の脱穀・調整といった種子の表面粉砕に適しており，おもに穀物加工に用いられる。一方，短形品はそれだけでなく，方頭の横槌もある。これらは，オオウバユリの敲砕などの衝撃粉砕のほうが適して

いる。このように，北海道域の出土杵は，汎用性のある中間タイプが少ないことから，穀類の脱穀・調整具と，オオウバユリの敲砕具といった具合に使い道が明瞭に分かれていた可能性がある。

＊

本章では野生植物の加工技術の実態と，農耕技術の受容過程を探るひとつの手段として，民具学的視点，および実践例として残存デンプン分析例を提示した。

分析法自体に注意すると，残存デンプン粒分析は道具の使い道が不明になりつつある民族資料でも有効であり，数十年単位におけるデンプンの保存性を確認することができた。

木製品から残存デンプンを検出し，同定の結果，加工対象物が穀物やユリ科であることが判明した。さらに，道具の形態や使用痕を考慮することによって，使い方や使い道，年代の違いも理解できる。これらのことから，残存デンプン粒分析はデンプンを同定するだけではなく，場や使用痕といった使い方に関わる属性と比較検討することが，より有効な手段となろう。

### 註

1) 渋谷綾子，青野友哉，永谷幸人「残存デンプン粒分析におけるコンタミネーションの検討 北海道伊達市北黄金貝塚を中心として」『国立歴史民俗博物館研究報告』195，2015，pp.79‑110

2) 上條信彦「若生貝塚礫石器の残存デンプン粒分析」『北海道噴火湾沿岸の縄文文化の基礎的研究』2018，pp.121‑124

3) 渋谷綾子「石器の残存デンプン粒分析の方法と北海道・東北北部における研究動向」『北海道噴火湾沿岸の縄文文化の基礎的研究』2018，pp.124‑128

4) 渋谷綾子，青野友哉，永谷幸人 "Starch granules from human teeth：New clues on the Epi‑Jomon diet" *Frontiers in Ecology and Evolution*，10，2022，pp.1‑13

5) 青野友哉，渋谷綾子，添田雄二，永谷幸人「作物痕跡の形状解析による栽培作物同定と残存デンプン粒分析との照合の試み」『文化財科学』82，日本文化財科学会，2021，pp.1‑20

6) 上條信彦「アイヌ民族の竪臼と竪杵，桶，手杵―形態・使用痕観察と残存デンプン粒分析から―」『東アジア古文化論攷』2014，pp.82‑100

# 北海道先史とサハリン・千島／クリル

■ 福田正宏
■ FUKUDA Masahiro

## 1　研究史の概要と論点

　オホーツク海に面する道東北の遺跡でロシア方面と同じような文物が出土することは古くから知られてきた。明治・大正期，樺太・千島とその周辺では，往時の「アイヌ」やそれに関連する遺跡の存在が報告された。その後，北海道オホーツク海沿岸の古代文化の展開に南方との差が見いだされ，北方「外地」からの文化的影響が指摘されはじめた[1]。戦後・冷戦期を過ぎた1990年代も，サハリンを経て大陸に通じるルートと，千島を経てカムチャツカに通じるルートの2つが注目された[2]。だが資料に制約があり，モノの形態的類似から伝播や交流の存在を推測するしかなかった。

　2000年代以降，日露の学術交流が活発になり，ロシア独自の調査も増加した。$^{14}$C年代測定が普及し，直接交流のない地域間の並行関係が数値年代によって把握できるようになった。さらに，極東地域がユーラシアと北米との連結部として人類史的に注目され，研究の国際化，学際化が急速に進んだ。ところが2020年以降，現在に至るまで厳しい国際情勢が続き，先人の苦労とともに続けられてきた日露共同調査は中断を余儀なくされている。現地研究者との対話や相互理解の機会は制限され，彼我で今後が見通しにくい状況にある。

　本論では，北海道先史と北方「外地」との通時的関係性について今わかることとわからないことを整理し，来るべき将来に備える。なお，オホーツク海を取り囲むサハリン島–北海道島–千島／クリル列島に関して，日露間で歴史観や関心事，研究環境に差が認められる。日本の研究動向をふまえつつ，他所の実情も汲む必要がある。

　以下，近代日露交渉史に先だつ「日露間」交流の解説をよく求められる筆者の視点から論じる。

## 2　サハリンとの関係

　古サハリン–北海道–千島／クリル半島（以下，古SHK半島と略）時代の旧石器の存在に関しては，アムール下流域や千島／クリルで明確な事例に乏しい。半島北部となるサハリン中部の東サハリン山地で数遺跡が指摘されている程度である[3]。石材を道東産黒曜石に大きく依存するサハリン南部や北海道に遺跡が集中しているようにみえるが，それが実態を示すとは限らない。とはいえ，後期旧石器時代後半に大陸と共通した技術系統を有する細石刃石器群が出現したことは確実視される。

　サハリンルートでは，細石刃石器群の出現からオホーツク文化の展開までの長大な時間幅の中に多くの文化動態，考古学的文化が認定されてきた。それらを最大公約数的にまとめ，千島／クリルにも通じる時期区分に収めると，Ⅰ期：後期旧石器後半～移行期（ca.25-12 ka cal BP：以下kaと略），Ⅱ期：完新世初頭（縄文早期：ca.12-8 ka），Ⅲ期：縄文海進最盛期～前1千年紀前半（縄文早期末～晩期：ca.8-2.5 ka），Ⅳ期：前1千年紀後半以降（縄文／続縄文移行期～オホーツク期：ca.2.5 ka-12c AD，北海道島は9cまで）となる。

　Ⅰ・Ⅱ期は遺跡数が少なく，わずかな調査結果と古環境変化との相互関係から人間集団の環境適応形態を推し測っているのが現状である。後代に比して時間軸の目盛りが大きく，構造変動の画期に関する議論が続いている。Ⅲ期は，北海道で総じて遺跡数が増える一方，サハリンでは特定時期の遺跡（宗仁文化など）が増加する印象が強い。ただしⅢ期の遺跡群については，近年の大規模発掘の対象外であるため情報が古く，実態調査が必

要となる。Ⅲ期終末からⅣ期にかけては，低地部で遺跡数が増える。オホーツク文化とその直前であり，日本側の関心が伝統的に高く，とくに宗谷海峡周辺で研究が進んでいる。なお，北方「外地」との交易を主題にするならば，アイヌ文化期の山丹交易にまで対象を拡張してよいのかもしれないが，今は考古学的に言及することが難しい。

　原産地推定分析が進み，サハリンにおける道東（白滝・置戸）産黒曜石の流通量を比較し，宗谷海峡を越えた交流・接触の有無や強弱を測りやすくなった。北海道に近いサハリン南部ではⅠ〜Ⅱ期に多く，Ⅲ期に低調となり，Ⅳ期に増加する，という傾向がみとめられる[4]。

　北海道−サハリン間では，宗谷海峡が陸橋であったⅠ期はもとより，海峡成立後の不安定な温暖化の途中であるⅡ期にも，広域移動型の行動様式が残存した可能性が高い。また完新世初頭の気候環境への適応戦略の変化は，道東縄文早期の温暖環境に適した両面調整石器群と寒冷環境に適した石刃石器群が交互に出現し，最終的に両面調整石器主体へと移行するという変遷の中に読み取れる。上記の石刃石器群と関連する事象は「石刃鏃文化」と呼ばれてきた[5]。その後，Ⅲ期の最温暖期に海峡が拡大し，彼我の新たな地域生態系に適応していた定着的食料採集社会は細分化，多様化し，地元石材が多用されるようになる。結果，北海道−サハリン間は，途中で不規則な接触があった可能性は残るが，基本的に「疎の関係」となった。

　Ⅳ期にこうした構図は変質する。前1千年紀後半（アニワ文化）に，宗谷海峡を越える南北の往来が活発化し，サハリンで道東産黒曜石の受容が進む。近年サハリン北部で，アムール中・下流域のウリル文化の延長線上にある遺跡が多く発見されている。金属器を持つ集団もいる。それらに注目する筆者は，種々文化要素（サハリン産コハク・住居様式・家畜飼育など）の受容が，とくに続縄文初頭以降の道東北で進んだ可能性は否定できないと考えている[6]。こうした動きが鈴谷式土器の南下につながり，やがてはオホーツク文化が展開する基盤になったとも考えられる。擦文集団の

サハリン進出[7]も，南北間交流が拡大するⅣ期の動態の一部と捉えられるのではないか。南方から拡大進出した理由の一つは，サハリンに行くことにより利潤が得られたからであろう。北海道集団を惹きつけたものを具体的に示せれば，新たなストーリーを描くことができる。

## 3　千島／クリルとの関係

　千島／クリルは，北千島・中千島・南千島と地域区分するのが通例である。今日，カムチャッカ・マガダン方面に由来する集団が北海道方面に影響を与えた形跡はないとされ，北海道や南千島からの集団進出のあり方が注目されている[8]。

　北・中千島とカムチャッカに関しては，アメリカ主導の国際調査IKIP・KBPや，日本側の継続的な調査，過去採集品の悉皆調査がある。中千島以北は人類の生活・生存維持が困難な環境であり，それが南方からの拡大進出の障壁となった。千島アイヌ（後2千年紀後半）のみが本地域で生活を継続したとされる。最近はやりの島嶼生物地理学の論理を適用可能な地域ではあるが，なかには考古学的証拠を伴なわず評価が難しい議論もあり，筆者を含め，日露の研究者は違和感をもっている。

　南千島では，日本側で過去採集品の調査や北方四島の学術調査が行なわれてきた[9]。ここ数年はロシア側の組織的調査が進み，国後・択捉・色丹の遺跡分布状況が徐々にわかってきた。南千島が基本的に道東の文化動態の延長線上に捉えられることに変わりはない。Ⅱ期終末に道東の浦幌式ないしは東釧路Ⅱ式が分布する。また北海道に近い国後のⅢ期は，道東側で遺跡が増えて文化動態が顕在化する時期に，関連遺跡が増えるようだ。最近，択捉・キトブイで隆起線文をもつ平底土器が出土し，縄文草創期の隆起線文土器との関連性が指摘されている[10]。石器は両面調整が主体で，竪穴住居もある。報告された$^{14}$C年代は13-8 kaと幅広く，新たなラボ（IGAN）の測定値もある。南千島ではⅡ期の年代を有する遺跡の発見が相次いでいる。キトブイ例は道東縄文早期・平底条痕文系土器群の一種にもみえるが，今は評価が難しい。

つとに指摘されてきた千島ルートにおけるⅢ期の交流に関しては，その存在を示す確たる遺跡がない。Ⅳ期初め（興津式期）に南方から中千島への進出拡大があるが，北千島には及ばないとされる。オホーツク文化中期（刻文期）の遺跡は北千島まで及ぶが，いずれも中千島以北への積極的な進出は一時的，断続的と考えられている。

遺物が豊富なⅣ期に黒曜石原産地推定分析の詳細データはあるが，Ⅲ期以前はまだ体系的な分析結果がない。全体傾向として，サハリンルートとほぼ同調する振幅が認められるようである。なお，中千島以北ではカムチャツカ産黒曜石も出土していることに留意する必要がある。

## 4 ホモ・サピエンスの進出と定着について

ホモ・サピエンスの北米への拡大進出に関する世界的な議論の中，シベリアの遺跡群とともにオホーツク海沿岸のⅠ期の遺跡群も注目されている。古SHK半島南部における細石刃石器群の展開と，MIS2の寒冷乾燥化に伴なう草原環境の形成，大型哺乳類狩猟の発達との関連は説明がつきそうだが，同半島北部やアムール下流域の様相が今ひとつわからない。環オホーツク海で参照可能な遺跡は，カムチャツカのウシュキ（13.3 ka-），アムール下流域のゴールィムィス4（17-14 ka）であるが[11]，古SHK半島南部との関係性が不明である。これが，大陸規模で点在する古人骨・遺伝子情報にもとづく集団の差・系統の議論と地元考古学の理解とがうまく噛み合わない要因の一つである。

Ⅰ期末（移行期）に，アムール下流域でオシポフカ文化が，北海道で本州系縄文草創期並行文化が出現し，ともに土器を伴なう[12]。これはベーリング・アレレード温暖期の居住適地への先適応であり，適応の限界を超えた北緯50度より北には拡大しなかった可能性が高い。北海道でこの時期の土器出土例は道東オホーツク海沿岸が最北であるが，本州系の技術系統にある両面調整石器群は道北までひろがり，細石刃石器群を持つ集団と居住・行動範囲が重なる。宗谷海峡の成立がヤンガードリアス（12.9-11.7 ka）以降の完新世である

ことを考慮すると，未発見ではあるが，サハリン南部に関連遺跡があっても不自然ではない。

## 5 北海道先史とロシア極東：課題と展望

石刃鏃文化とオホーツク文化に関しては，北海道の外来文化として並置されるのが通例である。ロシア側の考え方に直接触れてきた筆者が今思うことを，以下に述べる。

まず石刃鏃文化について忘れてならないのは，この文化の指標とされる石刃技法が，ロシア極東では新石器時代以降も維持されることである。大陸を横断的に見通せば，完新世の温暖化が進んだ地域では両面調整石器が普及・増加したという，全体的傾向が認められる。だが気候が不安定な完新世初頭には，細石刃・石刃技法が一般的に用いられていた。これらは北方寒冷地に広く分布する，亜寒帯性環境への適応に不可欠な技術である。

道東を中心とした地域では，一時的かつ急激な気候寒冷化（8.2 kaイベント）に対する適応の結果，石刃鏃石器群が残された[13]。完新世初頭の亜寒帯から温帯への移行帯で石刃技法の分布範囲が拡大と縮小を繰り返すことは，ユーラシアのどこでも起こりえただろう。道東では，高度な技術を要する石刃技法に適した良質な黒曜石原産地が存在するため，ほかの石材を利用した集団とは異なる独特な考古現象として表出したともいえる。

次にオホーツク文化については，中国の史記に現われる靺鞨などの国家的統一体の盛衰と関係するとされてきた。大陸の関連遺跡は，中国東北部の三江平原からアムール流域に広く分布する。ただ，その指標となる農耕の痕跡，鉄器・青銅器・装飾品などを伴なう集落や墓地，また防御性の高い土城が発見されるのは，北緯50度付近のスレドネ・アムールスカヤ低地帯北部までである。そこから北海道までの間には，異なる生態系が存在する。アムール河口部には，サハリン側に通じる江の浦式土器や，北方系丸底が特徴となるテバフ式土器を有する集団がいて，スレドネ・アムールスカヤ低地帯にいた集団とは異なる生活様式や社会的背景があった可能性が高い[14]。大河アムール

が主たる往来の回廊となったのであれば，そうした地域を中継し，「中世」国家的統一体もしくはそれに関連する集団からの影響が，人間の移住も含めて，直接的ないし間接的に環オホーツク海に及んだといえる。それらのうち，南の最前線となる温帯性の生活環境（北海道）に残された考古学的現象が，日本ではオホーツク文化と呼ばれる。そこには，地元の石材資源や海洋資源へ強く依存した生活があった。また，大陸内部に起源することが確実である遺物は，刻文期に集中している。大陸系文物は，北海道特有の解釈や受容がなされたようである。国家的統一体の社会システムは同心円状に東方に及んだのではなく，各地の集団が必要な要素を選択的に受け入れたと考えるのが妥当であろう。地域固有の条件は他所にもあったはずであり，これが，環オホーツク海の「中世的世界」は一様ではないという，ロシア極東考古学の今日の理解につながっている。

　亜寒帯南辺において大陸と共通する要素があり，考古学的事実の出現が一過性であるという点で，石刃鏃文化とオホーツク文化は共通するが，両者は別々の性質にある。日本では「文化」という同語で括られ，外来的と評されやすい二者であるが，同列で説明することはできない。

　ロシアで，オホーツク文化という概念や呼称について，日本人がなぜそうするのかわからないという声をよく耳にしてきた。これに対し，日本の学史に即して反論することもできるだろうが，生産的な相互理解が生まれるとは思えない。世界的な潮流にあわせて文化の定義を厳密化すればよいとする意見もあるだろう。ひょっとするとそれは正しいのかもしれないが，実際には，国境を接する極東諸国にはそれぞれ内国的諸事情や歴史観がある。とくに先史考古学の文化規定に関しては，その地域の諸事情に応じて多様な考え方がある。それらは互いに尊重されてしかるべきだと思う。

　列島を起点とし関係性の強弱を同心円状に探究する日本の伝統的な研究は日本人の心の琴線に触れるが，その背景は異国の人々に伝わりにくい。

　要するに，国内に収まりきらない考古学的現象を捉えるとき，隣国で報告された成果を自分の国の理屈にあてはまる部分だけつまみ食いするのではなく，相手の国の人々が遺跡情報をどのように解釈しているのかをきちんと把握し，その理由や背景についても知っておきたいのである。

**註**　＊文献を十分に引用できないことをお詫びする

1）　清野謙次「オホーツク海沿岸の古代文化」『ドルメン』2―8，1933

2）　高瀬克範編『「サハリン・千島ルート」再考』北海道考古学会，2015

3）　Vasilevski A., Grishchenko V. "Stone age people in the insular world" *Maritime Prehistory of Northeast Asia*, Springer, 2022.

4）　福田正宏「縄文文化の北方適応形態」『国立歴史民俗博物館研究報告』208，2018

5）　Fukuda M. *et al.* "Synthetic perspective on prehistoric hunter‐gatherer adaptations and landscape change in Northern Japan" *Maritime Prehistory of Northeast Asia,* Springer, 2022.

6）　福田正宏「縄文文化における北の範囲」『縄文時代』吉川弘文館，2017。その後事例が増えている。

7）　瀬川拓郎『アイヌの歴史』講談社，2007

8）　高瀬克範「千島列島進出集団における居住範囲の変異とその背景」『理論考古学の実践』同成社，2017

9）　右代啓視・鈴木琢也「2019年北方四島学術調査」『季刊考古学』150，2020

10）　Grishchenko V. et al. "The incipient Neolithic of the Kurile Islands" *Archaeol., Ethnol. & Anthropol. of Eurasia*: 50‐2, 2020.

11）　加藤博文ほか「アムール下流ゴーリィ・ムィス4遺跡における上部旧石器石器群の調査」『北海道旧石器文化研究』8―7，2003。Ponkratova I. "Stages in the late Pleistocene and Holocene peopling of Lake Bolshoye Ushkovskoye Shore, Kamchatka" *Archaeol., Ethnol. & Anthropol. of Eurasia*: 48‐1, 2020.

12）　橋詰　潤「アムール川下流域における土器出現期研究の現状と課題」『物質文化』100，2020。夏木大吾「北海道における更新世・完新世移行期の土器出現と文化形成」同前誌

13）　福田正宏「石刃技法を用いた北方縄文集団と8.2 ka 寒冷化イベント」『理論考古学の実践』同成社，2017

14）　臼杵　勲『鉄器時代の東北アジア』同成社，2004。熊木俊朗『オホーツク海南岸地域古代土器の研究』北海道出版企画センター，2018

# 千島アイヌの成立と展開

■ 高瀬克範
　TAKASE Katsunori

## 1　千島アイヌの出現

　現在は文化継承者がいないとされている千島アイヌは，アイヌ語千島方言を使用していた千島列島北部の先住民である[1]。この民族は，17世紀末から「クリル」の名でロシアの文献に登場し，19世紀以降になると比較的豊富な情報が史料や民族誌に残されるようになる。しかし，18世紀以前の歴史には不明な部分が多くのこされており，その出現時期も未解明であった。また，17〜18世紀のカムチャツカの記録にアイヌ語地名がみられることから，千島アイヌはかつてカムチャツカ半島にも居住していたと推測されてきたが[2]，その時期や範囲も闇のなかであった。しかし，筆者らによるここ20年ほどの研究によって，これらの問題はほぼ解決済みとなっている。その成果の概要を以下に紹介する。

　千島アイヌがのこした物質文化は，カムチャツカ半島南部から北千島に分布するナルィチェヴォ文化とよばれる考古学的統一体である[3]。遺跡の発掘調査から，この文化の直前に位置づけられる考古学的文化はこの地域には分布していなかったとみられ，つまりほぼ無人状態の土地に突然出現したのがナルィチェヴォ文化と理解される。

　ナルィチェヴォ文化には，北海道の考古学的アイヌ文化の構成要素，すなわち内耳土器，銛頭，骨鏃，魚鈎などや，本州以南で生産された物質文化（鉄鍋，キセル，寛永通宝など）が多数含まれる。一方で，時間的に並行するカムチャツカ半島北半部の物質文化（古コリャーク文化の土器，狩猟具など）は基本的に含まれていない。すでに考古学的アイヌ文化が分布していた南千島，北海道，サハリン南部のいずれかの地から移住してきた集

団によってそれがのこされたことは疑いない。それが千島列島北半部からカムチャツカ南部に分布することを考えれば，その担い手は千島アイヌ以外にありえないのである。

　ナルィチェヴォ文化の遺物のうち，もっとも精度が高い編年の素材は内耳土器である。日本の中世鉄鍋を模倣して作られた土鍋であり，鉄鍋の供給量が少なかったサハリンからも多量に出土する。ナルィチェヴォ文化の内耳土器はⅠa，Ⅰb，Ⅱ式の3段階に分けられ，古い順からⅠa式が15世紀半ば〜17世紀前半，Ⅰb式が17世紀，Ⅱ式が18世紀に位置づけられている[4]。Ⅰa式とⅠb式のみが出土したカムチャツカ半島東南部のリストヴェンニッチナヤ遺跡群では，放射性炭素年代測定によって15〜17世紀の年代がえられているが，なかには15世紀中葉のみの年代をしめす測定例もある[5]。これが，ナルィチェヴォ文化最古段階の年代であり，千島アイヌはアイヌ語使用集団がより南の地域から移住してきたことにより15世紀中葉に成立したとみなしうる。

## 2　南カムチャツカの占地

　ナルィチェヴォ文化の遺物は，北千島のみならずカムチャツカ半島南部にもみられる。内耳土器の分布からみて，千島アイヌは15世紀半ばから17世紀末まではカムチャツカ半島のかなり広い範囲に居住していた（図1-A・B）[6]。遺跡や遺物の数の多さは，この段階の本拠地は，北千島ではなくむしろカムチャツカにあったことを示唆する。

　カムチャツカ半島は，西海岸が砂丘，後背湿地，潟湖が多い低平な地形であるのに対して，火山列が連なる中央部から東海岸では海岸線が入り組み，数多くの湾がある。火山から流れてきた河

川がそれぞれの湾に注ぐが，その河口部すべてにナルィチェヴォ文化の遺跡が分布していると考えてよい。ひとつの遺跡は数件～100件弱の竪穴住居から構成され[7]，ひとつの湾には数箇所の遺跡があるのが普通である。非常に多くの人口が，南カムチャツカに移住してきたことがわかる。

千島列島を北上してきた集団が最終的にカムチャツカに落ち着いたのは，資源の分布からみて理にかなっている。北千島では，陸生の哺乳類はネズミやキツネくらいしか生息しておらず，狩猟対象になりえる陸獣にとぼしい。したがって，食料としては海獣類や魚に

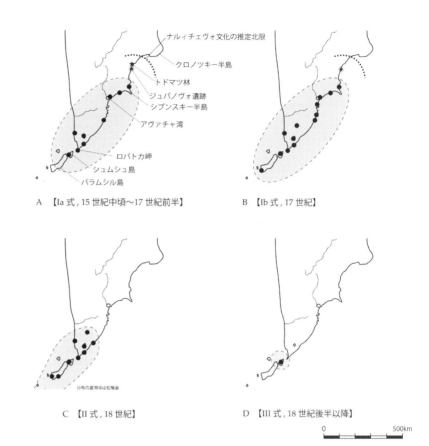

A 【Ia式, 15世紀中頃～17世紀前半】　　B 【Ib式, 17世紀】

C 【II式, 18世紀】　　D 【III式, 18世紀後半以降】

0　　　　500km

図1　南カムチャツカ・北千島における内耳土器の分布域（註6文献より）

大きく依存せざるをえない。しかも，ツンドラが卓越する北千島には森林がほとんどない。ゆえに，北千島では木材は流木に頼るしかなく，舟や竪穴住居の材料はおろか，燃料すらも安定的に入手することが難しい。

これに対して，ユーラシア大陸の一部であるカムチャツカでは，トナカイ，ヘラジカ，ヒグマ，ビッグホーン，ウサギなどの狩猟獣が豊富である。サケ科の遡上数も島嶼にくらべると圧倒的に多く，木材や黒曜石など鉱物・岩石資源の入手も容易である。資源量からみれば，北千島よりも南カムチャツカのほうがはるかに生活しやすい場所なのである[8]。こう考えると，北千島まで北上してきた人々が列島内にとどまることなく，カムチャツカへとわたり生活の拠点としたのはある意味で当然である。しかも，そこがほぼ無人の地であるならば（それゆえ南カムチャツカの地名も自分

たちで命名する必要があったのであろう），占地することに躊躇する理由はなかったはずである。

千島アイヌが南カムチャツカに定着したのちも主たる交易相手はより南のアイヌ集団であったことは，多数の和産物から理解できる。しかし，半島北部のコリャークや，内陸部のイテリメン（カムチャダール）などとも接触していたことは間違いない。数は少ないが，ナルィチェヴォ文化のなかに受け入れられたこれら先住民の文化要素（石ランプなど）があるからである[9]。

## 3　カムチャツカからの撤退

ところが，南カムチャツカにおける千島アイヌの居住域は，18世紀初頭に急激に縮小する（図1-C）[10]。ナルィチェヴォ文化の北限は，それまでは半島南端のロパトカ岬から450kmほど北，東海岸のクロノツキー湾の中央部にあった。それ

が，一気に350km南下し，ヴェストニク湾が北限となった。その後，19世紀までに南カムチャツカから完全に撤退し，民族誌にみられるような千島列島内の島々を頻繁に移動する生活スタイルに移行していったと思われる（図1-D）。先述のとおり，島の資源は少ないがゆえに，ひとつの島にとどまると資源がすぐに枯渇する。そのため，頻繁に移動することで狩猟・漁労の持続性を高める方法が採用されていたものと思われる。

千島アイヌはなぜ，18世紀初頭にカムチャツカ半島から退いていったのか。自然環境の変化により，食料事情が悪化した可能性なども想定はできる。しかし，この場合でも，島のなかだけで生活するよりは，カムチャツカも利用するほうが有利であったはずである。したがって，筆者はべつの理由があり，それはロシア人のカムチャツカ侵入であったと予測している。ロシア人のカムチャツカ到達は，公的な理解ではコサックのV・アトラーソフによって1697年に達成され，この後，毛皮税の徴収をめぐってロシア人と先住民とのあいだで激しい戦闘が繰り返されていった[11]。こうした衝突を避けるために，千島アイヌは南へと撤退したというのが現時点での筆者の仮説である。

## 4　のこされた課題―生業と故地―

鳥居龍蔵は，千島アイヌの食料としてトドの重要性を記録している[12]。内耳土器に付着したお焦げの同位体分析から，海産物の重要性は追認されている[13]。カムチャツカおよび北千島の遺跡から回収された動物骨は，筆者らが現在分析を行っている最中であるため，その結果がまとまればさらに詳しいことがわかることが期待される。

千島アイヌの故地は，まだ解明されていない。内耳土器や竪穴住居が長期にわたって利用されつづけていたサハリンが有力な候補であり，この条件にあわない北海道本島は候補から外れる。しかし，情報が少ない南千島は候補地からまだ排除することはできない。ナルィチェヴォ文化のⅠa式に類似する土器がサハリンおよび南千島のなかで製作・利用されていれば，そこが千島アイヌの故地である可能性が高い。筆者は，このような観点からサハリンや南千島の土器を検討してきているが，どちらの地域にもⅠa式の祖型となりそうな資料が少数ながら分布しているものの，決定的な証拠が欠落しているためまだ決着がついていない[14]。引き続き調査が必要である。

### 註

1）　鳥居龍蔵『千島アイヌ』吉川弘文館，1903。鳥居龍蔵（小林知生訳）『鳥居龍蔵全集5』朝日新聞社，1976

2）　Murayama, S. Ainu in Kamchatka. *Bulletin of the Faculty of Letters Kyushu University* 12, 1970

3）　Диков, Н. Н. *Древние культуры северо - восточной Азии.* Наука, 1979

4）　Takase, K. Chronology and age determination of pottery from the Southern Kamchatka and Northern Kuril Islands, Russia. *Journal of Graduate School of Letters, Hokkaido University* 8, 2013

5）　Takase, K. Time period determination of the Kuril Ainu's major withdrawal from Kamchatka. *Japanese Journal of Archaeology* 8（1），2020

6）　高瀬克範「カムチャツカ半島南部出土内耳土器とその千島アイヌ史上の意義」『論集忍路子』Ⅳ，2015

7）　高瀬克範「北千島・カムチャツカのアイヌ遺跡」『北海道の古代集落遺跡　記録集』北海道文化遺産活用活性化実行委員会，2020

8）　高瀬克範「千島列島進出集団における居住範囲の変異とその背景」安斎正人編『理論考古学の実践　Ⅰ理論篇』同成社，2017

9）　鈴木建治「千島アイヌの石ランプ」『北海道考古学』50，2014

10）　前掲註6文献

11）　オークニ，S. D.（原子林二郎訳）1943『カムチャツカの歴史』大阪屋号書店，1943

12）　前掲註1に同じ

13）　Takase, K. Diet of the Kuril Ainu as evidenced from charred materials adhering to ceramic surfaces, *Journal of the Faculty of Humanities and Human Sciences* 15, 2020

14）　高瀬克範「千島アイヌの起源に関する学説整理と考古学からの展望」『国立民族学博物館研究報告』156，2022

# アイヌ史の時代区分

■ 蓑島栄紀
MINOSHIMA Hideki

　北海道考古学の成果を基礎とする通説的な北海道史の時代区分では，縄文文化のあと，続縄文文化，擦文文化・オホーツク文化が置かれ，アイヌ文化へと続く。近年，この時代区分において，13世紀前後を「アイヌ文化の成立」とし，以後を「アイヌ文化」「アイヌ文化期」と区分することの問題性がしばしば指摘されるようになった。

　瀬川拓郎は，物質文化にもとづく考古学的な時代区分のなかに，民族集団名を冠した時代名称が混在するという通説のチグハグさを指摘し，従来「アイヌ文化」とされてきた時代を「ニブタニ文化」（平取町二風谷の発掘成果に由来して命名）と改称することを提案した[1]。その後，この問題提起は，さまざまなかたちで受け止められている。

　2020年にオープンした国立アイヌ民族博物館（白老町）の展示解説では，「アイヌ文化の成立」や「アイヌ文化期」のような用語の使用を避け，北海道島で繰り広げられた人類史の総体を，一貫して「私たちの歴史」＝「アイヌ史」として記述する。その背景に，2007年採択の「先住民族の権利に関する国際連合宣言」以後における国内外の政治情勢と，その学問研究へのインパクトがあることはいうまでもない。

　北原モコットゥナシは，考古学的文化にもとづく区分が，民族集団の成立，存否と混同されることで，13世紀以前にはアイヌの歴史が存在しなかったかのような認識を導きかねないという懸念を述べる[2]。そこには，13世紀以後を「アイヌ文化」とする考古学の時代区分がしばしば曲解され，いわゆる「アイヌ民族否定論」のようなヘイトスピーチの根拠として悪用されるという，昨今の社会状況への強い危惧がある。

　こうした状況下，従来の「アイヌ文化期」を，より限定的に「考古学的アイヌ文化期」等と表記する試みもある[3]。また，最近刊行された関根達人ほか編『アイヌ文化史辞典』（吉川弘文館，2022）では，考古学上の「アイヌ文化期」だけでなく，近現代のアイヌ民族の担う文化が紛れもない「アイヌ文化」であることを重視する立場から，通説でいう「アイヌ文化期」を「前近代アイヌ文化期」と表記する。さらに，かつて藤本英夫や宇田川洋が提起した，「内耳土器文化」「チャシ文化」などの独自の概念も，昨今の「アイヌ史の時代区分」の議論のなかで，改めてその有効性について検証されるべきであろう。

　本稿では，上記のような認識のもとに「アイヌ文化期」概念の学史的な論点を概観するとともに，「先住民族史」という視座をも意識しつつ，「アイヌ史の時代区分」へ向けた新たな取り組みの一端について述べたい。

## 1　「アイヌ文化期」概念の成立

　考古学上の「アイヌ文化」の成立を新しくとらえ，主として擦文文化の終焉以後の時期に限定する見方は，北海道考古学の研究史において，決して当初からのものではない。

　河野広道・名取武光による「北海道の先史時代」（『人類学・先史学講座』6，雄山閣，1938）は，その後の研究に根強い影響を及ぼした戦前の重要な論説である。ここでは，当時の人種論的，社会ダーウィン主義的な思潮にもとづいて，典型的なアイヌ衰亡史観が展開され，アイヌは「日本民族」への同化を運命づけられていると断言される。

　そのうえで河野・名取は，アイヌ民族の「衰退の兆」を，ユーラシア極東に「金属器文化が進出」した時点という早い段階に置く。本論文にお

いては，のちの「アイヌ文化期」概念は未成立であり，これに該当する時期は，あくまでも「日本，和人の進出期」＝「アイヌ文化の衰亡過程」として位置づけられる。そして，それ以前の縄文や続縄文前半の時代こそが，アイヌ民族史のいわば「本来の段階」とみなされている。

その後，1950年代後半に，河野は，「土器・石器文化を知らない」段階として「所謂「アイヌ文化期」」の概念を導入する[4]。それは大場利夫に継承され，今日の通説的な時代区分が体系化される。大場による1959年の「北辺の先史文化」（『世界考古学大系第Ⅰ巻日本 先縄文・縄文時代』）には，現行の通説とほぼ同様の時代区分が示されている。

ここで注目すべきは，大場は「アイヌ文化期」について，それ以前の文化との共通性，連続性を重視している点である。そうした姿勢は，大場が「指導校閲」した1970年の『新北海道史』（第二巻通説第一編）第一章「先史時代」の記述にも踏襲され，そこでは「丁度日本人の先祖が石器，土器を製造使用したことを忘れてしまったと同様，近代アイヌも忘れてしまっていたのであって，北海道の先史時代遺物はほぼ確実にアイヌの祖先が製造し使用したものであると考えられる」との認識が示される。

このように，「擦文文化」の終焉後を「アイヌ文化」とする北海道考古学の時代区分は，本来，必ずしも両者の断絶を強調していなかった。ただしそこには，「アイヌ文化」を「先史文化」「原始文化」の「残存」「停滞」とし，「衰亡の過程」に位置づける認識がつきまとっていた[5]。こうした歴史観は，その後の研究にもさまざまに受け継がれる。例えば，擦文文化や続縄文文化を積極的に「アイヌ文化」の一部としてとらえる河野本道の研究には，「「他の影響があまり強くない」アイヌ文化」として続縄文文化期（＝河野のいう〈続北海道島風文化期〉）を重視し[6]，その後のアイヌは変質して衰退する一方という，戦前以来のアイヌ史認識が強固にみてとれる。

これに対して，1980年代以後，「アイヌ考古学

研究」を推進した宇田川洋は，「アイヌ考古学」を，本州の中近世に相当する時期の北海道考古学として規定した[7]。宇田川の学説では，「アイヌ考古学」の対象は中近世の「アイヌ文化期」に絞られることになる。ただしその一方で，宇田川が「アイヌ文化期」を，豊かな内実を有する独自の民族文化の歴史として正当に位置づけようとする点は，きわめて重要である。ここには，今日のわれわれがむしろ積極的に継承すべき視座が含まれている。

## 2 「アイヌ文化期」概念の展開と課題

1970年代には，「アイヌ」の厳密な「定義」を問い，中近世の「アイヌ文化期」以外の時期を「アイヌ」とはみなさないかのような見解も登場した。その代表的な例が，埴原和郎・藤本英夫・浅井亨・吉崎昌一・河野本道・乳井洋一『シンポジウム アイヌ―その起源と文化形成』（北海道大学図書刊行会，1972）である。同書において吉崎は，「「民族」という概念でアイヌをとらえた場合，アイヌ文化の成立はきわめて新しくなりそうです。日本石器時代の代表的な文化である縄文文化を「日本文化」と規定出来ないように，北海道の縄文文化や続縄文文化をアイヌ文化と規定出来ないのは自明の理です」とし，「アイヌ文化の成立は擦文文化以後ということになります」とする。

実は，吉崎は1961年に，「擦文文化は続縄文文化から，続縄文文化は縄文文化が主幹となってスムーズに出てきた」としたうえで，アイヌのルーツを縄文文化に辿ることが「考古学的には無理がない」としている[8]。この10年のあいだのニュアンスの差がどのように生じてきたのか，その背景を学史的に追究する意味があろうが，本稿ではこの点には深入りしない。

『シンポジウム アイヌ』の歴史認識の，もう一つの重大な問題性は，同様の論理を，過去の文化集団だけでなく，近現代のアイヌ文化にもあてはめようとすることである。そこでは，近現代に大きな変容を被ったアイヌ文化・民族は，もはや「真正のアイヌ文化」とはみなされなくなってしまう[9]。

『シンポジウム アイヌ』と同年に発表され、今日も大きな影響力を有する渡辺仁の学説[10]にも、同様の課題を指摘できる。渡辺は、「アイヌ文化」とは「民族学的に周知のアイヌの文化」「民族誌的現在に於けるアイヌの文化」であるとして、「アイヌ民族をアイヌ民族たらしめてゐる中心的文化要素は何か」「それがなければ最早アイヌとはいへなくなるような基本的文化要素は何か」と問う。そして、「アイヌ文化の中核（神髄）」を、「クマ祭文化複合体」と規定する。

和人研究者が「典型的なアイヌ文化」「アイヌ文化の本質」を抽出し、定義しようとする行為に対しては、佐々木昌雄による厳しい批判がある。佐々木は、「ここにいわれているのは、〈アイヌ〉の〈アイヌ〉たる所以、〈アイヌ〉の特徴を「絵葉書でみるアイヌというもの、一般にアイヌ的といっている顔や身体つき」とまず考えているのだということである」とし、「〈アイヌ〉だけを厳密に規定しようとして我が身〈シャモ〉がスポッと抜けおちているような発想」として、「日本史」と「アイヌ史」とのあいだの不均衡、非対称性を鋭く指摘した[11]。

上記の議論は、現実に生きる人々、現に存在する集団を、他者が「定義」しようとすることの権力性をあらわにしている。

1989 年採択の ILO169 号条約第一条 2 項は、先住民族の集団性に関する基本的な判断基準として、自己認識（self-identification）を重視する。また、2007 年の国連宣言に結実する、コーボ報告書（1983）の論理や、先住民作業部会（WGIP）の議論も、「定義は本来、先住民族自身に委ねられるべきもので、自らを先住民族と決定する権利が先住民族に認められなければならない」ことを強調する[12]。今日、先住民族において、その「定義」や、集団のメンバーシップの決定は、当事者による自己決定権の重要な一部としてとらえられるようになっている。考古学や歴史学も、こうした現代社会の動向に向き合い、対話していくことが求められる。

## 3　時代区分の指標としての「交易」論
### ―「アイヌ史的古代」は成立可能か―

国連宣言の理念において、先住民族は国民国家と対等の自己決定権を有する主体として位置づけられる。このことを踏まえれば、先住民族史としての「アイヌ史」は、国民国家史としての「日本史」とも等質の、長期的な過程として叙述される必然性を有する。

学史的には、1950 年代に駒井和愛が、先史時代からの一連の流れとしての「アイヌ考古学」を構想し、そのなかで、擦文文化の担い手を対象として「古代アイヌ」の概念を用いた例がある[13]。ただし加藤博文は、駒井による「アイヌ考古学」「古代アイヌ」とは、あくまでもアイヌ文化のなかに日本文化の古層を見出そうとする問題意識のもとに、日本の古代文化を復元するための素材として期待されるものであったと指摘している[14]。

また、桜井清彦『アイヌ秘史』（角川新書、1967）も、「古代のアイヌ」として「続縄文文化」「擦文文化」「オホーツク文化」の項をたて、「続縄文文化」を「アイヌ史の出発点」とするが、それは、日本史のネガとしての「後進地帯」という認識のもとに、日本史における古代～近代をスライドさせたにとどまる。

これらに対して、佐々木利和は、アイヌ史の時代区分には、「民族の特性を充分にいかした時代区分が必要」であるとし、「アイヌ史的現代」という概念を提唱した[15]。佐々木は、日本史の時代区分をスライドさせるのではなく、アイヌ史に独自の「中世」「近世」などを設定する試みも検討されなければならないとした。

こうした提起を踏まえ、谷本晃久は、1551（天文20）年に道南のアイヌ首長たちと蠣崎氏が講和した際の「夷狄の商舶往還の法度」が、のちの松前藩によるアイヌ交易独占の起点となり、ここに「アイヌ史的近世」が開幕するとした[16]。

一方、中村和之は、13 世紀後半、アイヌ民族のサハリン進出を契機として、北日本海交流の自立した担い手としてのアイヌの地位が確立し、

「アイヌ史的中世」が開幕したとする[17]。中村は，谷本説に比して，アイヌ史的中世の終焉＝近世の開幕を遅くとらえる。すなわち，17世紀の商場知行制，18世紀における樺太アイヌの清朝辺民体制への編入，帝政ロシアによる千島アイヌのヤサーク徴収への組み込み，津軽藩による本州アイヌの同化政策の進展などにより，自立的な交易の主体としてのアイヌの性格が失われ，「アイヌ史的中世」が終焉したとする。

谷本説・中村説は，いずれも交易の形態を，「アイヌ史」を画する重要な要素として把握する。これに関連して，考古学の立場から交易をキーワードとして「アイヌ史の時代区分」にアプローチした研究として，瀬川の議論がある。瀬川は，北海道史・アイヌ史においては，9世紀末〜10世紀を分水嶺として，自然資源の偏りない利用＝「縄文エコシステム」から，対外交易に傾斜した自然利用＝「アイヌ・エコシステム」への構造変動が起きたとし，この転換が，通説的な13世紀の転換（「アイヌ文化の成立」）よりも本質的な変革であったと主張する[18]。

上記の研究史を踏まえて，蓑島は，倭・日本との交流・交易の変遷を基軸として，およそ3〜13世紀の北海道地域で人々が繰り広げた歴史を，「アイヌ史的古代」（アイヌ史における古代）とすることを提案した[19]。鉄器の普及状況などからみて，続縄文後半期（3〜7世紀）は，北方圏における交流・交易の大きな画期であり，当該期の対外交易は，北海道の経済・社会・文化のゆくえに幅広い影響を及ぼした。蓑島の「アイヌ史的古代」は，瀬川の指摘する構造変動が10世紀に一斉に進んだとは限らず，より段階的に進展した側面を重視するものでもある。

「古代」「中世」「近世」などの時代区分については，国家形成を前提とした発展段階的な時代区分であり，アイヌ史にはなじまないとする主張も少なくない[20]。そうした意味で，坂田美奈子などの推進する，「アイヌの認識論」に立脚した歴史認識[21]と，それにもとづく時代区分の模索も重要な課題であるが，紙数の関係で別考を期したい。

ここでは，「古代」「中世」「近世」のような時代区分は，本来，発展段階的な社会構成体論だけに限定される枠組ではないことを想起しておきたい。その嚆矢は，「古代」と「現代」のあいだに中世（「中間の時代」）を置いたペトラルカにもさかのぼる[22]。また，折口信夫にとって「古代」とは，神と人との交歓による文学の「発生」の時代を意味した[23]。これらは一例にすぎない。アイヌ史における「古代」や「中世」について考察することは，社会構成体の議論を離れ，「古代」「中世」などの概念を新たな視座から問いなおすことにもつながる可能性を有する。

そうした試みの一環として，「アイヌ史の時代区分」は，アジア・ユーラシア的な動向との広域的な相互連関という視角からも論じられる余地がある。岸本美緒は，16世紀前後の東アジア各地においては，政治体制や社会が共通しなくても，同時代的な共通の課題に向き合うなかで，それぞれ独自の民族・文化・社会の形成が進んだとし（共通の「リズム」），それを東アジアの「近世化」と呼称した。岸本は，同様に東アジアの「中世化」や「古代化」についても検討されなければならないとする[24]。

かつてアイヌ社会は，発展段階的・単線的な社会進化の初期段階に位置づけられるものとされてきたが，実際には，周辺に成立した集権的な政体との関係性や，グローバルな経済システムへの適応としての側面を重視すべきことが強調されて久しい[25]。すなわち，アジア・ユーラシア的な「古代」の，北海道島とその周辺における表出の一局面として，「アイヌ史的古代」を認識することも可能ではなかろうか。むろん，こうした見通しを立証するには，地域間の相互連関の解明が不可欠であり，交易・交流の実態について，さらなる実証的な積み重ねが必要となる。

アイヌ史において交易の有する意味は，物質文化や経済・社会の側面に限定されないことにも留意される。かつて知里真志保は，民族誌的に記述されたアイヌ民族と神々との関係と，アイヌ民族と異民族との交易とが，「まるで符節を合わせるよ

うにぴたりと一致するのを発見して驚く」ことを論じた[26]。アイヌ民族の伝統的な世界観に異民族との交易のイメージが色濃く反映しているという知里の着想は，近年再評価されている[27]。アイヌにとって外部世界との交易は，精神文化や世界観の領域まで深く規定するものであった可能性が高いのである。このような意味においても，交易の実態とその変遷の解明は，「アイヌ史の時代区分」を検討するうえで重要な鍵となりうるであろう。

付記　本研究は JSPS 科研費 JP21K00826 の助成を受けたものです。

**註**

1) 瀬川拓郎『アイヌの歴史』講談社選書メチエ，2007

2) 北原モコットゥナシ「アイヌ／和人の立場から考える協働―国立アイヌ民族博物館の取り組み―」『新しい歴史学のために』296，2020

3) 高瀬克範「続縄文文化の発達」『シリーズ地域の古代日本 陸奥と渡島』KADOKAWA，2022

4) 1955 年の『斜里町史』や 1958 年の『網走市史』

5) 中田裕香「大場利夫と竪穴群」『北海道考古学』52，2016。谷本晃久「"アイヌ史"の時代区分を考える」『北海道考古学会 2017 年度研究大会 歴史・民族・言語研究と北海道考古学（予稿集）』2017

6) 河野本道『アイヌ史／概説』北海道出版企画センター，1996

7) 宇田川洋『アイヌ考古学』1980（増補再版，『増補 アイヌ考古学』2000）

8) 泉　靖一ほか「座談会：北海道考古学の現状と課題」『民族学研究』26―1，1961

9) 加藤博文「まとめ―新しいアイヌ史の構築：マルチヴォイスの歴史に向けて―」『新しいアイヌ史の構築：先史編・古代編・中世編：「新しいアイヌ史の構築」プロジェクト報告書 2012』2012

10) 渡辺　仁「アイヌ文化の成立―民族，歴史，考古諸学の合流点」『考古学雑誌』58―3，1972

11) 佐々木昌雄「〈アイヌ学〉者の発想と論理―百年間，見られてきた側から」『アヌタリアイヌ』第8 号（1974 年 2 月 20 日），のち同『幻視する〈アイヌ〉』草風館，2008 に再録

12) 小坂田裕子『先住民族と国際法―剥奪の歴史から権利の承認へ―』信山社，2017

13) 駒井和愛「古代アイヌの竪穴住居址」『考古学雑誌』44―3，1959 など

14) 前掲註 9 に同じ

15) 佐々木利和「歴史としてのアイヌ文化期」『アイヌの工芸 日本の美術 354』至文堂，1995

16) 谷本晃久「"アイヌ史的近世"をめぐって―アイヌ史の可能性，再考」『アイヌ史を問いなおす―生態・交流・文化継承』勉誠出版，2011

17) 中村和之「中世・近世アイヌ論」『岩波講座日本歴史 20（地域論）』岩波書店，2014

18) 瀬川拓郎『アイヌ・エコシステムの考古学―異文化交流と自然利用からみたアイヌ社会成立史―』北海道出版企画センター，2005

19) 蓑島栄紀「古代北海道地域論」『岩波講座日本歴史 20（地域論）』岩波書店，2014。同「古代アイヌ文化論」『陸奥と渡島』KADOKAWA，2022

20) 前掲註 9 に同じ

21) 坂田美奈子『アイヌ口承文学の認識論―歴史の方法としてのアイヌ散文説話―』お茶の水書房，2011

22) ジャック・ル＝ゴフ『時代区分は本当に必要か？〔連続性と不連続性を再考する〕』藤原書店，2016

23) 上野　誠『折口信夫的思考―越境する民俗学者―』青土社，2018

24) 岸本美緒『東アジアの「近世」』山川出版社，1998。同「「近世化」論における中国の位置づけ」清水光明編『近世化論と日本』勉誠出版，2015

25) テッサ・モーリス＝鈴木『辺境から眺める―アイヌが経験する近代―』みすず書房，2000

26) 知里真志保「ユーカラの人々とその生活―北海道の先史時代人の生活に関する文化史的考察」『歴史家』2・3，1953-1954。のち『知里真志保著作集』3，平凡社，1973 に再録

27) 本田優子「アイヌ口承文芸にみられる「史実」と交易」『北海道立アイヌ民族文化研究センター研究紀要』15，2009。瀬川拓郎『アイヌ学入門』講談社現代新書，2015

# 執筆者紹介 （執筆順）

あかいふみと
**赤井文人**
北海道教育庁生涯学習推進局
文化財・博物館課
文化財調査係

たかくら　じゅん
**髙倉　純**
北海道大学
埋蔵文化財調査センター助教

なかざわゆういち
**中沢祐一**
北海道大学助教

すだよしみつ
**隅田祥光**
長崎大学准教授

わだけいじ
**和田恵治**
北海道教育大学名誉教授

むかいまさゆき
**向井正幸**
旭川市保健所副主幹

まつむらよしふみ
**松村愉文**
遠軽町総務部
ジオパーク推進課

なつきだいご
**夏木大吾**
東京大学大学院
次世代人文学開発センター
特任助教

くにきただい
**國木田　大**
北海道大学大学院
文学研究院准教授

おばたひろき
**小畑弘己**
熊本大学教授

さかぐちたかし
**坂口　隆**
早稲田大学
先史考古学研究所

なかむらこうさく
**中村耕作**
国立歴史民俗博物館
准教授

すずきしょうた
**鈴木将太**
恵庭市教育委員会

ふじわらひでき
**藤原秀樹**
北海道教育庁生涯学習推進局
文化財・博物館課
文化財調査係

つたやたくみ
**蔦谷　匠**
総合研究大学院大学
助教

ふくいじゅんいち
**福井淳一**
（公財）北海道埋蔵文化財センター

さかきだともひろ
**榊田朋広**
札幌市埋蔵文化財センター

あべちはる
**阿部千春**
北海道環境生活部
縄文世界遺産推進室
特別研究員

あおのともや
**青野友哉**
東北芸術工科大学准教授

さとうゆきお
**佐藤由紀男**
岩手大学特命教授

たかはしけん
**高橋　健**
横浜ユーラシア文化館
主任学芸員

たかはしみすず
**髙橋美鈴**
余市町教育委員会
学芸員

くまきとしあき
**熊木俊朗**
東京大学大学院
人文社会系研究科教授

たかばたけたかむね
**髙畠孝宗**
枝幸町教育委員会
社会教育課参事

いのくまししげと
**猪熊樹人**
根室市歴史と自然の資料館
学芸員

さわいげん
**澤井　玄**
北海学園大学
非常勤講師

うちだかずのり
**内田和典**
北海道教育庁生涯学習推進局
文化財・博物館課
文化財保護係

すずきたくや
**鈴木琢也**
北海道博物館学芸主幹

おのてつや
**小野哲也**
標津町教育委員会
生涯学習課長

えだまさき
**江田真毅**
北海道大学
総合博物館教授

さとうたけひろ
**佐藤丈寛**
金沢大学助教

ちはらこうじ
**千原鴻志**
山梨県立富士山世界遺産センター
学芸員

しみずかおり
**清水　香**
明治大学研究・知財戦略機構
（生田）客員研究員

かみじょうのぶひこ
**上條信彦**
弘前大学人文社会科学部
教授

ふくだまさひろ
**福田正宏**
東京大学大学院
人文社会系研究科准教授

みのしまひでき
**蓑島栄紀**
北海道大学
アイヌ・先住民研究センター准教授

# 編著者略歴

## 高瀬　克範 （たかせ　かつのり）

北海道大学大学院文学研究院教授。
1974年北海道生まれ。北海道大学大学院文学研究科博士課程修了。博士（文学）。
（財）岩手県文化振興事業団埋蔵文化財センター，東京都立大学，明治大学をへて現職。著書に，『本州島東北部の弥生社会誌』(六一書房，2004年)，『江豚沢I』(共編著，江豚沢遺跡調査グループ，2012年)，『北海道猿払村エサヌカ2遺跡出土の考古資料』(北海道大学大学院文学研究科考古学研究室，2017年)，"Illustrated Catalogue of Archaeological Materials from Kamchatka in T. M. Dikova Collection Preserved in the North-Eastern Interdisciplinary Scientific Research Institute, Far Eastern Branch, Russian Academy of Sciences (NEISRI FEB RAS), Magadan, Russia (共著，北海道大学大学院文学研究院考古学研究室・ロシア科学アカデミー極東支部東北学際研究所，2019年)，『続縄文文化の資源利用』(吉川弘文館，2022年) などがある。

季刊考古学・別冊42
ほっかいどうこうこがく
# 北海道考古学の最前線
こんせいき　　　　　しんてん
## —今世紀における進展—

| | | |
|---|---|---|
| 定　　価 | 2,600円＋税 | |
| 発 行 日 | 2023年6月25日 | |
| 編　　者 | 高瀬克範 | |
| 発 行 者 | 宮田哲男 | |
| 発 行 所 | 株式会社　雄山閣 | |

〒102-0071　東京都千代田区富士見2-6-9
TEL 03-3262-3231　FAX 03-3262-6938
振替 00130-5-1685
URL　https://www.yuzankaku.co.jp
e-mail　info@yuzankaku.co.jp

印刷・製本　株式会社ティーケー出版印刷

N.D.C. 210　152p　26cm